Claus Westermann

Vergleiche und Gleichnisse
im Alten und Neuen Testament

Calwer Theologische Monographien

Herausgeberkreis:

Jörg Baur, Martin Brecht, Horst Bürkle, Georg Kretschmar, Manfred Seitz,
Peter Stuhlmacher, Claus Westermann

Reihe A: Bibelwissenschaft
Herausgegeben von Peter Stuhlmacher und Claus Westermann

Band 14
Claus Westermann
Vergleiche und Gleichnisse
im Alten und Neuen Testament

Claus Westermann

Vergleiche und Gleichnisse im Alten und Neuen Testament

Calwer Verlag Stuttgart

CIP-Kurztitelaufnahme der Deutschen Bibliothek

Westermann, Claus:
Vergleiche und Gleichnisse im Alten und Neuen
Testament / Claus Westermann. – Stuttgart :
Calwer Verlag, 1984.
  (Calwer Theologische Monographien : Reihe A,
  Bibelwissenschaft : Bd. 14)
  ISBN 3-7668-0735-8

ISBN 3-7668-0735-8

© 1984 by Calwer Verlag Stuttgart

Satz: Hermann Weyhing GmbH, Stuttgart
Druck: Kohlhammer und Wallishauser, Hechingen

Inhalt

Vergleiche im Alten Testament – Zur Vorgeschichte der Gleichnisse Jesu

Folgerungen für das Verständnis der Gleichnisse

Verzeichnis der Abkürzungen

Einleitung – Aufgabe – Terminologie

Die Vergleiche im AT sind meines Wissens noch nie im Zusammenhang untersucht worden. Das ist wahrscheinlich in der untergeordneten Bedeutung begründet, die man ihnen im allgemeinen zuschrieb. Man verstand sie als »uneigentliches« gegenüber einem »eigentlichen« Reden, als »Bildrede«, wobei von den Gleichnissen in den Evangelien her »Bild« und »Sache« unterschieden wurde. Hinter dieser Unterscheidung wiederum steht die des Aristoteles zwischen »res« und »ornatus« (hierzu vergleiche im II. Teil zu E. Jüngel, Methapher, S. 117). Man ging davon aus, daß vergleichbare Rede eo ipso bildliche, illustrierende Rede sei; so z. B. in den Artikeln zu ›Gleichnis‹ in RGG³ (s. u. S. 111) und zu ›parable‹ in IDB III p. 650: »The parable saying is illustrative.« Von da aus ist es verständlich, daß man nie gefragt hat, ob die Vergleiche selbst etwas zu sagen haben; man hat auch nicht genauer nach der Funktion der Vergleiche gefragt, da man voraussetzte, daß sie als »Bildrede« alle die gleiche Funktion haben, so wie es der schon zitierte Satz aus IDB sagt. (Erst als ich meine Untersuchung im wesentlichen abgeschlossen hatte, wurde mir aus einer germanistischen Untersuchung bekannt, daß in der außertheologischen Metapherforschung das Verständnis der Vergleiche als Bildworte schon lange bestritten worden ist; dazu s. u. S. 120). Aber allein die Tatsache, daß Vergleiche in einigen Teilen des AT fast oder ganz fehlen, während sie in anderen gehäuft begegnen, verweist auf spezifische Funktionen des Vergleichs, die sich aus ihrem Zusammenhang ergeben.

Ich stieß auf die Frage bei einer Beobachtung an der Auslegung der Gleichnisse Jesu. Es fiel mir auf, daß in den Untersuchungen darüber das Gewicht so sehr auf die Deutung gelegt wurde, daß das Gleichnis selber, also der einfache Text des Gleichnisses, sich nicht wirklich aussprechen konnte. Hatte man die Deutung oder die vermeintliche Deutung gefunden, dann ließ man das Gleichnis beiseite, man brauchte es nicht mehr. Theologisch verwendbar war nur der gedankliche Extrakt des Gleichnisses, das sogenannte tertium comparationis. Das erweckte in mir ein starkes Unbehagen. Ich fand, daß in den drei Gruppen profaner Vergleiche im AT (s. u. S. 13) der Vergleich jeweils eine Eigenbedeutung hatte, daß die Funktion dieser Vergleiche in allen drei Gruppen verschieden und in keiner von ihnen die der Illustration oder Veranschaulichung war. In einem Seminar 1977/78 »Sprichwort und Gleichnis« versuchte ich, von daher auch die Eigenbedeutung des Gleichnisses nachzuweisen. Dann wurde mir klar, daß es für die Vorgeschichte der Gleichnisse Jesu notwendig ist, die Vergleiche im AT insgesamt zu untersuchen, wenn das Gleichnis ein erweiterter Vergleich ist (so. R. Bultmann u. a.). Im Gegensatz zu der in der Auslegung der Gleichnisse Jesu herrschenden Auffassung, die Funktion der Gleichnisse sei die Veranschaulichung (manche sagen sogar: »zur Veranschaulichung der übersinnlichen Wirklichkeit« s. u. S. 111), ergibt eine Untersuchung der Vergleiche im AT, daß sie verschiedene Funktionen haben. Diese Funktionen erhalten sie aus ihrem Zusammenhang. Neben einen Vorgang in einem Bereich wird ein Vorgang in einem anderen Bereich gestellt. Was mit diesem Danebenstellen beabsichtigt wurde, ergibt sich jeweils aus dem Zusammenhang. Diese Absicht zu finden, wird dem Urteil des Hörers überlassen.

Daß im AT die Vergleiche ihre Funktion aus ihrem Zusammenhang erhalten, zeigt sich zuerst daran, daß sie bestimmten Redeformen zugeordnet sind. Sie begegnen nicht beliebig überall; sehr selten in den Geschichtsbüchern, in den Gesetzescorpora so gut wie gar nicht, überreichlich aber in den Prophetenbüchern und den Psalmen. Außerdem noch in drei nichttheologischen Komplexen: in den Stammessprüchen Gen 49 und Dtn 33, in den Cantica und in den Vergleichsprüchen der Proverbien.

In der Frage der Terminologie herrscht große Verwirrung, die aber zu lösen ist, wenn man davon ausgeht, daß allen Formen der sprachliche Vorgang des Vergleichs zugrunde liegt und man zur Unterscheidung der Formen nur formale und objektive Kriterien anwendet. Am häufigsten begegnet der Vergleich in einem Satz (oder zwei, höchstens drei), der Bestandteil einer größeren Einheit ist. Dieser kann zu einem Gleichnis erweitert werden, das dann eine selbständige, in sich geschlossene Einheit bildet, eine kleine Erzählung. Der explizite Vergleich, der in einem Satz besteht, kann auch zu einem impliziten Vergleich, nur aus einem (oder zwei oder drei) Wort bestehend, reduziert werden. Dieser implizite, auf ein Wort reduzierte Vergleich wird für gewöhnlich als Metapher bezeichnet (z. B. »die Erde tat ihren Mund auf«, »Arm des Herrn«). Vergleiche sind alle drei Formen, sofern sich in ihnen ein Vorgang des Vergleichs vollzieht bzw. ihnen zugrunde liegt. Auch wenn es fließende Übergänge zwischen diesen drei Formen gibt, sind sie doch eindeutig voneinander zu unterscheiden: die vergleichende Erzählung (Gleichnis) – der Vergleich in einem Satz – der Vergleich in einem Wort. Will man den Vergleich umfassend untersuchen, muß man alle drei Formen berücksichtigen. (Die Unterscheidung in diesen drei Formen ähnlich bei C. H. Dodd, S. 16.)

Da bisher noch keine Untersuchung der Vergleiche im AT vorliegt (eine Untersuchung der Vergleiche in den Psalmen ist an der Tübinger Fakultät in Arbeit), kann ich nur einen ersten, ungefähren Überblick geben, der weiterer gründlicher Ausarbeitung bedürfte. Aus diesem Grunde ist die Metapher nicht einbezogen, die Sekundärliteratur nur an wenigen Stellen herangezogen worden, da die Arbeit sonst unüberblickbar geworden wäre. Mit der Untersuchung möchte ich zugleich eine Möglichkeit der Zusammenarbeit in der alt- und neutestamentlichen Exegese aufzeigen. So ist der zweite Teil gemeint, in dem ich an der Rezension einiger bekannter Arbeiten zu den Gleichnissen Jesu andeute, was sich aus der Untersuchung der Vergleiche im AT für das Verständnis der Gleichnisse im NT ergibt. Das können nur einige erste, tastende Hinweise sein.

Die Wichtigkeit eines Vergleichs der Gleichnisse Jesu mit den frühjüdischen Gleichnissen (z. B. Flusser) ist mir bewußt. Sie muß einer besonderen Untersuchung vorbehalten bleiben, kommt aber kurz zu Wort in der Besprechung von M. D. Goulder (s. u. S. 112).

Vergleiche im Alten Testament
Zur Vorgeschichte der Gleichnisse Jesu

Der profane Vergleich

Vergleiche in den Stammessprüchen

Die Stammessprüche in Gen 49 und Dtn 33 sind eine eigene Gattung (dazu C. Westermann, Kommentar BK I/3 zu Gen 49; Genesis 37–50). Sie gehen zum Teil bis auf die Richterzeit zurück. Entstanden sind sie und wurden mündlich tradiert bei Zusammenkünften der Stämme bzw. von Vertretern der Stämme bei verschiedenen Gelegenheiten. Dabei sind – je nach der Gelegenheit – die Stammessprüche einzeln oder in kleinen Gruppen entstanden und weitergegeben worden; die Sammlungen, die alle zwölf Stämme umfassen, gehören einem späteren Stadium an. Die Stammessprüche dienen der Charakterisierung eines Stammes, indem sie ein Lob oder einen Tadel über ihn aussprechen (das zeigt besonders deutlich die Vorform ohne Vergleich im Deboralied, Ri 5). Dabei bedienen sie sich entweder eines Wortspiels oder eines Vergleichs (vgl. die Tabelle in meinem Kommentar BK I/3 S. 276). Es sind meist Tiervergleiche, einmal ein Pflanzenvergleich: Gen 49,9. 14. 15. 16 f. 21. 22. 26; Dtn 33,17. 20. 22. Der Stamm Juda wird mit einem jungen Löwen verglichen, 49,9:

> »Ein junger Löwe ist Juda,
> vom Raub im Tal steigt er hinauf.
> Er hat sich gekauert, gelagert wie ein Leu,
> wie eine Löwin, wer darf ihn aufstören?«

Der Vergleich wird in drei Aussagen entfaltet: er hat eine Beute gerissen, er steigt mit seiner Beute hinauf, kauert sich nieder in seiner Höhle, »und niemand wagt ihn aufzustören«; vgl. Hos 5,14. Der Löwe wird nicht beschrieben, sondern es wird erzählt, was er tut. Nicht mit der *Gestalt* des Löwen wird der Stamm Juda verglichen, sondern mit dem, was er tut und bewirkt. Das gilt für alle Vergleiche. So unterscheidet sich z. B. der Vergleich Dans mit einer Schlange, die am Weg lauert und »das Roß in die Fessel beißt, daß sein Reiter rücklings stürzt«, V. 17, sinnvoll von dem Judas mit einem Löwen, weil er die Situation und die nur sehr geringen Möglichkeiten des Stammes Dan genau trifft. Auch hier wird nicht eine Eigenschaft des Stammes Dan mit einer Eigenschaft der Schlange verglichen, es wird ein Vorgang erzählt. Was die Schlange tut, wird mit dem verglichen, was der Stamm Dan tut. Auch bei dem Vergleich Issachars mit einem Lastesel, V. 14–15, wird eine kleine Geschichte von dem Esel erzählt: »... als er sah, daß die Ruhe so schön war, das Land so lieblich, da beugte er seinen Rücken zum Lastentragen und wurde ein Fronknecht«. Dabei ist eine besondere Feinheit, daß das Subjekt schwebend bleibt, es ist zugleich der Esel und der mit ihm gemeinte Stamm. Daran zeigt sich, daß dieser Vergleich einer Deutung nicht bedarf. Daß Vergleich und Verglichenes ineinander übergehen, begegnet häufig: der Vergleich ist eine Anspielung, die in sich verständlich sein soll. Wenn bei diesem Vergleich – wie ähnlich auch bei dem Vergleich Judas mit dem Löwen – der einfache Vergleich (»ein Löwe«, »eine Schlange«, »ein Lastesel«) weitergeführt ist durch einen Relativsatz und dann noch durch einen zweigliedrigen Hauptsatz, zeigt sich daran ein Übergang vom Vergleich zum Gleichnis. Es wird damit bestätigt, daß das Gleichnis eine Erweiterung des Vergleichs ist oder doch sein kann.

Wenn nun in *allen* Stammessprüchen der Vergleich die Funktion von Lob oder Tadel hat, ist das als eine der frühesten, eine der ursprünglichen Funktionen des Vergleichs überhaupt nachgewiesen. Das allen bekannte, in den Erfahrungsbereich aller gehörende Geschöpf, das immer bleibt, was es ist, dient der Urteilsbildung über ein geschichtliches, in der Geschichte sich wandelndes Gebilde; dieser Vergleich ist eine sehr frühe Form des geschichtlichen Urteils, das im Vergleich seinen Ausdruck erhält. Die Wandelbarkeit geschichtlichen Urteils zeigt sich an solchen Vergleichen: bei Hosea kann Gott in seinem Einschreiten gegen sein Volk in ähnlichen Worten mit einem Löwen verglichen werden, er wird seinem Volk zu einem reißenden Raubtier, Hos 5,12–14: »Ich aber bin ... wie ein Löwe gegen Ephraim ... ich zerreiße und gehe davon und trage hinweg und niemand rettet.« Es ist derselbe Vergleich in einer anderen Lage. Der Vergleich (= das Vergleichende) ist konstant geblieben, das Verglichene ist gewandelt: beim Stammesspruch Ausdruck des Lobens des kämpferisch-tüchtigen Stammes Juda, bei Hosea intensivierender Ausdruck der Gerichtsankündigung, Gott als Richtender greift an wie ein Löwe. Es zeigt sich, daß ein solcher Vergleich an die Situation gebunden ist, in der er geprägt wird. Eine grundlegende Veränderung erfährt er, wenn er zu einem stetigen und für die Dauer gültigen Emblem wird. Den Wappentieren (besonders oft ein Löwe) liegt der sprachliche Vergleich, wie er z. B. in den Stammessprüchen vorliegt, zugrunde. Aber einen Wandel gibt es dabei nicht mehr, der Tiervergleich hat seine ursprüngliche Funktion verloren.

Der Vergleich in der Funktion des Lobes hat in Gen 49 noch eine andere Anwendung im Preis des Königs, 49,11–12: »... seine Augen sind dunkler als Wein, seine Zähne weißer als Milch«. Dieses Vergleichen von Gliedern des Körpers, Augen und Zähnen mit Wein und Milch hat einen deutlich anderen Klang als der Vergleich in Lob und Tadel der Stämme. Es gehört in einen anderen Zusammenhang, den des Preises der Schönheit, wie er die Cantica bestimmt (s. u.), während in den Vergleichen der Stämme mit Tieren das Loben im Sinn des Anerkennens neben dem Tadel auf objektiver Beurteilung beruht. Auch daran zeigt sich, daß das Vergleichen seine Funktion jeweils aus dem Zusammenhang erhält, in dem es steht. Sowohl die Vergleiche mit Pflanze und Tier in den Proverbien wie die in den Cantica haben andere Funktionen als die in den Stammessprüchen.

Vergleiche in den Cantica

In den Cantica hat der Vergleich eine die ganze Sammlung bestimmende Bedeutung. Gerleman (G. Gerleman, BK 18, ²1981) spricht von einem »bildlichen Vergleich«, in dem es vor allem um eine »Veranschaulichung der menschlichen Körperteile« gehe. Sind aber die Vergleiche im Hohenlied als »Bilder«, als »Veranschaulichung« gemeint? Werden die Glieder des Körpers durch die hier gebrauchten Vergleiche anschaulicher?:

4,1: »Deine Augen sind Tauben ...«
5,11: »Sein Kopf ist gediegenes Gold, seine Lenden sind Dattelrispen ...«

5,14: »Seine Hände sind Goldzapfen...«
1,9: »Einer Stute am Wagen des Pharao vergleiche ich dich...«.

Gerleman spürt das, wenn er später sagt: »Der Reichtum an schlagenden Bildern und Vergleichen scheint nicht in erster Linie dazu zu dienen, eine sinnliche Vorstellung zu konkretisieren, sondern will eher die Gefühls- und Stimmungswirkung steigern.« Die Funktion der Vergleiche muß jeweils aus ihrem Zusammenhang erklärt werden. Hier ist es der Zusammenhang des Liebesliedes. Da dieses etwas wie eine Huldigung an den Geliebten oder die Geliebte ist, stehen die in ihnen gebrauchten Vergleiche im Dienst dieser Huldigung. Sie können bezeichnet werden als Erhöhung (der Geliebte ist König), als Preis oder Verherrlichung des (der) Geliebten. Alle Vergleiche sind bestimmt von dieser Absicht des Huldigens. Man kann wohl eine Gruppe dieser Lieder »Beschreibungslieder« nennen; aber sie sind eben keine objektive Beschreibung, diese steht vielmehr im Dienst des Rühmens. Nicht der Körper oder ein Körperglied wird mit einem Tier oder einer Pflanze verglichen, sondern das Schönsein des einen mit dem Schönsein des anderen; das ist etwas anderes. Das Vergleichende: Taube, Ziege, Gazelle, Hirsch, Pferd, Weintraube, Apfel, Blüten, Zeder, Palme, Goldzapfen, Alabastersäule usw., ist nicht in erster Linie wegen der Ähnlichkeit zu dem Verglichenen gewählt, sondern wegen seiner Lieblichkeit, Schönheit, Kostbarkeit. Diese ist das eigentlich Gemeinsame, das eigentlich Vergleichbare.
Noch deutlicher zeigt sich das an den Erweiterungen der Vergleiche:

4,5: »Deine Brüste sind zwei Jungtiere,
Gazellenzwillinge, weidend unter Lilien ...«
4,1f.: »Dein Haar ist wie eine Herde Ziegen,
die vom Gebirge herabwallen ...
Deine Zähne sind wie eine Herde neu geschorener Schafe,
welche eben aus der Schwemme aufgestiegen sind,
welche alle Zwillinge gebären,
und ohne ihre Jungen ist keines unter ihnen.«

Diese Erweiterungen zeigen ebenso wie die bei den Stammessprüchen, daß hier nicht Gegenständliches verglichen wird. Es ist das Schönsein, das verglichen wird; zum Schönsein der Herde aber gehört auch das, was in den Erweiterungen gesagt wird; dabei ist ein Verständnis vorausgesetzt, nach dem das Schöne primär Geschehendes ist (dazu C. Westermann, FS W. Zimmerli, 1977, S. 479–497).

Die Vergleichsprüche in den Proverbien

In Spr 10–28 begegnen 70 Vergleichsprüche. In ihnen ist ein nur aus zwei Gliedern bestehender Vergleich zu einer sprachlichen Einheit gestaltet.

Beispiele:
13,14: Die Weisung des Weisen – eine Quelle des Lebens
10,15: Die Güter des Reichen – seine feste Burg

Die Fügung zum Parallelismus ist ein sekundäres Überlieferungsstadium. In den Vergleichsprüchen ist das Verglichene immer eine menschliche Verhaltensweise, das Vergleichende (oder das, womit diese Verhaltensweise verglichen wird) immer ein Phänomen der täglich gesehenen und erfahrenen außermenschlichen Wirklichkeit.

Bei den Vergleichen lassen sich einige Gruppen herausheben:

Das wertvolle Wort: Verständige Lippen – der köstliche Schmuck.

Das schädigende Wort: 12,18a: »Manches Mannes Geschwätz verwundet wie Schwertstreich.«

Die wertvollen Taten, die Taten des Übeltäters, das Gute und Schlechte am falschen Ort: 25,20: »Wer Lieder singt einem mißmutigen Herzen – wie Essig auf eine Wunde gegossen.«

Hier erhält auch *der witzige Spott* seinen Platz: 11,22: »wie ein goldener Ring am Rüssel des Schweines.«

Das, womit die menschliche Verhaltensweise verglichen wird, ist außerordentlich mannigfaltig, gehört aber immer der alltäglichen Wirklichkeit an: die Elemente, Pflanzen und Tiere, Jahreszeiten, Witterung, Stadt und Haus, Gebäude, Zimmer, Geräte und Waffen. Schmuck, Kostbarkeiten, Handwerk, Nahrung und Genußmittel, der menschliche Körper, Krankheit.

Die Funktion der Vergleiche: In den Vergleichen vollzieht sich ein Werten, sie stehen im Dienst dieses Wertens menschlichen Verhaltens, entsprechen also dem, was wir als Ethik bezeichnen. Im Gegensatz aber zu einer Ethik, die das menschliche Verhalten nach abstrakten Begriffen bewertet, wird hier die Wirklichkeit, in der die Menschen leben, zum Maß des Verhaltens. Dabei wird der Hörer gefragt, ob er der jeweiligen Gleichsetzung zustimmt. Wenn er zustimmt, wird er auch entsprechend handeln. Dieses Verhalten ist dann in der eigenen Erkenntnis motiviert, einer Mahnung oder eines Verbotes von oben herab bedarf es dann nicht. Der Vergleich redet mündige Menschen an, die selbst über ihr Verhalten entscheiden können und zu entscheiden haben. Auch hierin liegt eine Entsprechung zu den Gleichnissen Jesu vor. Die Realität der täglich erfahrenen Wirklichkeit reicht aus, Maßstäbe für das eigene Handeln zu gewinnen. Zugrunde liegt dem die Entsprechung zwischen dem Menschen als Geschöpf und der übrigen Kreatur. Die Gleichsetzung ist in Gottes Schöpfung begründet. Dazu gehört auch, daß sie den Menschen als zur Gemeinschaft geschaffen voraussetzt. Wertvoll ist ein Wort nicht primär nach seinem Inhalt, sondern nach seiner Situation im Miteinander der Menschen: 24,26: »Eine richtige Antwort ist ein Kuß auf die Lippen«, 26,9: »Ein weiser Spruch im Mund des Toren – ein Dornenzweig in der Hand eines Trunkenen.«

In einer Gruppe von Sprüchen werden Beobachtungen am Menschen gemacht, die im Vergleich dargestellt und festgehalten werden:

27,20: »Wie Totenreich und Abgrund unersättlich –
so werden des Menschen Augen nicht satt.«

Diese Beobachtungen am Menschen zeigen das Bemühen um das Verstehen des Menschen, erwachsen aus dem staunenden Beobachten. Die Funktion dieser Sprüche ist die Erkenntnis, das Verstehen (des Menschen) durch das Festhalten von Beobachtungen in einem Vergleich. In anderer Weise geschieht das auch in der Gruppe der Komparativsprüche: »besser als…«.

Die Bedeutung der profanen Vergleiche

a) Die drei äußerst verschiedenen Textkomplexe Stammessprüche, Cantica, Vergleichsprüche haben gemeinsam, daß in ihnen der Vergleich eine jeweils für den Komplex notwendige Eigenbedeutung erhält. In ihnen ist der Vergleich nicht etwa ein »epitheton ornans«, etwas hinzugefügtes Schmückendes (Aristoteles: ornatus), er ist vielmehr ein konstitutives Element des jeweiligen Sprachvorganges. Was hier gesagt wird, könnte nicht ohne den Vergleich gesagt werden.

b) Die konstitutive Bedeutung des Vergleichs zeigt sich formal darin, daß der Vergleich als solcher eine sprachliche Einheit (eine »kleinste Einheit«, H. Gunkel) bildet. Darin unterscheiden sich diese drei Komplexe vom Vergleich bei den Propheten oder in den Psalmen, wo der Vergleich Glied einer größeren Einheit ist. Jedoch kann ein Vergleich, der Glied eines anderen, größeren Ganzen ist, in der Weise erweitert werden, daß er wieder zu einer selbständigen, erzählenden Einheit wird: nämlich im Gleichnis. Man kann hier einen Dreischritt wahrnehmen:

Vergleich als Spracheinheit
Vergleich als Glied einer größeren Einheit
Vergleich als Spracheinheit (Gleichnis).

c) Die Funktion der Vergleiche ist in keiner der drei Gruppen das Illustrieren oder Veranschaulichen; bei den Stammessprüchen ist sie Lob und Tadel, bei den Vergleichsprüchen Wertung, bei den Liebesliedern Huldigung. Immer ist darin ein Vorgang neben einem Vorgang gestellt. Auch wo nur ein einzelnes Phänomen mit einem Phänomen in einem anderen Bereich verglichen wird (ein Löwe mit einem Stamm, ein Wort mit einem Gerät), ist nicht Seiendes, sondern Geschehendes verglichen; das Phänomen ist immer einer Situation, einer Geschehensfolge angehörend gedacht. Denn wo ein kurzer Vergleich erweitert wird, geschieht das niemals in einer Beschreibung, sondern immer in Geschehendem: der Löwe wird nicht beschrieben, sondern es wird erzählt, was er tut.

d) Das Vergleichende ist immer ein Bestandteil der täglich gesehenen und erfahrenen Wirklichkeit. Er soll etwas sagen zu dem, was mit ihm verglichen wird; z. B. das Wertvolle der lebendigen Quelle soll etwas sagen zu dem Wertvollen des Wortes zu rechter Zeit. Diese Gleichsetzung ist möglich, weil der Mensch wie diese alltägliche Wirklichkeit zu Gottes Schöpfung gehört. Damit erhält die Schöpfung eine hohe, positive Wertung.

e) Der Hörer ist in diesem Vergleich auf seinen gesunden Menschenverstand, sein natürliches Empfinden und sein Urteilsvermögen hin angeredet. Er ist bei jedem einzelnen Vergleich gefragt, ob er ihm zustimmt, ob er ihm etwas abgewinnen kann. Der mündige Mensch ist angeredet, der die Kriterien seines Urteils aus der alltäglich ihn umgebenden Wirklichkeit der Schöpfung gewinnt. Deshalb haben auch Humor und Witz, Spott und Treffsicherheit in diesen Vergleichen ihren Ort.

Vergleiche in den Geschichtsbüchern

In den geschichtlichen Büchern begegnen in Erzählungen und Berichten nur selten Vergleiche, in allen zusammen weniger als in Jes 1–11. Sie fehlen in den Gesetzescorpora.

Vergleiche in Gen 1–11 und 12–50

Gen 1–11, die biblische Urgeschichte, enthält keine Vergleiche, abgesehen von Metaphern, also Vergleichen in einzelnen Wörtern, die als solche nicht kenntlich gemacht sind, so z. B.:

1,14: »Es sollen Lichter werden an der Feste des Himmels...«
7,11: »... und die Fenster des Himmels öffneten sich...«

Die Bezeichnung eines bekannten und vertrauten Phänomens wird auf ein unvertrautes, aber ähnliches Phänomen übertragen, weil es noch keine eigene Bezeichnung hat. Diese Metaphern haben die Funktion des Erklärens.

Gen 12–50, die Vätergeschichte. Die Funktion des Erklärens haben einige Vergleiche in den Vätergeschichten. Der Vorgang des Vergleichens liegt hier nicht weit zurück wie bei den Metaphern, sondern vollzieht sich im Augenblick des Begegnens eines unbekannten oder unvertrauten Phänomens; eben dies zeigt die Vergleichspartikel an: »das ist ja wie...«. Der nach dem Untergang Sodoms aufsteigende Qualm wird erklärt 19,28: »wie Qualm aus dem Schmelzofen«.

Daneben begegnen Vergleiche, die eine verstärkende Funktion haben, sie stehen meist in einer lockeren Beziehung zu einer anderen Funktion des Vergleichs. So zur Segensverheißung (Nahrungsverheißung) die die Größe oder Zahl steigernden Vergleiche: »wie der Staub der Erde« usw. 13,16; 15,5; 22,17; 26,4; 32,13; Ex 32,13. Sie dienen der Intensivierung des Segens. So auch der Vergleich Gen 13,10: Lot sieht auf die Jordanaue hinab und sie erscheint ihm »wie der Garten Gottes«; hier ist nicht gemeint »so ähnlich wie...«, sondern »so schön wie...«. Ähnlich in dem Segenswort 27,27. Die Funktion einer Huldigung (s. u. S. 12) hat der Vergleich bei der Begegnung Jakobs mit Esau 33,10: »wie man das Angesicht Gottes sieht«, die einer Charakterisierung wie in den Stammessprüchen 16,12: »ein Mensch wie ein Wildesel«. Dagegen gehört der Satz 15,1: »Ich bin dein Schild«, in den Zusammenhang des Vertrauensmotivs. Zu den Vergleichen in Kap. 49 s. o. S. 12.

Exkurs: Traum und Traumdeutung in der Joseferzählung

Die Träume in der Joseferzählung und ihre Deutung gehören insofern hierher, als bei Träumen wie bei Gleichnissen von einer Deutung gesprochen wird. Der Verfasser der Joseferzählung hat den Traum zu einem Leitmotiv in seiner Erzählung gestaltet, die drei Traumpaare in Gen 37; 40; 41 bilden ein Element des Aufbaus der Erzählung. Die Deutung der Träume durch Josef steht in einem beabsichtigten Gegensatz zu der der ägyptischen Traumdeuter, die als ein wissenschaftliches Privileg gilt. Aber während für die ägyptischen Traumdeuter die Einzelzüge die Deutung bestimmen (allegorische Deutung), ist die Deutung Josefs vom Traum als einer Geschehensganzheit bestimmt, die ihre Entsprechung in der Wirklichkeit des Träumenden haben muß.

Aus dem Traummotiv in der Joseferzählung ergibt sich einmal, daß die allegorische Deutung aus der Traumdeutung entstanden ist. Es ergibt sich außerdem, daß der Verfasser der Joseferzählung im Gegensatz zur allegorischen Deutung die Träume nach Art eines Gleichnisses versteht. Wenn Josef sagt: »Traumdeutung steht bei Gott«, meint er: Im Traum sieht der Träumende eine Geschehensfolge ablaufen, die einer Geschehensfolge in der Wirklichkeit des Träumenden entspricht. Die Träume und die Wirklichkeit des Träumenden gehören im Wirken Gottes des Schöpfers zusammen.

Den Träumen entsprechen die Visionen darin, daß der Visionär etwas sieht, was eine andere Bedeutung hat als das Gesehene. Die allegorische Deutung kann ebenso zur Vision wie zum Traum gehören. So taucht denn in den spätesten Schichten des AT die allegorische Deutung im Zusammenhang von Visionen noch einmal auf. (Ez, Sach).

Vergleiche in den Büchern Exodus und Leviticus

Die Gesetzescorpora Ex 21–23; 25–31; 34–40, dazu Lev 1–27 enthalten keine Vergleiche.

In den berichtenden Teilen von Exodus sind die wenigen Vergleiche meist erklärend. Ex 4,6: »da war die Haut (Moses) vom Aussatz weiß wie Schnee«, und V.7: »da war sie wieder wie sein anderes Fleisch«. Das Manna wird erklärt 16,14: »etwas Feines, Körniges, wie der Reif auf der Erde«, V.31: »es war weiß wie Koriandersamen und hatte einen Geschmack wie Honigkuchen«, dazu Num 11,7f. Bei der Theophanie 19,18: »der Rauch stieg von ihm auf wie von einem Schmelzofen«, dazu 24,10: »der Boden zu seinen Füßen war wie aus Saphirfliesen und klar wie der Himmel selbst«, und V.17: »war anzusehen wie ein verzehrendes Feuer auf dem Gipfel des Berges«. Dazu kommen Vergleiche in Psalmen Ex 15,1–21 und 32 (Lied Moses) und in Psalmensprache 15,26; 17,15 (zu Ex 13,9. 16 s. bei Dtn). Zur Segensverheißung oder Segensschilderung gehört das »Land, wo Milch und Honig fließen«, Ex 3,8 u. ö.; aber es ist fraglich, ob man das als einen Vergleich bezeichnen kann; es ist die übertreibende Sprache der Segensverheißung.

Vergleiche bei Numeri

In den Gesetzestexten Num 1–9,14; 10,1–10; 15; 18; 19; 25–30 (17 nur V.1–14); 35–36 begegnen keine Vergleiche. In den von der Wüstenwanderung handelnden Texten sind die wenigen hier begegnenden Vergleiche meist erklärend: 9,15: »... und am Abend wurde sie wie ein Feuerschein bis zum Morgen«; 11,7f. zum Manna vgl. Ex 16,14; 12,10 zum Aussatz wie Ex 4,6; Num 13,34: »Wir kamen uns vor wie Heuschrecken« (ein Kontrastvergleich); 22,4: »... wie das Vieh das Grüne des Feldes abfrißt« (verstärkend, in der Anrede). Ein der Klage zugehörender Vergleich ist 12,12: »Laß sie nicht sein wie ein Toter, wie eine Fehlgeburt ...«. In der Sprache der Gerichtsankündigung 33,55: »so werden die... zu Dornen werden in euren Augen und zu Stacheln in euren Seiten...«, wahrscheinlich deuteronomistisch ebenso wie der häufige Vergleich 27,17: »wie Schafe, die keinen Hirten haben«. Zu den Vergleichen in der Bileam-Perikope 22–24 s. bei den Propheten- und Seherworten vor Amos u. S. 25f.

Vergleiche im Deuteronomium

Das deuteronomische Gesetzescorpus Kap. 12–26 enthält keine Vergleiche, die Einleitung und Schlußreden 1–11 bzw. 27–30 nur wenige. Erklärend spricht 11,10 von Ägypten: »wie von einem Gemüsegarten«; 1,44: »sie jagten euch nach wie die Bienen«, verstärkend: »zahlreich wie die Sterne des Himmels«, 1,10; 10,22; 28,62. In der Sprache der Psalmen 10,21: »Er ist dein Loblied«, 1,31: »... in der Wüste, wo Jahwe, dein Gott, dich getragen hat wie einer sein Kind trägt«, ähnlich 8,5; paränetisch: 10,16: »so beschneidet nun eure Herzen« und 9,3: »... denn Jahwe, dein Gott, ist ein verzehrendes Feuer«. Während die eben genannten Vergleiche auch an anderen Stellen begegnen, sind für das Deuteronomium typisch und begegnen nur hier je ein Vergleich in den Einleitungen (6,6–9; 11,18–20) und in den Schlußreden (30,11–14). Beide beziehen sich auf das von den Reden gerahmte Gesetz, beide wollen den Hörern dieses Gesetz ans Herz legen, in einer eindringlichen, zu Herzen gehenden Sprache:

> 6,6–9: »Und diese Worte... sollen dir ins Herz geschrieben
> sein..., du sollst sie zu Denkzeichen auf deine
> Hand binden und sie als Merkzeichen auf der Stirn
> tragen... und du sollst sie auf die Türpfosten
> deines Hauses schreiben und an deine Tore.«

Dazu 30,11–14:

> »Denn dieses Gesetz, das ich dir heute gebe,
> ist für dich nicht zu schwer und nicht zu ferne.
> Nicht im Himmel ist es, daß du sagen könntest:
> Wer steigt uns in den Himmel hinauf, um es uns
> zu holen... Auch nicht jenseits des Meeres ist
> es, daß du sagen könntest: Wer fährt uns über
> das Meer, um es uns zu holen und uns zu verkünden,
> daß wir danach tun? Sondern ganz nahe ist dir
> das Wort, in deinem Munde und in deinem Herzen,
> daß du danach tun kannst.«

Beide Texte sind nicht Vergleiche im strengen Sinn, aber beide kommen dem Vergleich nahe. Zu ihrem Verständnis ist wichtig, daß sie zusammengehören als Rahmen des Gesetzes. Beide haben sie eine paränetische Funktion: Sie wollen die Hörer zum Bejahen des Gesetzes mit der ganzen Existenz bewegen. Beide haben mit den Vergleichen gemeinsam, daß sie die Betonung ihrer Absicht durch eine Erweiterung bewirken: was in einem Satz gesagt werden könnte, wird erzählend erweitert (Fermate). Dabei betont 6,6–9: das Gesetz soll fest mit dem persönlichen Leben verbunden sein (Herz, Leib, Haus); 30,11–14 betont, daß ein einfacher Mensch danach leben kann durch einen Kontrastvergleich: nicht zu hoch, nicht zu weit weg, sondern Herz und Mund nahe. Diese beiden Worte miteinander sind der schönste und treffendste Ausdruck dessen, was dem alten Israel das Gesetz bedeutete.

Was hiermit zu sagen beabsichtigt war, konnte nicht anders als in einem Vergleich (bzw. einem Vergleich ähnlich) gesagt werden. Es gehört dazu, daß das eine Wort vom Menschen mit Herz, Leib und Haus spricht, das andere von der Nähe im Gegensatz zu den beiden Dimensionen der Ferne.

Kap. 31–34, Schluß des Pentateuch. In ihm begegnen Vergleiche im »Lied Moses« Kap. 32, einem Psalm (V. 2. 10. 11. 22. 23. 30. 31. 32 f. 37. 38. 41 f.) und im »Segen Moses« in den Stammessprüchen (s. o.).

Vergleiche im Buch Josua und Richter

Eine spezifische Funktion haben Vergleiche auch in den Büchern Josua und Richter nicht. Vergleiche verschiedener Art begegnen nur ganz sporadisch.
Erklärende Vergleiche: das Wasser des Jordan bleibt stehen wie ein Damm, Jos. 3,13–16; »der mit der Zunge von dem Wasser leckt wie der Hund leckt«, Ri 7,5; »da zerriß er die Saiten wie Wergfaden zerreißt, wenn er Feuer riecht«, Ri 16,9 (zugleich intensivierend). Alle anderen Vergleiche entstammen anderen Zusammenhängen: Jos. 7,1. 26: die Zornesglut Jahwes; 11,4: »zahlreich wie der Sand am Meer«; Gerichtsankündigung, Jos 23,13 und Ri 2,3: »werden euch zur Schlinge und zum Fallstrick werden«, »zur Geißel an euren Seiten und zu Dornen in euren Augen« (deuteronomisch = Num 33,55). Gotteslob: Gideon nennt den Altar »Jahwe ist Hilfe«, Ri 6,24; 14,14 ist ein Rätsel. Eine Pflanzenfabel dient in Ri 9,8–15 dem Verhüllen der Warnung Jothams vor dem Königtum: die Bäume wollen einen König über sich haben, aber nur der Dornbusch ist dazu bereit. Vgl. die Pflanzenfabel 2 Kön 14,8–10: Amazja von Juda fordert Joas von Israel heraus, dieser antwortet ihm mit der spöttischen Pflanzenfabel von der Distel und der Zeder. Zu beachten ist, daß das Debora-Lied Ri 5 keine Vergleiche enthält; Lob und Tadel der Stämme hier im Unterschied zu Gen 49/Dtn 33 noch ohne Vergleich.

Der Vergleich im Buch Ruth

Im Buch Ruth begegnet nur ein Vergleich 2,12: »... dem Gott Israels, zu dem du gekommen bist, dich unter seinen Flügeln zu bergen«. Dieser Vergleich gehört dem Bekenntnis der Zuversicht an und hat von dort in die Umgangssprache Eingang gefunden.

Vergleiche in 1 Samuel

In den 31 Kapiteln des 1 Sam begegnen – abgesehen von dem Psalm 2,1–10 – nur sieben Vergleiche. Ein erklärender Vergleich ist 25,37: »da erstarrte ihm das Herz im Leibe und er ward wie ein Stein«. Zweimal der gleiche Vergleich 18,1–3: »er gewann ihn lieb wie sein eigenes Leben«, und 29,9: »daß du mir lieb bist wie ein Engel Gottes«, dazu 2 Sam 1,26: »deine Liebe ging mir über Frauenliebe«. Dieser verstärkende Vergleich ist darin begründet, daß erst vom Entstehen des Königtums an von Freundschaft zwischen Männern erzählt wird. Dazu Vergleiche in der Sprache der Psalmen. In 1,15 wird die Klage wie in den Psalmen bezeichnet: »ich habe mein Herz vor Jahwe ausgeschüttet«. Dem Doppelwunsch am Ende der Einzelklage entspricht 25,29:

»So möge die Seele meines Herrn im Beutel des Lebens
verwahrt sein bei Jahwe, deinem Gott, die Seele deiner
Feinde aber schleudere er in der Schleuderpfanne fort!«

Die beiden Vergleiche in Worten, die David an Saul richtet, 24,15 und 26,20, werden im
Zusammenhang der an Könige gerichteten Worte in 2 Sam behandelt. Eher als Metaphern
zu bezeichnen sind die Vergleiche in 1 Sam 2,20: »für das Darlehen, das du Jahwe gelie-
hen hast«, und 28,9: »Warum legst du mir eine Schlinge...?«

Vergleiche in 2 Samuel

Vergleiche begegnen in Psalmen, z. B. dem Lied Davids 2 Sam 22 = Ps 18 und in Prophetenworten: der Verheißung Nathans Kap. 7 (dazu 5,2) und die in einem Gleichnis ver-
hüllte Anklage 12,1–7.
Ein dritter Komplex bringt Vergleiche in einem neuen Zusammenhang, der bisher noch
nicht begegnete. Er ist in der Entstehung des Königtums begründet, und es ist keineswegs
auffällig, daß er in eben diesem geschichtlichen Zusammenhang zuerst begegnet. Zu diesem Komplex gehört zunächst die Rede eines Weisen an den König, in der diesem ein Rat
erteilt oder eine Bitte vorgetragen wird: 14,1–24 die Frau von Thekoa; 17,7–13 der Rat
Husais.
In 17,1–3 begegnet der Vergleich (V. 3):

»dann will ich alles Volk zu dir zurückbringen,
wie eine junge Frau zu ihrem Gatten zurückkehrt«.

Der Vergleich soll den Rat, den Ahitophel gibt, intensivieren, unterstützen: »das ist so
schön, wie wenn...« Ein ähnlich intensivierender Vergleich findet sich im Rat Husais
17,12: »dann wollen wir über ihn herfallen, wie der Tau auf die Erde fällt!«

Dasselbe wollen zwei Tiervergleiche in 17,8. 10; sie sollen die Warnung, David sofort anzugreifen, verstärken. David mit seiner Schar wird sich wehren »wie eine Bärin auf dem
Feld, der man die Jungen geraubt hat«, so daß auch der Tapferste »beherzt wie ein Löwe«
nicht widerstehen kann. Die rhetorisch-intensivierende Funktion dieser Vergleiche ist
mit Händen zu greifen. Im dritten Text 2 Sam 14,1–24 ist es eine weise Frau, die als Bitt-
stellerin im Dienst Joabs mit einer fingierten Erzählung zum König kommt, in der es um
die Begnadigung eines Schuldigen geht, um den König zur Begnadigung Absaloms zu
bewegen. Sie huldigt (oder schmeichelt) dem König mit einem Vergleich: »denn mein
Herr, der König, ist so weise wie der Engel Gottes!«, V. 17. 20; vgl. Gen 33,10. Die Bitte
um Begnadigung verstärkt sie, indem sie den Verlust der Mutter in zwei Vergleichen her-
ausstellt, V. 7: »... so wollen sie den Funken löschen, der mir noch geblieben ist!« Diese
besondere Lage, in der eine Mutter ihren einzigen Sohn verlieren soll, stellt sie auf den
Hintergrund der Vergänglichkeitsklage, V. 14: »denn sterben müssen wir zwar, und sind
wie das Wasser, das auf die Erde geschüttet wird, und das man nicht wieder fassen kann,
aber...« So durchdacht, wie hier zwei Vergleiche miteinander und einander gegenüber
zu Gehör kommen, ist die Kunst der Rede oft im Rat eines Weisen.
Für die Geschichte der Vergleiche im AT sind diese Reden von Weisen, an den König gerichtet, besonders wichtig, weil sie einen Höhepunkt in deren Geschichte zeigen. Dabei

tritt ihre Funktion sehr klar zutage: In der Erzählung von der Thronnachfolge wie der vom Aufstieg Davids als solcher haben die Vergleiche so gut wie keine Funktion; d. h. sie werden nicht gebraucht, um die Erzählung zu illustrieren oder auszuschmücken. Sie erhalten aber eine wichtige Funktion in der Anrede, um beim Angeredeten eine Wirkung zu erzielen (wie in anderer Weise auch in der Prophetie und in den Psalmen). Ein hervorragender Ort hierfür war in der Frühzeit des Königtums der Rat der Weisen.

Dieser Gruppe steht eine andere nahe, Lieder am Königshof: die Totenklage Davids über Saul und Jonatan 2 Sam 1,19–27, das Lied Davids Kap. 22 = Ps 18, die letzten Worte Davids 23,1–6, das Siegeslied Davids 5,20.

In dieser Zeit des Übergangs im frühen Königtum tritt eine Funktion des Vergleiches besonders hervor: das Erhöhen und das Erniedrigen. Es ist die Zeit in der Geschichte Israels, in der Hoch und Nieder in der Gesellschaft auseinandertreten, die Zeit, in der einer aufsteigen und stürzen kann. Das zeigen die Erzählungen, das zeigt sich auch in den Reden, und die Vergleiche heben es hervor.

Das Erhöhen: In dieser Zeit wird der Preis des Mächtigen, der Preis des Helden wichtig, und ihm dienen auch die Vergleiche. Der Preis des gerechten Königs 2 Sam 23,4: »wer gerecht herrscht, der gleicht dem Licht am Morgen, wenn die Sonne aufgeht, die nach Regen Grünes aus der Erde sprossen läßt«. Der Preis des Helden in der Totenklage 2 Sam 1,19: »Ruhm Israels, erschlagen auf den Höhen…«; 1,25: »Schneller waren sie als Adler, stärker waren sie als Löwen«; 1,27: »des Kampfes Rüstung ist zerbrochen« (vgl. »Wagen Israels und seine Reiter!«); 2,18: »leichtfüßig wie eine Gazelle auf dem Felde«. Zwei dieser Sätze sind Tiervergleiche, die von den Stammessprüchen her weiterlebten, aber mit dem bemerkenswerten Unterschied: Dort bezog sich das in einem Tiervergleich ausgesprochene Lob auf einen Stamm, hier auf einen Einzelnen, den König, den Helden. Der Preis des Königs findet seinen Ausdruck auch in der Huldigung: 2 Sam 14,17. 20: »denn mein Herr, der König, ist so weise wie der Engel Gottes« (ähnlich die Anrede Jakobs an Esau in Gen 33,10, hier ist bewußt die Hofsprache gebraucht: vgl. BK I/2 S. 638).

Diesem Erhöhen steht das Sich-Kleinmachen vor dem König gegenüber, wieder in Vergleichen, 1 Sam 24,15: »Wen verfolgt der König von Israel, wem jagst du nach? Einem toten Hund! Einem einzelnen Floh!«; 26,20: »Der König ist ausgezogen, Jagd zu machen wie der Geier das Rebhuhn jagt auf den Bergen!«; 2 Sam 9,8: »Wer bin ich, daß du dich um einen toten Hund wie mich bekümmerst?« Vgl. dazu 2 Sam 3,8; 2 Kön 8,13. Alle diese Vergleiche lassen die Absicht, auf den Angeredeten einzuwirken, klar erkennen. Es ist erstaunlich, in wie hohem Maße es diesen Vergleichen gelingt, die Vorgänge, in denen sie gebraucht sind, lebendig zu machen.

Vergleiche in den Königsbüchern (1 und 2 Könige)

Im Geschichtsbericht der beiden Königsbücher treten die Vergleiche ganz zurück. Vergleiche begegnen hier fast nur noch in zwei Komplexen, die beide Anredecharakter haben: in Prophetenworten und in militärisch-politischen Reden. Die Prophetenworte werden bei den Vergleichen in den Prophetenworten vor Amos behandelt (s. u. S. 25). Es sind in der Mehrzahl Worte an Könige gerichtet. Sie stehen in der Überlieferung im Vordergrund, während gegenüber 1 und 2 Sam der Rat des Weisen an den König hier ganz zurücktritt. Dementsprechend wandeln sich auch die politisch-militärischen Reden.

In 1 Kön 12 begegnen noch einmal zwei gegensätzliche Ratschläge an den König in einer kritischen Situation. Der Rat der Alten ist in 12,7 nur kurz wiedergegeben, er enthält keinen Vergleich, aber der Rat der Jungen in V. 10–11, den Rehabeam V. 14 befolgt:

> »Mein kleiner Finger ist dicker als meines Vaters Lenden....
> Mein Vater hat euch mit Geißeln gezüchtigt,
> so will ich euch mit Skorpionen züchtigen!«

Der Erzähler will damit sagen, daß der junge König besonnenem Rat nicht mehr zugänglich ist; an dessen Stelle tritt eine grobe und törichte Prahlrede. Der weise Rat verkommt auf dem Weg in den Zusammenbruch nach der Reichsteilung. Auch die Pflanzenfabel, mit der Joas, der König Israels, Amazja, den König Judas, in 2 Kön 14,8–10 abweist, verweist allein auf die eigene Stärke. In der meisterhaften Rede des Feldherrn der Assyrer macht dieser vor den Ohren der Kämpfer auf den Mauern Jerusalems das mächtige Reich Ägypten verächtlich, 2 Kön 18,21:

> »Siehe, du verläßt dich auf diesen geknickten Rohrstab,
> auf Ägypten, der einem jeden, der sich darauf stützt,
> in die Hand dringt und sie durchbohrt!«

Ein Vergleich in 2 Kön 19,3 steht im Zusammenhang der Klage:

> »Ein Tag der Not, der Züchtigung und der Verwerfung ist dieser Tag;
> denn Kinder sind bis zur Geburt gelangt,
> aber es ist keine Kraft da, zu gebären!«

Abschließend zum Rat an den König und den politisch-militärischen Reden: Es handelt sich um einen selbständigen Bereich der Vergleiche im AT., die neben den beiden Hauptbereichen, den Psalmen und Prophetenworten, in Israel eine viel größere Bedeutung gehabt haben muß, als es die verhältnismäßig wenigen Beispiele zeigen. Weil sie im Unterschied zu Psalmen und Prophetenworten fest im Zusammenhang der Berichte verankert sind, wurden sie nicht, wie jene, gesammelt und besonders überliefert. Wir kennen nur die wenigen Beispiele, die in den Geschichtsbüchern vorkommen. Die reichhaltige Entfaltung von Möglichkeiten in diesen wenigen Beispielen läßt auf eine reichhaltige Entwicklung der profanen Form der politisch-militärischen Reden und Lieder schließen. Mit den Psalmen und Prophetenworten haben sie gemeinsam, daß sie Anrede sind, und die Vergleiche in ihnen erhalten aus der Situation solcher Anrede ihre Funktion. Was die Anrede bei den Angeredeten bewirken soll, wird durch die Vergleiche in mancherlei Weise intensiviert. In solchen Reden, insbesondere in den Ratschlägen eines weisen Ratgebers an den König, sind uns die Anfänge einer Redekunst, einer Rhetorik, die im frühen Königtum geblüht hat, erhalten, wie sie sich unter ganz anderen Umständen in Griechenland und in Rom entwickeln konnte.
Bei dem Schritt von der Anrede zur Rede in dieser frühen Königszeit ist ein Unterschied zu beachten. Die Anrede an den König oder an einen Heerführer ist jetzt etwas anderes, als sie früher war; es ist jetzt Anrede vor einem Publikum, dem Hof des Königs oder einer Versammlung von Hochstehenden, etwa Offizieren. Das Publikum erhält eine eigene Bedeutung für diese Reden: nicht nur die Angeredeten, auch das Publikum beurteilt sie, die Anrede wird zur Rede, die als gut oder schlecht beurteilt wird. So wird aus der Anrede die Rede, und es entwickelt sich eine Kunst der Rede, die Rede wird zum Kunstwerk. Diese Entwicklung begegnet uns in Israel in den ersten Anfängen der frühen Königszeit. Dieser Unterschied ist wichtig für das Verständnis der Vergleiche. Sie erhalten hier zu-

sätzlich zu ihrer funktionalen Bedeutung auch eine ästhetische, bedingt durch die Absicht der Wirkung nicht nur auf den Angeredeten, sondern auch auf das Publikum. Jedoch liegt bei den Beispielen, die uns aus der frühen Königszeit erhalten sind, das ganze Gewicht noch auf der funktionalen Bedeutung. Aber von dieser her ist es zu verstehen, daß das aus der Rhetorik des Aristoteles erwachsene Verständnis (der Metapher) ein anderes sein muß als das aus den Psalmen, Prophetenworten und den Königsanreden im AT her gewonnene.

Zusammenfassung: Es hat sich gezeigt, daß in den Geschichtsbüchern zu unterscheiden ist zwischen Vergleichen, die Bestandteil der Erzählungen oder Berichte sind, und Vergleichen, die einer in den Text eingefügten, aber in sich selbständigen Einheit zugehören. Die letzteren sind bei weitem in der Mehrzahl; die Zahl der den Berichten und Erzählungen angehörenden Vergleiche ist demgegenüber sehr gering, eine spezifische Funktion haben sie in ihnen nicht.

Es sind in der Hauptsache drei Gruppen von eingefügten Einheiten, in denen die Mehrzahl der Vergleiche begegnet: Psalmen (Psalmenmotive), Prophetenworte und politisch-militärische Reden und Lieder, die auf 1 Sam bis 2 Kön konzentriert sind.

Vergleiche, die Bestand des Berichtes oder der Erzählung sind, haben im wesentlichen zwei Funktionen:

Erklärende Vergleiche: Gen 19,28; Ex 16,14. 31; 4,6; Num 11,17f; Ex 19,18; 24,10. 17; Num 9,15; 12,10; Dtn 11,10; Jos 3,13. 16; Ri 7,5; 1 Sam 25,37. Erklärend sind auch häufig Metaphern, z. B. Gen 1,4; 7,11.

Verstärkende oder betonende Vergleiche: Gen 13,10; 22,17; Num 13,34; 22,4; Dtn 1,44; Ri 16,9. Die große Zahl verstärkender Vergleiche (»wie Sand am Meer«) Gen 13,16; 15,5; 22,17; 26,4; 32,13; Ex 32,13; Dtn 1,10; 28,62; Jos 11,4; 1 Kön 4,20.

Vergleiche in selbständigen Einheiten: Vergleiche in Psalmen und Psalmenmotiven Gen 15,1; 49,18; Ex 15,1–21; 15,26; 17,15; Num 12,12; Dtn 10,21; 1,31; 8,5 (?); 32; Ri 6,24; Rut 2,12; 1 Sam 2,1–10; 1,15; 25,29; 2 Sam 22; 2 Kön 19,3, dazu das Siegeslied 2 Sam 5,20 (diese Stellen werden bei den Psalmen mitbehandelt).

Vergleiche in Prophetnworten (und einem Seherwort): Num 22–24; 27,17 (?); 33,55; Dtn 9,3; Jos 7,1. 26; 23,13; Ri 2,3; 2 Sam 7; 12,1–7 dazu 5,2 und in vielen Prophetenworten in 1 und 2 Kön (sie werden behandelt in Prophetenworten vor Amos).

Während Vergleiche in Psalmen (und Psalmenmotiven) und Prophetenworten in allen Geschichtsbüchern begegnen, gehören die nun folgenden anderen Arten von Einheiten an, in denen Vergleiche vorkommen, entweder dem Pentateuch oder den Geschichtsbüchern von 1 Sam bis 2 Kön mit wenigen Ausnahmen. Im Pentateuch sind das zwei: die Stammessprüche in Gen 49 und Dtn 33, dazu das Lob des Gesetzes Dtn 6,6–9; 30,11–14. Die Funktion der Vergleiche in den Stammessprüchen ist Lob und Tadel der Stämme, politisch bestimmt, die Funktion der Vergleiche in Dtn 6 und 30 ist Paränese, theologisch bestimmt. Diese beiden Texte sind, obwohl relativ selbständige Einheiten, fester Bestandteil der deuteronomischen Paränese. In 1 Sam bis 2 Kön sind es vor allem politisch-militärische Reden, in denen Vergleiche begegnen; eine Warnung vor dem Königtum in der Form einer Pflanzenfabel Ri 9,8–14 (im Vorfeld der Entstehung des Königtums). Rat eines Weisen an einen König 2 Sam 14,1–24; 17,1–3; 17,7–13; 14,7. 14. 17. 20 (vgl. Gen 33,10); 1 Kön 12,10–11. 14. Lieder am Königshof: Totenklage 2 Sam 1,19–27; 5,20 Siegeslied Davids. Lied Davids 2 Sam 22 = Ps 18; 23,1–6 letzte Worte Davids (vgl. Ps 1). Das Erhöhen und Sich-Kleinmachen in Vergleichen, Huldigung an den König

2 Sam 14,17. 20 (vgl. Gen 33,10); Preis des Königs, des Helden 2 Sam 1,19. 23; 1,27; 2,18. Das Sich-Kleinmachen 1 Sam 24,15; 26,20; 2 Sam 9,8; vgl. in Schimpfworten 2 Sam 3,8; 16,7. Rede eines Feldherrn 1 Kön 18,21; 2 Kön 14,8–10 in der Form einer Pflanzenfabel.

Vergleiche in der Prophetie

Vergleiche in Prophetenworten vor Amos

Die Prophetenworte vor Amos, die in den Geschichtsberichten überliefert wurden, enthalten nur selten Vergleiche. Es sind die Texte 1 Sam (1–3); 7; 8; 10,17–21; 12; 13,7–15; 15; 2 Sam 7; 12; 24; 1 Kön 13,1–14,28; 16,1–4; 17–20; 22; 2 Kön 1–9; 13,14–21; 19–21. Wo in 1 Sam Worte Samuels vorkommen, sind sie Bestandteile des Berichts, Vergleiche kommen dabei nicht vor. Die Nathan-Verheißung in 2 Sam 7,8–16 wie das Wort Gads an David 24,11–15 enthalten ebenfalls keine Vergleiche, aber die Gerichtsankündigung Nathans an David 2 Sam 12,1–13 hat die Form eines Gleichnisses. In 1 Kön sind die Worte von Gottesmännern 12,21–24 und 13 ohne Vergleiche. Das Gerichtswort des Ahia gegen Jerobeam enthält bei der Gerichtsankündigung einen verstärkenden Vergleich, der denen bei den Schriftpropheten entspricht: 1 Kön 14,10: »... wegfegen wie man Kot wegfegt«. Die Worte Elia und Elisas in 1 Kön 17–19; 20,35–43 und 21,17–19 enthalten keine Vergleiche, das Wort des Micha ben Jimla in 22 ist ein Gesicht. Die Worte des Elia und Elisa in 2 Kön 1–9; 13,14–21 enthalten keine Vergleiche. 2 Kön 19–21: die Jesajaworte werden bei diesem Propheten behandelt.
Er ergibt sich: Die Prophetenworte, von denen vor Amos berichtet wird, enthalten vorwiegend keine Vergleiche. Wenn Nathan die Anklage gegen David in das Gleichnis vom Schaf des armen Mannes kleidet, 1 Sam 12,1–7, und Micha ben Jimla seine Ankündigung einer Niederlage in ein Gesicht, 1 Kön 22, so ist das beidemal in der Situation begründet, ähnlich wie bei Jothams Fabel Ri 9. Das fällt besonders bei solchen Gerichtsworten auf, die die gleiche Struktur haben wie die der Gerichtsworte in den Prophetenbüchern, also 1 Kön 21,17–19 und 2 Kön 1,2–4. Begründet ist das in dem kürzeren Abstand zwischen Ankündigung und Eintreffen und darin, daß die Anklage sich auf einen bestimmten, vorliegenden Tatbestand richtet. Hier ist offenkundig, daß die Vergleiche im AT von ihrer jeweiligen Funktion bestimmt sind.
Das Gleichnis des Nathan in 1 Sam 12,1–13 ist eine in sich selbständige Erzählung, den Gleichnissen in den synoptischen Evangelien darin entsprechend, daß die Erzählung zu einer Stellungnahme herausfordert, die den im Gleichnis Angeredeten selbst trifft. V. 1 a leitet die Erzählung 1b–4 ein; David spricht das Urteil, V. 5, und Nathan sagt ihm, daß es ihn selbst trifft, V. 7 a. Erst darauf folgt V. 7b–12 Anklage und Ankündigung im Stil des prophetischen Gerichtswortes. Davids Reaktion ist ein Schuldbekenntnis, V. 13 a. Inhaltlich steht die Erzählung V. 1 b–4 den Gleichnissen ganz nahe. Im Dienst der prophetischen Anklage steht auch 1 Kön 20,39–43. Der fingierte Fall V. 39–40 a soll den König von seiner Schuld überzeugen. Der König spricht das Urteil V. 40 b, und der Prophet gibt sich zu erkennen. Auch hier folgt Anklage und Gerichtsankündigung V. 42, und die Wirkung auf den König V. 43. In beiden Fällen hat das Gleichnis eine verhüllende Funktion wegen des Machtgefälles zwischen König und Prophet.
Vergleiche in den Bileam-Sprüchen Num 22–24. Erster Spruch Num 23,7–10. 23,10:

»Wer zählt den Staub Jakobs, wer die Tausende Israels!
Möchte ich sterben den Tod der Gerechten
und mein Ende sein wie das ihre!«

Aus dem Vorangehenden ergibt sich, daß V. 10 als Segenswort gemeint ist: Jahwe wandelt den beabsichtigten Fluch zu einem Segen. In V. 10a ist der »Staub« parallel zu »Tausende Israels« als ein abgekürzter Vergleich gemeint. V. 10a ist eine Segnung, die der Mehrungsverheißung entspricht. V. 10b enthält ebenfalls einen Vergleich. Indem sich der Seher ein Sterben wie das eines Israeliten wünscht, wünscht er sich ein »seliges Ende«, einen Tod in Frieden, »alt und lebenssatt«. Damit ist indirekt ein Segen über Israel gesprochen.

Zweiter Spruch Num 23,18b–24. 23,22:

> »Gott, der sie aus Ägypten geführt,
> ist ihnen wie die Hörner des Wildochsen.«

V. 24:

> »Welch ein Volk! Wie die Löwin steht es auf,
> wie der Löwe erhebt es sich!
> Nicht legt es sich, bis es Raub gefressen
> und das Blut der Erschlagenen getrunken hat« (= 24,8b. 9).

Das Mitsein Gottes V. 21 bedeutet hier, daß er seinem Volk Sieg über seine Feinde verleiht (Mehrung und Sieg auch in einem Segen in Gen 24,60). Um das zu bestärken, werden zwei Vergleiche gebraucht: die ihm von Gott verliehene Kraft ist den Hörnern des Wildochsen gleich; und Israel wird beim Angriff seiner Feinde mit einem Löwen verglichen, der seine Beute zerreißt. Das klingt nahe an den Juda-Spruch in Gen 49 an; es ist anzunehmen, daß zwischen beiden ein direkter Traditionszusammenhang besteht (der Vergleich noch einmal 24,8f.).

Dritter Spruch Num 24,3b–9: In der Mitte dieses Spruches schildern die Verse 5–7 das gesegnete Land Israels, 24,5–7:

> »Wie schön sind deine Zelte, Jakob, deine Wohnungen, Israel!
> Wie Täler, die sich ausbreiten, wie Gärten am Strom,
> wie Eichen, die Jahwe gepflanzt, wie Zedern am Wasser.
> Wasser rinnt aus seinen Eimern,
> reichlich Wasser hat seine Saat«

Das ist eine typische, dichterisch besonders schöne Segensschilderung, in der der Vergleich nur anklingt. Hier ist es evident, daß die Schilderung des Schönen im Reden vom Segen, insbesondere der Segensverheißung, ihren Ort hat. Denn indem das schöne Land Israels geschildert wird, wird das vom Segen Gewirkte Israel verheißen; die Segensschilderung kann die Funktion der Segensverheißung haben.

Vierter Spruch Num 24,15–19. Num 24,17:

> »Es geht auf ein Stern aus Jakob,
> ein Szepter erhebt sich aus Israel...«

Das Königtum wird in dem Vergleich mit Stern und Szepter verheißen, aber in der gleichen Weise eines Gesichtes, V. 17a:

> »Ich sehe ihn, doch nicht schon jetzt,
> ich erschaue ihn, doch nicht schon nahe«

Spruchreihe V. 20–24 über Nachbarvölker Israels. Num 24,21:

>»Fest ist dein Wohnsitz
und in den Felsen dein Nest gebaut...«

Dieser Vergleich begegnet mehrfach, er nähert sich metaphorischem Gebrauch. Dahinter steht ein erklärender Vergleich.
Der Seherspruch unterscheidet sich vom Prophetenspruch durch seine Gegenwartsform: der Seher sieht jetzt schon, was einmal sein wird. Das gilt von den frühesten Sehersprüchen an bis in die Apokalyptik. Hier ist die Bezeichnung »Bild« angebracht; in 24,5–7 wird ein Bild geschildert. Aber beim frühen Seherspruch bedarf das Bild keiner Deutung, weil das, was das Bild sagen will, aus dem Zusammenhang klar ist. Erst in einer späteren Entwicklung treten Bilder und Deutung (»was siehst du?«) auseinander.

Vergleiche bei den Propheten Amos, Hosea, Micha

Vergleiche bei Amos. Texte: Am 1,2; 1,4 (dazu 1,7. 10. 12. 14; 2,2. 5); 2,9; 2,13; 3,3–8; 3,12; 4,1; 4,11; 5,1–3. 16–17; 5,6. 7. 11; 5,18–20. 24; 6,12; 7,4; 8,1; 8,11 (?); 9,1.
Die Vergleiche gehören überwiegend zu den beiden Teilen des prophetischen Gerichtswortes: der Ankündigung und der diese begründenden Anklage (hierzu C. Westermann, Grundformen prophetischer Rede, ⁵1978), alle Vergleiche sind direkt oder indirekt prophetischen Redeformen zugeordnet.
Zur Ankündigung gehörende Vergleiche: Am 1,2; 1,4 (dazu V.7. 10. 12. 14; 2,2. 5); das Gericht als Feuer außerdem 4,11; 5,6; 7,4; als Erdbeben: »wie ein Wagen schwankt«, 2,13; Totenklage 5,1–3. 16–17; 5,18: Finsternis; 8,1: Ende = Korb mit Obst.
Bei der Ankündigung sind auch bei den Vergleichen die beiden Teile – Eingreifen Gottes – Folge des Eingreifens – zu unterscheiden. Dabei ist zu beachten, daß das Eingreifen Gottes überwiegend mit Naturkatastrophen verglichen wird, besonders Feuer, Erdbeben, Dürre, Finsternis (vgl. Visionen). Stärker ist in den Vergleichen betont die Folge des Eingreifens Gottes, was es für die Angeredeten bedeutet: daß niemand ihm entgehen kann, daß es das Ende bedeutet, daß das Ganze vernichtet wird und nur ein winziger Rest bleibt, 3,12 die Totenklage. An dieser Betonung zeigt sich die Funktion der Vergleiche, die Ankündigung eindringlicher zu machen.
Zur Anklage gehörende Vergleiche: Am 4,1; 5,7. 11. 12 (vgl. V.24; 6,12). Die Vergleiche bei der Anklage sind ganz auf die soziale Anklage konzentriert; das zeigt die besondere Bedeutung, die sie für Amos hat. Die Bezeichnung der reichen Frauen von Samaria als »Basankühe« hebt die satte Sicherheit hervor, der es nur um das eigene Wohl geht. In 5,7 und 6,12 verstärken die Vergleiche die Anklage (Recht in Wermut verkehrt, Gerechtigkeit zu Boden geworfen), daß Recht und Gerechtigkeit, die das Gemeinwohl bedingen (5,24), in ihr Gegenteil verkehrt werden. Die Anklage der Bedrückung der Armen wird 5,11 als »Zertreten« bezeichnet.
2,9 der Vergleich der Amoriter mit großen starken Bäumen dient dem Verständnis des Heilshandelns Gottes im Rückblick auf die Geschichte; er steht dem Lob der großen Taten Gottes nahe (2,9–11 wird von vielen als Zusatz angesehen).

5,24: »Aber es ströme wie Wasser das Recht
und die Gerechtigkeit wie ein nie versiegender Bach.«

Dieser Vergleich gehört eigentlich der Segensschilderung an. Hier dient er der Anklage der Verkehrung des Rechts in dessen Gegenteil, in 5,7 und 6,12 als ins Positive gewendetes Gegenbild: Wo Gerechtigkeit herrscht, bewirkt sie den Segen. Der Vergleich ist also indirekt der Anklage zugeordnet.

3,3–8 bezieht sich auf die Berufung des Propheten. Amos vergleicht die Notwendigkeit, mit der für ihn aus Gottes Auftrag das Ausführen dieses Auftrages folgt, mit einer Reihe von Vorgängen aus der umgebenden Wirklichkeit, die den notwendigen Zusammenhang von Ursache und Wirkung zeigen. Die Vergleiche haben den Sinn, diese Notwendigkeit zu bestärken. Dafür würde der Vergleich mit dem Brüllen des Löwen genügen. Aber Amos will darüber hinaus sagen: so ist es überall in der uns umgebenden Wirkichkeit.

3,3–8 hat mit den Gleichnissen gemeinsam, daß die Reihe von Vergleichen eine selbständige Einheit bildet. Die Frageform zeigt, daß der Vergleich ein Vorgang im Gespräch ist; er setzt eine Bestreitung der Autorisierung der Worte des Amos, eine Bestreitung der Berechtigung seiner Gerichtsankündigung voraus, auf die Amos antwortet, genauso wie in den Gleichnissen Jes 5,1–7 und 28,23–29.

Damit ergibt sich für die Vergleiche bei Amos ein eindeutiges Bild. Die hier begegnenden Vergleiche sind alle den Redeformen des Prophetenwortes zugeordnet (in einem Fall 5,24 indirekt), und zwar der Gerichtsankündigung sowohl wie der Anklage je in ihren beiden Gliedern, dazu 3,3–8 der Prophetenberufung. Daraus ergibt sich mit Sicherheit, daß die Funktion der Vergleiche jeweils aus dem Zusammenhang mit den Gliedern des Prophetenwortes zu bestimmen ist.

Von den Vergleichen zu unterscheiden sind die Schilderungen des Geschauten in den *Visionen* 7,1–3. 4–6. 7–9; 8,1–3; 9,1–4. Das in einer Vision Gesehene ist etwas anderes als das im Vergleich Verglichene. Das Gesehene (z. B. Korb mit Obst) soll etwas anderes bedeuten als das, was das Auge des Visionärs (dessen, der die Vision hat) sieht. Deswegen tritt hier zum Bild die Deutung, was bei den Vergleichen niemals nötig ist. Darin entspricht die Vision dem Traum (»Nachtgesicht«), für den das gleiche gilt, wie die Träume in der Joseferzählung zeigen. Wenn im NT in vielen Fällen zum Gleichnis die Deutung gehört, so sind hier zwei ursprünglich verschiedene Vorgänge, die von Haus aus nichts miteinander zu tun haben, vermengt worden. Auf der einen Seite Traum und Vision, die einer Deutung bedürfen, sofern sie etwas anderes bedeuten als der Träumende oder Visionär gesehen hat, auf der anderen Seite das Gleichnis, sofern es ein erweiterter Vergleich ist (so R. Bultmann u. a.), das für sich vergleichend spricht und einer Deutung nicht bedarf.

Die Visionen und Träume im AT sind gesondert zu untersuchen, da sie eine selbständige und von den Vergleichen und Gleichnissen unabhängige Traditionslinie darstellen. Erst sekundär sind beide miteinander verbunden worden.

Vergleiche bei Hosea. Ein Überblick über alle Vergleiche bei Hosea zeigt, daß sie sich trotz ihrer außenordentlichen Fülle auf wenige Zusammenhänge bzw. wenige Funktionen verteilen. Die weitaus überwiegende Zahl der Vergleiche steht im Zusammenhang der Gerichtsankündigung (18 Stellen) und der Anklage (20 Stellen), also der die Botschaft des Propheten bestimmenden Redeform.

Vergleiche im Zusammenhang des Heilswortes begegnen nur sehr wenige (4 Stellen), von denen drei (1,10; 11,10f.; 14,5–7. 8) wahrscheinlich spätere Zusätze sind. Dazu ein Bekenntnis der Zuversicht (Psalmwort) 6,1.3.

Dagegen begegnen viele Vergleiche in einem für Hosea typischen Motiv: dem Rückblick auf die Vorgeschichte, die zur Anklage und Gerichtsankündigung in der Gegenwart führt (8–10 Stellen). Auch diese Stellengruppe also steht im Zusammenhang mit Anklage und Gerichtsankündigung.

Das ergibt im ganzen ein einheitliches und überzeugendes Bild: die Vergleiche dienen bei Hosea seinem Auftrag; sie gehören fast alle in einen direkten oder indirekten Zusammenhang mit einer Gerichtsankündigung und der sie begründenden Anklage.

a) Der Vergleich im Zusammenhang der Gerichtsankündigung: Durch einen Vergleich werden die für Hosea charakteristischen Sätze der Gerichtsankündigung markiert, Hos 5,12:

>»Ich aber... wie eine Motte... wie der Wurmfraß...«
> 5,14 »wie ein Löwe gegen Ephraim
> und wie ein Jungleu gegen das Haus Juda;
> ich zerreiße und gehe davon und trage hin
> und niemand rettet«

Daß Gott gegen sein eigenes Volk richtend einschreiten muß, kommt kaum je sonst zu so leidenschaftlichem Ausdruck (man vergleiche den Judaspruch Gen 49,9, wo Juda mit einem jungen Löwen verglichen wird). Ähnlich 13,7f.:

>»...wie ein Löwe,
> laure gleich einem Panther auf dem Weg;
> ich falle sie an wie eine Bärin,
> die ihrer Jungen beraubt ist
> und zerreiße den Verschluß ihres Herzens«

dazu 5,10b: »Über sie werde ich meinen Grimm ausschütten wie Wasser«. Dazu kommt, daß bei Hosea von den beiden Gliedern der Gerichtsankündigung das Eingreifen Gottes häufiger und stärker durch Vergleiche betont wird: 1,5; 2,3; 2,6b; (4,18); 5,10; 5,12–14; 7,12; (8,1); 13,7–8; 13,14–15; als die Folge des Eingreifens. 4,3; 4,5; 5,5; 9,11. 16a; 13,3. Die Intensität des Personalen, man möchte sagen »Menschlichen«, in Gottes Vernichtungsbeschluß zeigt 13,14:

>»Sollte ich sie aus der Gewalt der Unterwelt loskaufen,
> vom Tod sie erlösen?
> Her mit deinen Seuchen, Tod!
> Her, Unterwelt, mit deiner Pest!«

Der erste dieser Sätze spiegelt deutlich das Flehen des Volkes um Rettung in einer Volksklage, dem sich der Vernichtungsbeschluß Gottes entgegenstellt.

Die Funktion der Vergleiche an allen diesen Stellen ist hier am besten zu erkennen: Es ist deutlich und eindeutig die Intensivierung der Ankündigung, zu der der Prophet Hosea genötigt ist; denn Gott muß sein eigenes Volk vernichten! Es ist dieses Schreckliche und in seiner Schrecklichkeit Notwendige, was die Vergleiche hervorheben und intensivieren. Daß diese Vergleiche »Bilder« wären, kann man schlechthin nicht sagen. Wollte man behaupten, daß sie etwas veranschaulichen oder illustrieren, wäre damit ihre Funktion gründlich verkannt. Das sei noch einmal an den markantesten Stellen 5,12–14; 13,7–8; 13,14–15; 5,10b gezeigt. In ihnen allen wird nicht etwas Vorhandenes mit etwas Vorhandenem, sondern ein Vorgang mit einem Vorgang verglichen. In 5,14 ist er mit mehreren aufeinanderfolgenden Verben dargestellt, einem Gleichnis nahekommend. Wird das vernichtende Gericht Gottes an seinem Volk mit dem Raubzug eines Löwen verglichen, so wird damit die schreckliche Wirklichkeit dieses Gottesgerichtes durch die schreckliche Wirklichkeit aus dem Erfahrungsbereich der Hörer zu einer sie unmittelbar angehenden, unmittelbar betreffenden Realität. Gerade das, was den Hörern Hoseas unfaßbar ist: Gott wendet sich mit zerstörender Kraft gegen sein eigenes Volk, das erhält in den Vergleichen eine Realität, der sie sich stellen müssen.

Der Vergleich im Zusammenhang der Anklage: Die bei Hosea beherrschende Anklage ist die Untreue. Diese Anklage wird in Kap. 1–3 in einer Gleichnishandlung dargestellt im Vergleich mit der ehelichen Untreue. Israel hat Jahwe verlassen wie eine Frau, die ihren Mann verläßt und zu anderen Männern geht. 1,2:

> »Denn zur Dirne ist das Land geworden,
> hat Jahwe verlassen«,

dazu 4,10f.; 2,6; 3,1. Dementsprechend ist die beherrschende Anklage die der Unzucht 4,12. 15. 18; 5,3. 4; 6,10; 7,4; 9,1; 12,7. Sinn und Absicht dieses Vergleichs ist klar: Hosea versteht die Beziehung zwischen Israel und seinem Gott eminent personal, als eine Beziehung zwischen zwei Personen (wobei Israel als »corporate personality« vorausgesetzt ist). Diese Beziehung darzustellen, erscheint ihm die Ehe besonders geeignet. Dabei ist es ein bestimmter Aspekt der Ehe, der bei diesem Vergleich gemeint ist: die Geschichte zwischen Jahwe und Israel entspricht der Geschichte einer Ehe. Eine Ehe kommt durch Wahl zustande, die Wahl ist bedingt durch beiderseitigen Entschluß (der Ehe-Bund). Darin ist es begründet, daß die Ehe gebrochen werden kann. Das Zerbrechen einer Ehe aber muß nicht unbedingt das letzte sein, die Möglichkeit einer Heilung des Bruches bleibt offen.

Der Vergleich dient der Intensivierung, der Einschärfung der Anklage. In diesem Fall ist der Vergleich zu einer Zeichenhandlung verselbständigt und erweitert: im Vergleich mit der Ehe ist, wie bei den Gleichnissen im NT, eine Vorgangsfolge neben eine Vorgangsfolge gestellt. Die Intensivierung der Anklage der »Unzucht« besteht darin, daß das Gleichnis der Ehe den Abfall Israels als Akt im Zusammenhang einer Geschichte zeigt. Dies wird durch eine Gruppe von Texten bei Hosea bestätigt, in denen der gegenwärtige Abfall von Jahwe im Zusammenhang mit bzw. im Kontrast zu der Vorgeschichte gesehen wird: 4,16; 6,5; 7,9; 8,8(?); 9,10; 10,1; 10,11–13; 11,1–4; 13,5–8; 13,12. 13(?). 14–15(?). Auch in diesen Texten werden durchweg Vergleiche gebraucht, aber andere. Ein Beispiel 13,5–8: Gott hat Israel »erwählt in der Wüste« als ein Weidetier und ihm in der Wüste Weide verschafft. Als sie reichlich Weide hatten, »überhob sich ihr Herz«, und sie vergaßen Gott. Es folgt in V. 7–8 die Gerichtsankündigung, die Gott mit wilden Tieren vergleicht, die das Weidetier anfallen. Dieser Text deutet den Geschichtsverlauf vom Auszug in Ägypten bis zur angekündigten Vernichtung an; aus dieser Geschichte heraus wird die Anklage in der Gegenwart erhärtet. Es ist die gleiche Anklage wie im Gleichnis von der Untreue Israels.

Es kommen bei Hosea noch eine ganze Reihe von Vergleichen bei der Anklage hinzu: störrische Kuh, 4,16; Israel hat sich verunreinigt, 5,3; vgl.5,5: wie eine Taube, ohne Verstand (das Sich-Hinwenden nach Ägypten und Assyrien 7,11; 5,13; 12,2); wie ein trügerischer Bogen, 7,16; Recht wie Giftkraut, 10,4; Frevel gepflügt, Unheil geerntet, 10,13; vgl. 8,7. Anklage gegen die Priester, 5,1; 6,9, die Fürsten 5,10; »Schlingen des Vogelstellers« gegegen den Propheten, 9,8.

Bereiche der Vergleiche bei Hosea: Sieht man einmal alle Vergleiche in den 14 Kapiteln des Hoseabuches zusammen, bekommt man erst einen Eindruck davon, in wie hohem Maße das Prophetenwort eingebettet ist in die Wirklichkeit, in der seine Hörer und er selbst leben. Da ist die Rede von Mann und Frau (Hochzeit und Verlobung, Liebhaber), Dirne und Lohn der Dirne, von dem Volk Israel und seinem Land, vom fruchtbaren Land, der Wüste und Steppe und Wildnis, von Meer und Land mit seinen Wegen und Pfaden, vom Ertrag des Landes, der Vegetation, Pflanzen aller Art und dem Ertrag, von den Elementen Feuer, Wasser, Luft und Erde, vom Wetter in allen seinen Gestalten. Von allen möglichen Tieren: Löwen, Schlangen und Adlern, Tauben, Motten und Würmern. Von vielfältigem Handeln, Denken und Fühlen der Menschen, Arbeit und Feier, von Festfeier und Einsamkeit, von Arbeitsgeräten und Arbeitsertrag. Von Feindschaft und Verbrechen, Krankheit und Gesundheit, Wunden und Heilung, Krieg und Frieden, Jugend und Alter. Vom Backofen und dem nicht gewendeten Kuchen, von Frühfeigen am jungen Feigenbaum. Und das ist noch lange nicht alles.

Indem diese vielen Vergleiche auf Schritt und Tritt von der Wirklichkeit reden, geben sie dem, was hier zwischen Gott und Mensch geschieht, den Charakter des Wirklichen. Das, was Gott in den Worten des Propheten sagt, und das, was in diesen Worten angekündigt wird, hat den Charakter des Wirklichen, mit dem es verglichen wird.

Vergleiche bei Micha. Fragt man nach Vergleichen bei dem Propheten Micha aus dem 8. Jahrhundert, wird man sich im wesentlichen auf Kap. 1–3 beschränken müssen (auch hier Zusätze): denn »in Kap. 4–7 findet sich kaum ein Text, der sprachlich den... Michaworten verwandt wäre«, H. W. Wolff (Kommentar BK. S. XXII).
Vergleiche bei der Gerichtsankündigung. Das Gericht wird mit einem Joch verglichen, das dem Volk aufgelegt ist, 2,3:

> »daß ihr eure Hälse nicht herausziehen
> und nicht mehr aufrecht gehen könnt«.

Man könnte auch 1,14 anführen: »Man gebe Abschiedsgeschenke an Moreschet-Gat!« Der Satz »weist auf die Deportation ins Exil hin«, H. W. Wolff (a. a. O.), ist aber mehr eine Anspielung als ein Vergleich. Es bleibt bei dem einen Vergleich in der Gerichtsankündigung bei Micha. Indirekt gehören Vergleiche dazu, die die Klage über das (kommende) Gericht schildern, 1,8: »ein Wehklagen wie die Schakale, ein Wimmern wie die Strauße«; der Vergleich mit Tierlauten will die Klage intensivieren. Der Grund für die Klage ist: »denn unheilbar ist der Schlag, der es getroffen hat«; das ist aber eher eine Metapher als ein Vergleich. Die Schilderung der Klage wird fortgesetzt in 1,16: »Mache dich kahl, schere dich..., mache dir eine Glatze so groß wie die des Geiers, denn...«

Vergleiche bei der Anklage. In Mi 3,1–12 ist eine Anklage gegen die Häupter und Führer zweimal mit Vergleichen verbunden, in V. 2b–3 ist es eine sehr schroffe soziale Anklage:

> »Sie nähren sich von dem Fleisch meines Volkes,
> sie ziehen ihm die Haut vom Leibe
> und legen ihre Knochen bloß,
> zerlegen sie wie Stücke im Topf,
> wie Fleisch im Kessel!«

(Wahrscheinlich ein Zusatz ist V.2b: »Sie reißen ihnen die Haut vom Leibe und das Fleisch von den Knochen.«)
Aus diesen Worten spricht die Erbitterung dessen, der eine solche Behandlung der Geringen durch die Mächtigen selbst miterlebt hat. Dazu H. W. Wolff: »So derb sprach kein anderer Prophet..., eine solche Kette roher Handlungen, in denen der Mensch wie Schlachtvieh behandelt wird, blieb dem Propheten der Bauern aus Moreschet vorbehalten.« Für die Funktion der Vergleiche bei den Propheten zeigt dieses Wort des Micha eindrücklich, daß hier der Begriff des Bildhaften versagt. Es geht hier um leidenschaftliche Intensivierung der Anklage. Im gleichen Zusammenhang 3,10:

> »Die ihr Zion mit Blut baut und Jerusalem mit Unrecht«.

»Micha spielt auf die rege Bautätigkeit in Jerusalem an, die unter Hiskija ungewöhnliche Ausmaße erreichte« (H. W. Wolff). Die Anklage erhält ihre Wirkung durch die Kontraktion mehrerer Vorgänge in einem Satz: das »Material«, mit dem Zion gebaut wird, ist die ungerechte und brutale Behandlung der Arbeiter, die offenbar in Zwangsarbeit den Bau ausführen müssen. Diese Kontraktion ist, genaugenommen, kein Vergleich, aber sie impliziert ihn: die Gleichsetzung des Arbeitsmaterials mit der ungerechten und brutalen Behandlung der Arbeiter.
Einem Vergleich im Zusammenhang der Anklage ähnlich ist auch 7,1. Der Text 7,1–7 gehört nach H. W. Wolff u. a. in die frühnachexilische Zeit; ähnliche Klagen über die allgemeine Ruchlosigkeit sind Jer 57,1–2; 55,4–8. Mi 7,1:

> »Wehe mir! denn es ergeht mir wie nach dem Einsammeln
> des Obstes, wie nach der Weinlese im Weinberg;
> keine Traube mehr zum Essen, keine Feige,
> nach der ich Verlangen hätte!

Dieser Vergleich wird in V. 2 und 4 gedeutet:

> »Die Frommen sind aus dem Lande geschwunden...
> einer macht Jagd auf den anderen.
> Der Beste unter ihnen ist wie ein Stechdorn,
> der Redlichste wie eine Dornenhecke.«

Aber das Wort hat eigentlich nicht den Ton einer prophetischen Anklage, sondern den der Klage über die allgemeine Verworfenheit in der Zeit, in der der Tempel und die staatliche Ordnung nicht mehr da sind. In einer Anklage steht der Satz 1,7:

> »Denn vom Dirnenlohn sind sie zusammengebracht
> und zu Dirnenlohn sollen sie wieder werden«

Es ist die besonders bei Hosea begegnende Anklage des Abfalls von Jahwe zu anderen Göttern im Vergleich mit der Hurerei. Hier ist es wahrscheinlich ein Zusatz. Es bleiben für Micha die beiden Vergleiche 3,2b–3 und 3,10, beides bei der sozialen Anklage, beide für Micha bezeichnend.

Vergleiche in Heilsworten. Im Michabuch begegnen eine Reihe von Vergleichen in Heilsworten, die aber alle aus späterer Zeit stammen und meist ihre Parallelen in anderen Prophetenbüchern haben. Die Verheißung der Rückkehr, Jahwe als Hirt 2,12: »Sammeln will ich... vereinigen wie Schafe im Pferch, wie eine Herde auf die Trift...«; 4,6: »Ich will sammeln, was hinkt, und zusammenbringen, was versprengt ist...«; 7,14: »Weide dein Volk mit deinem Stabe, die Herde deines Eigentums, die einsam die Wildnis bewohnt inmitten des Fruchtlandes, laß sie wieder in Basan und Gilead weiden, wie in den Tagen der Vorzeit!« (hier als Bitte). In der messianischen Weissagung 5,1. 3. 5 b ist es der kommende Friedensherrscher, der Israel weiden wird, 5,3: »Er wird auftreten und weiden in der Kraft Jahwes«, V. 4 a: »und er wird Frieden bewirken«. In einem Zusatz V. 4 b–5 a werden in scharfem Gegensatz dazu »sieben Hirten und acht Anführer« angekündigt: »Sie werden Assur mit dem Schwert...« Auf die Verheißung 2,12 folgt in V. 13 eine das gleiche in einem anderen Vergleich zeigende. V. 13 verheißt den Ausbruch aus einer befestigten Stadt, wobei der Anführer Jahwe, der König Israels, ist. In der Sprache dieser Verheißung ist Deuterojesaja vorausgesetzt, es ist ein nachexilischer Zusatz. Auch in ihm ist die Befreiung verheißen.

Eine Verheißung der Wiederkehr des Königtums, auch aus nachexilischer Zeit, bezeichnet Jerusalem als »Herdenturm«, 4,8: »Und du, Herdenturm, Burghügel der Tochter Zion...« Das ist wahrscheinlich kein Vergleich, sondern beides bezeichnet Jerusalem nach je einem bestimmten Einzelpunkt.

4,9–10 ist eine Verheißung der Befreiung aus Babylon, in der die Rettung auf die vorangehende Not folgt, V. 9–10 a. Dabei wird der Notschrei bei der Belagerung Jerusalems mit dem Schreien einer Gebärenden verglichen, 4,9.10:

>»... daß sie Wehen erfassen wie eine Gebärende?
>Winde dich und stöhne, Tochter Zion, wie eine Gebärende...!«

In 4,11–13 wird angekündigt, daß Israel an seinen Feinden Vergeltung üben wird; es ist ein nachexilischer Text. In V. 12 wird den Gegnern entgegengehalten, 4,12:

>»sie verstehen Gottes Plan nicht,
>daß er sie zusammenbringt wie die Garben auf der Tenne.«

An das Stichwort »Tenne« anschließend folgt in V. 13 die Aufforderung, 4,13:

>»Auf und drisch, Volk Zion.
>Denn ich mache dein Horn eisern und deine Klauen ehern,
>auf daß du viele Völker zermalmst...«

V. 12 und 13 zeigen, daß hier die Vergleiche nicht mehr eine organische, aus dem Zusammenhang notwendige Funktion haben, sie werden als aus der Tradition bekannte Vergleiche mechanisch angewandt, wobei der krasse Gegensatz des Vergleichs mit der Ernte in V. 12 und 13 nicht mehr bewußt wird, auch nicht, daß sich in V. 13 zwei Vergleiche stoßen.

Eine andere späte Verheißung für den »Rest Jakobs« Mi 5,6–7 in der Form der Segensschilderung stellt in Vergleichen neuen Segen und neue Stärke (oder Macht) für Israel in Aussicht, 5,6.7:

>»Dann wird der Rest Jakobs inmitten der Völker
>wie Tau von Jahwe sein, wie Regen auf den Pflanzen...
>wie ein Löwe unter den Tieren der Wildnis,
>wie ein Junglu unter Schafherden,
>der, wenn er hindurchgeht, niedertritt und raubt,
>und niemand rettet.«

Es ist die alte Segensverheißung von Fruchtbarkeit und Stärke, die hier in den traditionellen Vergleichen weiterlebt, wobei sich der sekundäre Gebrauch an dem »wie Tau... wie Regen« zeigt, sie sind eigentlich Gaben des Segens, die hier wegen V. 8 zum Vergleich abgewandelt sind.

Der Abschluß des Michabuches 7,7–19 ist ein Psalm mit Abwandlung und Erweiterungen. Die hier begegnenden Vergleiche gehören in den Zusammenhang der Psalmmotive: zum Bekenntnis der Zuversicht, 7,8 b: »Wenn ich in Finsternis sitze, ist Jahwe mein Licht...«; zur Gewißheit der Erhörung, V. 19: »Er wird sich wieder unser erbarmen, unsere Schuld unter die Füße treten. Du wirst all unsere Sünden in die Tiefe des Meeres versenken.« Zum Doppelwunsch, 7,10. 14: »Nun wird sie zertreten werden wie Kot auf der Gasse...«, V. 14: »Weide dein Volk mit deinem Stab, die Schafe deines Erbteils...«

Vergleiche bei Jesaja

Vorbemerkung: Ochse und Esel an der Krippe bei der Geburt Jesu sind so intensiv in die christliche Tradition eingegangen, daß sie in Darstellungen der Krippe über die Erde hin bekannt sind. Indem sie so zum Bild wurden, ging aber ihre eigentliche Bedeutung verloren. In den ersten Worten des Jesajabuches sind Ochse und Esel kein Bild. Sie sind Teil eines Vergleiches; ihre Bedeutung geht allein aus dem Vergleich hervor. Jes 1,2–3 ist eine Klage Gottes über den Ungehorsam seines Volkes. Die Klage vergleicht den Abfall Israels mit dem Weglaufen von Kindern aus ihrem Elternhaus (ebenso 1,4) im Kontrast zum Bleiben von Haustieren in ihrem Stall, in dem sie Bergung und Nahrung haben. Es ist ein Vergleich von zwei Vorgängen: Was Jahwe mit Israel erfuhr, wird neben einen Vorgang im Bereich der Erfahrung der Hörer gestellt – so kann es einem gehen, obwohl es doch so unnatürlich ist! Nur im Zusammenhang dieser parallelen Vorgänge kann deutlich werden, was hier von Ochse und Esel gesagt wird, nicht mehr dagegen, wo Ochse und Esel zum Bild erstarrt sind.

Die Funktion des Vergleiches in dieser Klage ist klar: er soll die Unbegreiflichkeit des Abfalls Israels hervorheben. Die Klage Gottes wird in diesem Vergleich nicht illustriert oder anschaulich gemacht, sondern verstärkt, intensiviert. Den Gleichnissen Jesu ist dieser Vergleich darin nahe, daß ein Vorgang zwischen Gott und Mensch durch den Vorgang zwischen Mensch und Mensch bzw. Tier und Mensch andringende Realität erhält. Was Gott an Israel getan hat, ist so real wie das, was ein Vater an seinem Kind, ein Bauer an seinem Vieh tut.

Die weitaus meisten Vergleiche in Jes 1–39 (ohne 24–27) begegnen im Zusammenhang der Gerichtsankündigung und deren Begründung in der Anklage. Wegen der vielen Fremdvölkersprüche bei Jesaja lohnt es sich, bei ihm zwischen Vergleichen in diesen und den an Israel gerichteten Worten zu unterscheiden.

Vergleiche bei der Anklage. Der Klage in Jes 1,2–3 entspricht die Anklage des Abfalls. Israel ist zur Dirne geworden, 1,21. Aber bei Jesaja ist diese Anklage, soweit es die Vergleiche zeigen, nicht so beherrschend wie bei Hosea.

Bei einer Reihe von Anklagen zeigen die Vergleiche nur, daß Israel sich versündigt hat, ohne nähere Bestimmung, 1,15 f.:

»eure Hände sind voll Blut«; die Sünde ist rot wie Scharlach und Purpur, 1,18–20;

eine Reihe von Stellen klagen an, daß das Edle verdorben ist: das Silber ist zu Schlacke geworden, der Wein verwässert, 1,22. Statt edler Trauben hat Israel saure Früchte gebracht, 5,2; Israel ist geworden wie die Leute von Sodom, 3,9.
Die Vergleiche im Zusammenhang der sozialen Anklage zeigen die Leidenschaft, mit der Jesaja sie vorgebracht hat, 3,14 f.: »Ihr habt den Weinberg abgeweidet, ihr zertretet mein Volk, zermalmt den Elenden!«; 10,1–2: Sie machen ungerechte Satzungen, sie plündern die Waisen, die Witwen werden ihre Beute. Das Gleichnis vom Weinberg 5,1–7 hat sein Ziel in der Anklage der Verderbnis des Gerichtswesens, 5,7: »Blutgericht und Rechtsbruch«.
Die Anklage gegen die Verachtung des vom Propheten gesprochenen Gotteswortes, 5,18 f.: »Sie ziehen die Schuld mit Stricken herbei«, indem sie höhnend dem Propheten vorhalten, er beeile doch sein Werk, daß wir es sehen! Die Ablehnung des Gotteswortes im syrisch-ephraimitischen Krieg (so die Deutung von H. Wildberger, Kommentar BK X z. St.) faßt der Prophet in den Vergleich 8,6 f.: »Weil dieses Volk die sanft rinnenden Wasser Siloahs verachtet…« Dieser Vergleich ist gewählt, weil er dem in der Ankündigung entspricht: »darum läßt Jahwe über sie emporsteigen die starken und großen Wasser des Stromes«. Mehrfach ist dies bei Jesaja der Fall, daß der Vergleich Anklage und Gerichtsankündigung umgreift. In allen diesen Fällen hat der Vergleich die Funktion, das unbedingte Folgen des Gottesgerichtes auf die Verschuldung Israels zu unterstreichen.
Die Anklage gegen die Hybris des Volkes, gegen seine Vermessenheit, ist für die Prophetie Jesajas besonders bezeichnend. Das zeigt schon Kap. 2, in dem aber Vergleiche nicht vorkommen. Sie begegnen aber in Kap. 28 und 29. Das Wort gegen Ephraim 28,1–4 ist davon bestimmt:

»Wehe der stolzen Krone der Trunkenen Ephraims,
die welken Blumen seines herrlichen Schmuckes
auf dem Haupt der vom Wein Bezwungenen!«

Auch hier entspricht die Ankündigung V. 3 wörtlich der Anklage; der Vergleich umgreift beide. Die Anklage der Hybris wird über die Herrschenden in Juda erhoben in 28,14–22: »Wir haben mit dem Tod einen Bund geschlossen und mit der Unterwelt einen Vertrag gemacht« (gemeint ist: Wir haben politische Verträge abgeschlossen, die uns vor Tod und Unterwelt sichern werden). Hybris ist es, wenn Israel sich gegen seinen Schöpfer auflehnt. 29,15 f.:

»Ist der Ton dem Töpfer gleich zu achten…,
daß er spräche: er versteht nichts!«

Es ist nicht zufällig, wenn auch in den gegen die Völker gerichteten Anklagen die der Hybris durch Vergleiche betont sind. Dem Vergleich 29,15 f. (Ton – Töpfer) entsprechend ist in der Anklage gegen Assur 10,15 die Hybris der Großmacht dargestellt:

»Rühmt sich auch die Axt gegen den, der damit haut…,
die Säge gegen den, der sie zieht…,
der Stock gegen den, der ihn aufhebt…?«

Im vorangehenden V. 14 wird das Ausrauben der Völker mit dem Ausrauben von Vogelnestern verglichen; der Vergleich ist in V. 14 b weitergesponnen in Richtung auf ein Gleichnis:

»... und keiner war da, der mit den Flügeln schlug,
der den Schnabel aufsperrte und piepste!«

Der Hybris wird Assur auch in 14,13 angeklagt:

»Zum Himmel empor will ich steigen,
hoch über den Sternen Gottes aufrichten meinen Sitz!«

Auch hier ist der Vergleich hyperbolisch.

Die Funktion der Vergleiche in den Anklagen. Alle Vergleiche dienen der Intensivierung der Anklage. Sie alle sollen dem dienen, daß die Angeredeten die Schwere dessen, was sie getan haben, einsehen. Sie werden durch die Vergleiche genötigt, die Realität ihrer Taten zu erfassen, zu begreifen, was sie angerichtet haben (»die die Schuld mit Stricken herbeiziehen«). Da es sich in der Anklage um Handlungen handelt, werden sie auch mit Handlungen oder Vorgängen verglichen; es können deswegen keine Bilder sein: zur Dirne geworden – das Silber zu Schlacke geworden – statt edler Traube saure Frucht gebracht – meinen Weinberg abgeweidet – mein Volk zertreten – den Elenden zermalmt. Gerade die Anklagen, die man auch als Hyperbeln bezeichnen könnte (ihr zertretet mein Volk – wir haben mit dem Tod einen Bund geschlossen – zum Himmel empor will ich steigen), bringen den leidenschaftlich drängenden, auf den Hörer eindringenden Charakter der Vergleiche deutlich zum Ausdruck.

Vergleiche bei der Gerichtsankündigung. Der Struktur der Gerichtsankündigung beim Prophetenwort entsprechend sind die Vergleiche zu gliedern nach dem Eingreifen Gottes und der Folge dieses Eingreifens:

Vergleiche beim Eingreifen Gottes. Vergleiche aus dem Bereich der Vegetation: Gott wird den Weinberg vernichten, Jes. 5,5–6; er wird den stolzen Wald fällen, 10,33:

»zerschlägt die Äste der Krone mit Schreckensgewalt
und die Hochgewachsenen sind gefällt
und die Hohen sinken nieder«.

Das Ende Israels als Naturkatastrophe: 8,7 Überschwemmung; ein »zerschmetternder Sturm« mit »Wasserfluten«, 28,2. Die Vernichtung durch feindliche Heere wird dargestellt 7,18: Gott lockt die Fliege vom Ende des Stromes und die Biene vom Ende Assyriens herbei; ein Schermesser, das Israel am ganzen Körper kahl scheren wird, von jenseits des Stromes gedungen, 7,20; entblößen, kahl scheren, 3,17; vgl. 22,8; Gott wird dem Volk (die Nahrung) die Leitung wegnehmen, 3,3–4.

Exkurs zu »Stab und Stütze«:

Jes. 3,1 (vgl. H. Wildberger, BK X/1 z. St.):

»Denn siehe: Jahwe Zebaoth nimmt hinweg
von Jerusalem und Juda Stab und Stütze,
(jede Stütze an Brot und jede Stütze an Wasser),
Held und Kriegsmann, Richter und Propheten...«

Diese Stelle ist für den Gebrauch eines Vergleiches aufschlußreich. Das Nomen (in drei Formen) kann Stab, Stütze direkt bedeuten: Stock, auf den sich Kranke (Ex 21,19) oder Alte (Sach 8,4) stützen. Es kann Rangabzeichen sein (Num 21,18; Ri 6,21; 2 Kön 4,29.

31). Daneben kann es in übertragenem Sinn gebraucht werden. a) Die Führenden im Staat, angewendet in der Gerichtsankündigung: Jahwe nimmt von Jerusalem und Juda Stab und Stütze, 3,1; b) eine fremde Macht, auf die sich Juda stützt, so angewandt in der Rede des Feldherrn Rabsake, Juda stütze sich auf Ägypten, das nicht helfen kann, 2 Kön 18,21 = Jes 36,6. Dieser Vergleich ist in Ez 29,6 f. übernommen und abgewandelt: Anklage gegen Ägypten wird erhoben, weil es eine unzuverlässige Stütze für Israel war. In dieser sekundären Übernahme verliert der Vergleich seine Prägnanz und wirkt ungeschickt. Die Stelle zeigt aber, daß ein solcher Vergleich sich einprägen und tradiert werden kann. c) Stütze ist Jahwe: Im Vertrauensbekenntnis Ps 23,4 »dein Stecken und Stab, der tröstet mich«. Im berichtenden Lob 2 Sam 22,18; Ps 18,19: »und Jahwe wird mir zur Stütze«, zur Verheißung gewendet, späte Stelle, auf Jes 36,6 sich beziehend. d) Jes 10,20: »An jenem Tag... sich nicht mehr stützen auf..., sondern sie werden sich stützen auf Jahwe, den Heiligen Israels«; ähnlich auch Sir 3,31: »zur Zeit, wo er zu Fall kommt, wird er Stützung finden«. An dieser Stelle ist nicht das Nomen, sondern das Verb gebraucht. Das Verb (nur im nifal) wird ebenso vom Sich-Stützen etwa auf einen Stock wie auch »auf Jahwe« gebraucht. Das ist ein metaphorischer Gebrauch, kein eigentlicher Vergleich. Das Beispiel zeigt den fließenden Übergang vom metaphorischen Gebrauch zum ausdrücklichen Vergleich.

Der Gebrauch des Wortes »Stütze« demonstriert die vielen Möglichkeiten des Vergleichs bei der gleichen Vokabel. Mit Stütze oder Stab kann eine auswärtige Macht, können die Führenden in Juda-Jerusalem, kann Gott gemeint sein. Wo dies gemeint ist, kann in verschiedenen Zusammenhängen von Gott als Stab (Stütze) geredet werden. Der Vergleich bedeutet in seiner politischen und in seiner theologischen Bezogenheit dasselbe, d. h. es ist durchaus kein spezifisch theologischer (auf Gott bezogener) Vergleich. Das gilt für die meisten auf Gott bezogenen Vergleiche.

In Jes 3,1 sind mit »Stab und Stütze« die Führenden in Juda und Jerusalem gemeint, die dann in V. 2–3 aufgezählt werden. Dann ist in V. 1 b »jede Stütze an Brot und jede Stütze an Wasser« ein Zusatz, was von den meisten Auslegern angenommen wird. Dieser Zusatz zeigt zweierlei: Der Vergleich mit »Stab und Stütze« ist so wenig festgelegt, daß damit auch Essen und Trinken bezeichnet werden könnte. Das Beispiel zeigt, daß ein solcher Vergleich niemals nur *eine* Deutungsmöglichkeit hat. Aber er zeigt auch das andere: Der nachgetragene Vergleich ist nicht so prägnant wie der ursprüngliche. Wahrscheinlich war die Absicht des Zusatzes, die Ankündigung des Wegnehmens zu verstärken; sie wirkt aber eher abschwächend.

In 2 Kön 18,21 = Jes 36,6 ist der Vergleich mit einer Stütze erweitert um das Element unzuverlässige, schädliche Stütze: »... auf den geknickten Rohrstab Ägypten...«. An dieser Erweiterung tritt klar heraus, daß der Vergleich (an allen Stellen) nicht ein Seiendes mit einem Seienden (so Aristoteles in seiner Lehre von der Metapher), sondern einen Vorgang mit einem Vorgang vergleicht.

In einer Reihe von Vergleichen wird der Ton darauf gelegt, daß Gott selbst vernichtend gegen sein Volk eingreift: Er wird »zum Stein des Anstoßes und zum Fels des Ärgernisses den beiden Häusern Israel, zur Schlinge und zum Fallstrick den Bewohnern Jerusalems«, Jes. 8,14; es ist ein Gerichtswort, das die Vernichtung Israels heraufführt. 9,7(8): »Ein Wort sendet Jahwe gegen Jakob, es fällt nieder auf Israel«, sein Wort wird zum Werkzeug der Vernichtung. Er selbst vernichtet Israel, indem er Israel »Kopf und Schwanz, Palmzweig und Binse an *einem* Tag abhaut«, 9,14; »er zerbricht sie, wie man Töpfergeschirr zerbricht«, 30,14. Die Vernichtung durch ein fremdes Volk mit fremder Sprache ist sein

Werk: »Wahrlich, mit Lippengestammel und fremder Zunge wird er reden zu dem Volk da«, Jes 28,11.

In beiden Ankündigungen Jes 9,7 und 28,11 ist das richtende Handeln Gottes an Israel ein Handeln durch das Wort. Die beiden Halbverse von 9,7 stehen im ergänzenden Parallelismus: Gott sendet ein Wort – es fällt nieder; und beidemal gegen Israel – auf Israel. Das Wort ist mit einem Geschoß verglichen; aber der Sinn ist in V. 7a und 7b fein differenziert: in V. 7a ist es das von den Propheten gesprochene Gerichtswort gegen Israel, in V. 7b das in diesem Wort angekündigte Gericht, das über Israel ergeht. Dies ist wohl in der ganzen Prophetie der kürzeste, konzentrierteste Vergleich, der das Gerichtswort und dessen Eintreffen und das, womit er beides vergleicht, in einen einzigen zweigliedrigen Satz faßt. Ähnlich ist in Jes 28,11 die prophetische Ankündigung (»wird er reden zu diesem Volk da«) und deren Eintreffen in der Eroberung durch ein fremdes Volk (»mit fremder Zunge«) in einen einzigen Satz zusammengefaßt. Verglichen ist hier das Eintreffen des Gerichts durch ein feindliches Heer mit der Ankündigung dieses Gerichts durch das Prophetenwort, wobei nur mitschwingt, daß sie das Prophetenwort, das sie abweisen, nun am eigenen Leib zu spüren bekommen.

In beiden Worten ist in subtiler Weise das Wort Gottes und das, was es bewirkt, in eins gesehen. Das Wort ergeht, und als Gottes Wort bewirkt es etwas. Hier führt eine deutliche Linie von Jesaja über Jeremia zu Deuterojesaja.

Folge des Eingreifens Gottes: Die Folge dieses Eingreifens Gottes wird verglichen mit Vorgängen in der Schöpfung. Israel wird sein »wie eine Terebinthe, deren Blätter welken, und wie ein Garten, der kein Wasser hat«, Jes 1,30; »statt des Balsams wird Moder sein und statt des Gürtels ein Strick«, 3,24; ein zerstörter Weinberg, 5,1–7; »ihre Wurzel wird sein wie Moder und ihre Blüte in Staub auffliegen«, 5,24; »es gibt für sie keine Morgenröte«, sondern nur »Dunkel und Drangsal«, 8,20. 22; 9,1. Ein Wald mit hohen Bäumen, der abgehauen, gefällt wird, 10,34; es wird ihm gehen wie einer Frühfeige, die kaum gesehen schon verschlungen wird, 28,4b.

Israel wird in einer Feuersbrunst verbrennen, 1,31; 5,24; 9,14; 9,18: »durch den Grimm Jahwes wurde das Land verbrannt und das Volk ward wie zum Fraß des Feuers«. Israel wird von der Unterwelt verschlungen, 5,14; zu Boden geworfen, 28,2; mit Füßen getreten, 28,3; von der wogenden Geißel zermalmt, 28,18; es bleibt nur ein Rest, 30,17.

Das Einschreiten Gottes bewirkt den Zusammenbruch, 30,13–14, der mit dem Zusammenbruch einer Mauer verglichen wird:

> »darum wird euch diese Verschuldung sein
> wie ein einsturzdrohender Riß,
> der heraustritt an einer hochragenden Mauer,
> über die plötzlich, im Nu, der Zusammenbruch kommt.
> Und er zerbricht sie, wie ein Töpfergeschirr zerbricht,
> das ohne Schonung zertrümmert wird,
> daß man in seinen Trümmern nicht eine Scherbe mehr findet,
> um Glut vom Herd zu nehmen oder Wasser... zu schöpfen«

Wenn bei diesem Vergleich, der die Ursache des Zusammenbruchs (Riß in der Mauer – eure Verschuldung) einschließt, auf den Zusammenbruch der Mauer (V. 13) scheinbar abrupt das Zerbrechen von Töpfergeschirr (V. 14) folgt, so kann das kaum der Anschaulichkeit dienen. Es stellt vielmehr eine Geschehensfolge dar: der Zusammenbruch und dessen Folge, es bleiben nur kleine Scherben übrig. Daran zeigt sich, daß hier nicht zwei verschiedene Bilder aneinandergereiht sind, sondern das Aufeinanderfolgen der zwei Vergleiche verstärkt die Aufeinanderfolge des Zusammenbruchs und seiner Auswirkung auf das Volk (wie die anderen Vergleiche mit einem Rest).

Vergleiche bei der Gerichtsankündigung gegen Fremdvölker. Während bei Anklagen gegen Fremdvölker nur wenig Vergleiche begegnen und diese wenigen mit Anklagen gegen Israel übereinstimmen, begegnen bei der Gerichtsankündigung gegen Fremdvölker sehr viele. Dieser Unterschied ist wahrscheinlich darin begründet, daß die Anklage gegen fremde Völker die im Prophetenwort Angeredeten nicht direkt angeht, sehr direkt dagegen die Ankündigung.

Das Eingreifen Gottes. Das Eingreifen Gottes ist mit Vorgängen im Bereich der Schöpfung verglichen, 10,18a: »Die Herrlichkeit seines Waldes und seiner Fruchtgefilde wird er vertilgen«; Gott ist mit einem Schnitter verglichen, der die Halme umfaßt und ihre Ähren abschneidet, 17,5. Er wird »auf sein (Assurs) Fett die Schwindsucht loslassen«, 10,16, »und die Menschen seltener machen als Feingold, den Sterblichen seltener als das Gold von Ophir«, 13,12. Er wird über sie kommen »gleich Stürmen, die im Südland daherfahren«, »wie das Brausen des Meeres, Tosen des Sturmes«, 17,12. In Vergleichen wird ein kriegerisches Eingreifen Jahwes angedeutet, 10,26: »Jahwe wird eine Geißel über sie schwingen« und »das Licht Israels wird zu Feuer und der Heilige zur Flamme« 10,17a; »der Tag des Herrn ist nahe, wie Gewalt eines Gewaltigen kommt er!«, 13,6. Von der Vernichtung des Gegners sprechen 14,25: »Zerschmettern will ich den Assyrer in meinem Land, zertreten auf meinen Bergen«; »ich will es mit dem Besen der Verderbnis ausfegen«, 14,23. Er hat ihm seine Macht genommen: »Jahwe hat zerbrochen die Stärke der Gottlosen, die Stecken des Tyrannen«, 14,5.

Folge des Eingreifens Gottes gegen die Fremdvölker. Vergleiche aus dem Bereich der Kreatur, 18,4–5: »Schneidet die Reben ab–, haut die Trauben weg!« Die Vernichtung erreicht sie wie der tödliche Schlangenbiß, 14,29: »denn aus der Wurzel der Schlange wird eine Viper wachsen und ihre Frucht wird ein fliegender Drache sein«. Der König von Babel ist »hingeworfen wie ein zertretenes Aas«, »weggeerntet ist die Freude von den Weinstöcken Sibmas«, 16,8. – Die Flucht macht sie »wie Spreu vor dem Wind, wie ein Staubwirbel vor der Windsbraut«, 17,13; »wie flüchtige Vögel, wie ein aufgescheuchtes Nest werden die Kinder Moabs«, 16,2; »und jeder wird fliehen wie aufgescheuchte Gazellen und wie Schafe, die keiner sammelt«, 13,14. – Das Gericht wird mit einer Feuersbrunst verglichen, 10,16b: »... und unter seiner Herrlichkeit entbrennt ein Brand wie Feuerbrand«; »... die wird zünden und seine Dornen und Disteln an einem Tag verzehren«, 10,17b. – Krankheit und körperlicher Schmerz, 10,18b: »und es wird sein, wie wenn ein Kranker dahinsiecht«; 13,8: »sie winden sich wie eine Gebärende«; 21,3: »Wehen haben sie ergriffen wie die Wehen einer Gebärenden«; 23,1: »Heulet, ihr Tarsisschiffe!«. – Das Gericht bewirkt den Sturz in die Tiefe:

14,12: »Wie bist du vom Himmel gefallen,
du strahlender Morgenstern,
wie bist du zu Boden geschmettert,
du Besieger der Völker!«
V. 15:
»Doch ins Totenreich wirst du herabgestürzt,
in der Grube tiefsten Grund.«

Die Vernichtung Babels gleicht der von Sodom und Gomarra, 13,15.

Diese beiden Texte können mit Recht als Gleichnisse bezeichnet werden, weil sie wie die Gleichnisse in den Evangelien selbständige Einheiten erzählenden Charakters sind, zu Erzählungen erweiterte Vergleiche.
5,1–7: Das Weinberglied. Gliederung:

V. 1 a: Ankündigung des Liedes. (Die Ankündigung ist nicht
etwa die des Weisheitslehrers an seine Schüler,
sondern die Aufforderung eines, der eine Geschichte
erzählen = ein Lied singen will, an die Zuhörer.)
V. 1b–2: Erzählung vom Weinberg des Freundes.
V. 3–4: Aufforderung an die Hörer, ihr Urteil abzugeben.
V. 5–6: Kundgabe des eigenen Urteils.
V. 7: Die Deutung des Erzählten (Anklage).

Im Aufbau von Jes 5,1–7 sind zwei Strukturen miteinander verbunden: die Struktur einer kleinen Erzählung (eine Erzählung kann auch gesungen werden). V. 1–2: Er tat alles für den Weinberg – der brachte schlechte Früchte. Diese Struktur kehrt noch einmal in Frageform wieder in V. 4. Zu dieser Struktur gehört aber auch noch V. 5–6; denn diese Ankündigung sagt, was weiter mit dem Weinberg geschehen wird. Diese Erzählstruktur ist verbunden mit der des prophetischen Gerichtswortes: V. 1–2 a Rückblick auf Gottes früheres Heilshandeln (mit V. 4), Anklage V. 2 b und V. 7 b (gedeutet), die Gerichtsankündigung V. 5–6, wobei das Gleichnis in die Deutung übergeht.
Die Einkleidung eines prophetischen Gerichtswortes in eine (Gleichnis-)Erzählung geht aus V. 3–4 deutlich hervor: sie soll die Zuhörer zu eigenem Urteil über die in der Anklage begründete Gerichtsankündigung bringen durch das Danebenstellen eines parallelen, ihnen bekannten und vertrauten Vorganges. Das entspricht ganz dem Nathan-Gleichnis 2 Sam 7. Dieser danebengestellte Vorgang aber kann zu einer Erzählung nur durch das hinzugefügte Kontrastmotiv werden. So erst wird es ein »Drama« in drei Akten, wodurch eine Spannung in den Vorgang hineinkommt. So wird es eine Gleichniserzählung im vollen Sinn des Wortes.
Jes 28,23–29: Dies ist ein Gleichnis ganz anderer Art als 5,1–7; es erinnert an die Wachstumsgleichnisse in den Evangelien.
Jes 28,23–29. Gliederung:

V. 23: Aufforderung zum Hören.
V. 24–26: Erste Frage: Pflügt der Bauer immer?
V. 24: Pflügt der Pflüger etwa andauernd?
V. 25: Er tut vielmehr vielerlei Verschiedenes.
V. 26: Gott hat es ihn so gelehrt.
V. 27–28: Zweite Frage: Tut der Bauer bei der Ernte mit allen Früchten das gleiche?
V. 27: Dill und Kümmel werden besonders behandelt.
V. 28: Das Brotkorn wird besonders behandelt.
V. 29a: Auch das ist von Gott ausgegangen
V. 29b: (Gotteslob) Wunderbar ist sein Rat (Plan),
groß das Gelingen.

Der Text ist nicht leicht zu verstehen. Sicher ist – darin stimmen die meisten Ausleger überein –, daß Jesaja hier auf einen Einwand antwortet. Es ist der Einwand, den er selbst in den Wehe-Worten 5,19 nennt: »Er beeile doch, beschleunige sein Werk, daß wir es sehen; der Ratschluß des Heiligen Israels treffe ein, daß wir ihn erfahren!« Der Text 28,23–29 ist dann die in ein Gleichnis gekleidete Antwort im Streitgespräch. In dieser Funktion stimmt es mit vielen Gleichnissen Jesu überein. Es ist zwar keine Erzählung in drei Akten wie Jes 5,1–7, aber auch hier sind nicht nur in V. 24–26 und V. 27–29 zwei Beispiele aneinandergereiht, es ist in diesen beiden Teilen vielmehr auf den ganzheitlichen Vorgang von der Saat bis zur Ernte angespielt (vgl. Mk 4,26–29). Diesen von der Saat bis zur Ernte führenden Vorgang stellt Jesaja dem Handeln Gottes in der Geschichte gegenüber, der vom Plan (*'ēsāh*) zum Gelingen (*tūšijāh*) führt, V. 29. Gegen den Einwand (in 5,19) sagt Jesaja: Gott tut nicht immer dasselbe (V. 24–26) und er tut nicht an allen dasselbe (V. 27–29), zur Geschichte gehört das vielgestaltige Wachsen, dementsprechend sich der Mensch verhalten muß. Jesaja sagt das zwar nicht in einem Gotteswort wie 5,10, sondern auf der gleichen Ebene wie seine Hörer als ein Argument, dem sie zustimmen oder das sie ablehnen können. Dieses Gleichnis ist deswegen ein für das Verständnis der Prophetie Jesajas besonders wertvoller Text, weil er nur an dieser einen Stelle etwas zum Geschichtshandeln Gottes im ganzen sagt. Jesaja sagt gegenüber dem Einwand: Gottes Handeln in der Geschichte besteht nicht nur in dem, was ich jetzt zu verkündigen habe, dem auf die Vergehen Israels folgenden Gericht. Es ist vielfältig und vielgestaltig und braucht seine Zeit. Zur Geschichte gehört das Wachsen und das Reifen (im Gegensatz zu dem Einwand 5,1: »die die Schuld mit Stricken herbeiziehen«). Vgl. hierzu auch den anderen Vergleich für das Abwarten Gottes in Jes 18,4. Wenn diese Antwort Jesajas im Streitgespräch in ein Gotteslob ausmündet, sagt das besser als viele Worte, daß Jesaja seinen Auftrag, das Gericht Gottes über Israel anzukündigen, in einem viel weiteren Zusammenhang als nur dem des Gerichtes Gottes über sein Volk sieht. Das Ganze des Wirkens Gottes, sagt er seinen Gegnern, können wir nicht übersehen; aber wir wissen, daß sein Plan besteht und daß er ihn wunderbar zum Gelingen führen wird.

Beiden Gleichnissen ist gemeinsam, daß die Zuhörer durch den danebengestellten Vorgang zu selbständigem Urteilen herausgefordert werden. Ausdrücklich spricht Jesaja in 28,23–29 nicht als Bote Gottes, sondern als ein seinen Hörern Gleichgestellter, der um ihr Verständnis, um ihre Zustimmung wirbt. Das ist für die Gleichnisse Jesu wichtig. Auch sie richten sich an das urteilende Denken und werben um die freie, überzeugte Zustimmung.

Eine besondere Möglichkeit der Vergleiche liegt darin, daß sie zwei oder drei Glieder des Prophetenwortes umfassen, daß also ein Vergleich Anklage und Gerichtsankündigung umfaßt oder Gottes Eingreifen und Folge des Eingreifens oder Rückblick und Anklage. Das geschieht nicht nur in dem Gleichnis Jes 5,1–7, sondern auch bei mehreren anderen Vergleichen: Der Vergleich umfaßt Anklage und Gerichtsankündigung in Jes 28,1. 3: »Wehe der stolzen Krone der Trunkenen Ephraims … mit Füßen wird zertreten die stolze Krone der Trunkenen Ephraims«; in 8,5–8. 9,6: »… die sanft strömenden Wasser Schiloachs – die Wasser des Eufrat«, dazu 9,17–18; 28,14 ff.; 30,13 f. – Der Vergleich umfaßt Rückblick und Anklage, Jes. 1,2–3: »Söhne habe ich aufgezogen – aber sie sind mir untreu geworden«, dazu 1,22. Beide Stellen stehen der Klage nahe, deren Kontrastmotiv sich hier zeigt. – Der Vergleich umfaßt Gottes Eingreifen und dessen Folge, Jes 17,5 f.: »der Schnitter der Halme …, eine Nachlese«; dazu 7,20; 8,14. 15; 18,4–6. In 30,13 f. dazu noch die Anklage: Riß – Einsturz – Trümmer. Diese besondere Möglichkeit der

Vergleiche, mehrere Glieder des prophetischen Gerichtswortes zu umfassen, bestätigt, daß in den Vergleichen in den Prophetenworten nicht eine »Sache« durch ein »Bild« illustriert, sondern neben einen Vorgang (was sich im Prophetenwort zwischen Gott und seinem Volk vollzieht) ein Vorgang aus einem bekannten, vertrauten Bereich gestellt wird, in der Absicht, daß der vergleichende im verglichenen Vorgang mitspricht.

Vergleiche in Heilsworten bei Jesaja. Zunächst ergibt ein Überblick über alle Heilsworte in Jesaja 1–39, daß sie nur wenige Vergleiche enthalten und unter diesen feste Gruppen sich nicht erkennen lassen. Eine konstitutive Bedeutung haben Vergleiche für diese Heilsworte nicht. Bei den Heilsworten in Jes 1–39 überwiegt die Segensschilderung, d. h. die Schilderung eines Heilszustandes, der in der kommenden Heilszeit beständig (für immer) vorhanden ist. In einigen Texten geht ihm die endgültige Vernichtung der Feinde Israels voraus, z. T. in apokalyptischer Sprache geschildert. Am deutlichsten ist das in Kap. 34 und 35, wo dem Weltgericht, dargestellt als endgültige Vernichtung Edoms Kap. 34, die nun endgültige Heilszeit folgt Kap. 35, in der Sprache der Heilsbotschaft Deuterojesajas. Daß Kap. 34 und 35 daher nachexilisch sein müssen, ist allgemein anerkannt. Es ist dann anzunehmen, daß auch die dieser Form entsprechenden Heilsworte spät sind. Das sind 29,5–8 (Vernichtung der Feinde) mit 29,17–24 Segensschilderung, 30,27–33 Vernichtung der Feinde und Segensschilderung, dasselbe 31,4–9 und 32,1–5. Nur Segensschilderung 4,2–6; 11,11–16 (Sammlung und Wiedervereinigung), 30,19–26; 32,15–20; 33,17–24. In einigen Texten ist die Segensschilderung mit der Verheißung eines Heilskönigs verbunden, 4,2–6(?); (9,1–6?); 11,1–9. 10; 1,15b. Dazu einige Einzelsätze, die wahrscheinlich zur Segensschilderung gehören, wie 28,5.
In diesen Texten begegnen Vergleiche selten und in ganz verschiedenen Zusammenhängen. In 4,4–6, V. 4 Vergebung als Reinigung: »Wenn Jahwe den Schmutz der Tochter Zion abgewaschen...«, ähnlich 30,26: »am Tage, da Jahwe die Wunde seines Volkes verbindet und die Striemen seiner Schläge heilt«. In 4,5b–6 wird der Schutz Jahwes für den Rest verheißen in Vergleichen, die dem Ausdruck des Vertrauens entsprechen: »denn über allem wird die Herrlichkeit Jahwes ein Obdach sein und ein Zelt zum Schatten gegen die Hitze des Tages und zum Schutz und Schirm gegen Unwetter und Regen«, ähnlich 28,5: »An jenem Tag wird Jahwe Zebaot selbst eine herrliche Krone und ein prächtiger Stirnreif sein für den Rest seines Volkes« (anklingend an Tritojesaja), ähnlich 31,5.
Vergleiche begegnen beim Eingreifen Gottes gegen die Feinde Israels. 31,4: »Gleich wie ein Löwe..., so steigt Jahwe Zebaot herab zum Kampf auf den Berg Zion«; 11,4: »Er schlägt die Gewaltigen mit dem Stab des Mundes und tötet die Frevler mit dem Hauch seiner Lippen«; 29,5: »wie feiner Staub wird der Schwarm deiner Feinde sein, wie fliegende Spreu der Schwarm des Bedrängers...«; 29,8: »wie wenn ein Hungriger träumt, er esse, dann aber mit ungestillter Gier erwacht; und wie ein Durstiger...«.
Vergleiche in der Segensschilderung. Jes 11,5: »Gerechtigkeit ist der Schurz seiner Lenden und Treue der Gurt seiner Hüften«, V. 9: »wie die Wasser das Meer bedecken...«. Ein ausführlicher Vergleich 30,29:

»Dann werdet ihr Lieder singen
wie in der Nacht des Festes, und euer Herz wird sich freuen
wie man bei Flötenspiel hinaufzieht,
um auf den Berg Jahwes zu gehen, zum Felsen Israels,
unter Pauken, Zithern, im Reigen«,

die Heilszeit als Fest; vgl. 9,2. 35,1 ff. in der Sprache Deuterojesajas: »wie die Narzissen soll sie blühen«; der König der Heilszeit ist der Sproß aus dem Baumstumpf, 11,1–5; 6,25 b; 11,10. Er ist »Panier für die Völker«, 11,10. 12.

Abschließend: Die mancherlei Vergleiche in verschiedenen Zusammenhängen in den Segensschilderungen lassen eine für sie spezifische Funktion nicht erkennen. Wenige Vergleiche begegnen auch in den Heilsworten, die dem Propheten Jesaja zuzuschreiben sind. Gottes Gericht dient der Läuterung des Volkes, 1,25: »Ich hebe meine Hand gegen dich, um deine Schlacken im Ofen auszuschmelzen und auszuscheiden all dein Blei«; vgl. 4,4. In dem an den König gerichteten Heilswort 7,1–10 wird der Jerusalem drohende Feind »heruntergemacht«, V. 4: »dein Herz verzage nicht wegen dieser beiden rauchenden Brennholzstummel!« Das durch das Gericht gewandelte Gottesvolk soll ein neues Fundament erhalten, 28,16: »Siehe, ich lege in Zion einen Grundstein..., einen kostbaren Edelstein... Ich mache das Recht zur Richtschnur, zum Senkblei die Gerechtigkeit...« In einer Gerichtsankündigung wird die Mehrungsverheißung zitiert, 10,22: »Wäre auch dein Volk, Israel, wie der Sand des Meeres.«

Vergleiche bei Jeremia

Die Verteilung der Vergleiche auf die Teile des Jeremiabuches zeigt: sie sind auf Kap. 1–25; 30–35; 46–51 konzentriert, d. h. im Baruk-Bericht (19,1–20,6; 26–29; 36–45) werden keine Vergleiche verwendet, die wenigen, die hier vorkommen, gehören einigen zitierten Prophetenworten an; auch nicht in dem geschichtlichen Anhang Kap. 52. Hier bestätigt sich der Befund, daß die Vergleiche in Bericht und Erzählung kaum oder gar nicht begegnen. In den deuteronomistischen Teilen des Jeremiabuches treten die Vergleiche stark zurück. Bezeichnend ist hier das stereotype Wiederkehren der gleichen Vergleiche.

Die Vergleiche im Jeremiabuch sind wie bei den anderen Propheten auch dem prophetischen Gerichtswort und dessen Gliedern zugeordnet: der Gerichtsankündigung, der Anklage, einige dem Rückblick auf Gottes früheres Tun. Einige Vergleiche begegnen im Zusammenhang des Berufungsberichtes, dazu in den Worten Jeremias als Prüfer. Dabei sind die Völkersprüche besonders zu nehmen. Bei ihnen überwiegen die Vergleiche bei der Gerichtsankündigung bei weitem die bei der Anklage. Als eine besondere, Jeremia eigentümliche Gruppe kommen die Vergleiche im Zusammenhang der Klage hinzu. Dazu die Zeichenhandlungen, die bei Jeremia häufiger als bei den vorangehenden Propheten begegnen.

Vergleiche bei der Gerichtsankündigung. Gottes Gericht über sein Volk wird mit dem verzehrenden, zerstörenden Feuer verglichen, wobei es häufig der Zorn Gottes ist, der dieses Feuer entfacht, 4,4: »damit nicht wie Feuer losbreche sein Grimm und brenne, daß niemand löschen kann!« In der Auseinandersetzung mit den Heilspropheten wird das Gerichtswort, das die Vernichtung ankündigt, in diesem Vergleich mit der Vernichtung gleichgesetzt, 23,29: »Ist nicht mein Wort wie ein Feuer und wie ein Hammer, der Felsen zerschmettert?« Der Vergleich mit dem Feuer begegnet häufig, 4,8. 26; 11,16; 15,14 b; 21,12 b.14 f.; 23,29; 25,37.

Das Gericht Gottes wird mit Unwetter, Sturm, Flut verglichen:

4,11.12: »Über heiße Wüstenhöhen kommt der Sturm
an die Tochter meines Volkes, nicht zum Worfeln...,
siehe: Wie Wolken steigt's herauf,
wie Windsbraut seine Wagen...«
18,17: »Wie ein Oststurm will ich sie vor dem Feind zerstreuen«,
dazu 10,22; 23,19; 30,23.

Vergleiche des Gerichts mit wilden Tieren. 4,7: »Schon steigt aus seinem Dickicht herauf der Löwe...«; 4,16: »Siehe: Panther aus fremdem Land laut brüllend gegen die Städte Judas!«; 5,6: »Darum schlägt sie der Löwe des Waldes..., Wolf..., Panther...«; 8,17: »Denn siehe, ich lasse Schlangen gegen euch los...«, dazu 2,15; 12,9 Raubvögel. Wenn das Gericht Gottes mit den zerstörenden Elementen und mit wilden Raubtieren verglichen wird, gibt das diesen als den Werkzeugen des Gottesgerichtes zugeordnet eine positive Bedeutung. Wird Gott als Richter, auch an seinem eigenen Volk anerkannt, so damit auch die Werkzeuge seines richtenden Handelns.
Verschiedene Vergleiche für das Eingreifen Gottes. Vergleiche mit giftiger Nahrung, 9,15: »Siehe, ich will sie mit Wermut speisen, mit Giftwasser tränken!« = 23,15, dazu s. o. S. 27, oder trunken machen 13,12–14. Auf Exil und Gefangenschaft weisen 16,16:

»Siehe, ich sende aus nach vielen Fischern, die sollen sie fischen.
Siehe, ... nach vielen Jägern, die sollen sie jagen
von allen Bergen und allen Hügeln und aus den Felsklüften.«

10,17 f.: »Raffe dein Bündel auf... Siehe, ich schleudere fort die Bewohner dieses Landes...«; 6,21: »Siehe, ich lege diesem Volk Steine in den Weg, daß daran sich stoßen und straucheln die Väter samt den Söhnen...«, dazu 45,4. In 5,16 ist bei der Ankündigung des herankommenden Eroberers dessen Ausrüstung geschildert: »sein Köcher ist ein offenes Grab«. Hier ist nicht etwa das offene Grab als Bild für den Köcher gemeint, sondern der Vergleich ist eine Kontraktion, er weist auf eine Geschehensreihe vom Herausnehmen des todbringenden Pfeils aus dem Köcher über den tödlichen Schuß bis zum Öffnen des Grabes.
Während die bisher genannten Vergleiche (weitaus die Mehrzahl dieser Gruppe) alle zum ersten Glied der Gerichtsankündigung gehören, dem Eingreifen Gottes (1. pers.), sind andere dem zweiten Glied, der Folge des Eingreifens (3. pers.), zugeordnet: Die Vernichtung der Felder und Gärten durch Feinde, 5,10: »Steigt hinauf in ihre Pflanzungen und verheert sie... Entfernt ihre Schosse...«; V. 16: »Sein Köcher ist wie ein offenes Grab... Er frißt deine Ernte..., Weinstock und Feigenbaum...«, auch 17,6; 11,16. Die Folge als Wunde oder Krankheit, 8,22:

»Ist denn kein Balsam in Gilead, ist kein Arzt mehr dort?
Warum will nicht heilen die Wunde
der Tochter meines Volkes?«

Die Folge ist der Tod des Volkes, auf den die Totenklage angehoben wird, 6,26: »Gürte das Trauergewand um, Tochter meines Volkes, wälze dich in Asche! Traure, wie...«; 9,1: »O daß mein Haupt mir zerflösse, meine Augen mir würden zum Tränenquell...«; V. 10: »Über die Berge muß ich anheben Weinen und Totenklage, über die Auen der Trift das Trauerlied«; V. 17: »Ruft die Klagefrauen, ..., daß sie über uns anheben das Trauerlied...«; V. 20–21: »So hört denn, ihr Frauen..., lehrt eure Töchter die Klage: Der Tod ist in unsere Fenster gestiegen...«;

> 12,4: »Wie lange noch soll trauern das Land
> und das Grün auf den Feldern verdorren?
> Um der Bosheit seiner Bewohner willen
> sind Vieh und Vögel dahingerafft.«

> 14,17: »Meine Augen zerfließen in Tränen Tag und Nacht,
> denn zerschlagen, zerschmettert liegt die Jungfrau,
> die Tochter meines Volkes, schwer getroffen.«

Die Totenklage als Reaktion auf die Folge des Eingreifens Gottes als Richter seines Volkes ist wie in Am 5,1–3. 16 insofern ein Vergleich, als der Ritus der Totenklage beim Sterben eines Menschen, gewöhnlich auf Familie und Wohnort begrenzt, auf den Tod des ganzen Volkes übertragen ist. Eine großartige und kühne Konzeption, die wahrscheinlich bei Israels Propheten zum erstenmal in der Menschheitsgeschichte begegnet. Möglich wird diese Konzeption nur in der Ankündigung, weil nur in ihr das zukünftige Ereignis in solcher Konzentration als Schicksal des ganzen Volkes, dargestellt im Schicksal des Todes einer Person, angekündigt werden kann. Wegen dieser Besonderheit erhält auch hier der Vergleich eine Fermate in der Erweiterung zu einem Leichenlied Jer 9,16. 17. 20. 21, das, so verstanden, einem Gleichnis nahekommt.

Vergleiche bei Gerichtsworten über Könige.

> 13,18: »Sagt zum König und zur Gebieterin:
> Setzt euch tief hinunter,
> denn vom Haupt gesunken ist euch die prächtige Krone!«

22,19: »Wie man einen Esel begräbt, wird man ihn begraben, wird ihn fortschleifen und hinwerfen vor die Tore Jerusalems«; V. 24: »Selbst wenn Chonjahu ein Siegelring wäre an meiner rechten Hand, ich wollte ihn davon abreißen.«
Ein für Jeremia typischer Gebrauch liegt in einer Form des Vergleichs vor, die zwei Motive miteinander verbindet: Sie verbindet den Rückblick und die Gerichtsankündigung, 45,4: »Siehe: Was ich gebaut, ich reiße es nieder, und was ich gepflanzt, ich reiße es aus!«; vgl. 1,10; 11,16: »Grünender Ölbaum... Unter großem Getöse versengt ein Feuer seine Blätter, häßlich sind seine Äste«. Vielleicht auch 12,13: »Sie haben Weizen gesät und Dornen geerntet.« Andeutend wird die Gerichtsankündigung mit der Anklage verbunden in 2,26: »Wie der Dieb, wenn er ertappt wird, so wird zuschanden das Haus Israel.« Dieser zwei Motive kombinierende Gebrauch begegnet auch bei der Anklage (dort zu ihrer Bedeutung).
Der Vergleich bei der Anklage. Die Anklage des Abfalls von Gott, 2,20: »Längst schon hast du dein Joch zerbrochen, deine Bande zerrissen.« Das Zerbrechen des Jochs bezeichnet den Bruch des Versprechens, Gott zu dienen, ebenso 5,5 b. Der Abfall von Gott wird mit Ehebruch oder Hurerei verglichen, 2,1–5: »Wenn ein Mann sein Eheweib verstößt..., du aber hast mit vielen... gebuhlt«; V. 6–10: »Israel und Juda, beide haben die Ehe gebrochen«, dazu 4,30–31. Dies ist einer der wenigen Vergleiche, die in der deuteronomistischen Schicht des Jeremiabuches begegnen, und die gehäuft, stereotyp, darin begründet ist, daß in ihr die Anklage fast ganz reduziert ist auf die des Abfalls. Mit der Brunst einer Kamelstute wird der Abfall 2,23 b–25 verglichen; mit Beschmutzung und

Besudelung 2,22: »Ja, wenn du dich schon wüschest mit Lauge..., der Schmutzfleck deiner Schuld bleibt doch vor mir...«, V. 23 a: »Wie darfst du sagen: Ich habe mich nicht besudelt...«; 4,14: »Wasche dein Herz rein von Bosheit, Jerusalem!«
Die Unbegreiflichkeit des Abfalls von seinem Gott wird Israel in der Anklage im Vergleich vorgehalten, es ist Verstocktheit oder Torheit, 5,3: »Sie haben ihre Stirn härter gemacht als Stein, wollen nicht umkehren«, vgl. 13,23; 4,22: »Denn töricht ist mein Volk..., einfältige Kinder und unverständig«, so auch 5,23. Die Unnatürlichkeit zeigen die Vergleiche

8,4: »Fällt auch einer und steht nicht wieder auf?
Wendet einer sich ab und nicht wieder her?
Warum wendet dieses Volk sich ab, sich so beharrlich ab?«

V. 7: »Selbst der Storch am Himmel kennt seine Zeiten,
Taube..., Schwalbe..., Kranich halten ein
die Zeit der Heimkehr,
aber mein Volk will nichts wissen
von dem Recht seines Gottes!«

18,14f: »Schwindet je vom Fels des Sirion der weiße Schnee?
oder versiegen die Wasser des Ostens, die kalten,
immerströmenden?
Mich aber hat mein Volk vergessen!«
Vgl. 13,23.

Diese Vergleiche 8,4; 8,7; 18,14f., auch 2,13, sprechen eine deutliche Sprache. Weil dem Propheten Jeremia der Abfall des Volkes von seinem Gott so unbegreiflich und unnatürlich ist, hält er ihn seinem Volk in Vergleichen vor, die diese Unbegreiflichkeit und Unnatürlichkeit verdeutlichen und bekräftigen sollen. Das hatte schon Jesaja getan (Jes 1,2: »Ein Ochse kennt seinen Herrn...«); jetzt, kurz vor dem Ende drängt es sich noch stärker auf. Die Vergleiche sollen dem Volk sagen: Es ist von euch nichts Besonderes, nichts Außergewöhnliches verlangt. Es wäre das der Kreatur und das der alltäglichen Erfahrung Gemäße gewesen (vgl. auch 2,10–11), daß Israel seinem Gott treu bleibt bzw. nach seinem Fehltritt wieder zu ihm zurückkehrt. Hier sagen die Vergleiche etwas, war nur ein Vergleich so sagen kann. Religion ist zur Zeit der Geschichte Israels anders als heute notwendiger Bestandteil des Volkslebens, nicht etwas, wofür sich der einzelne entscheiden kann. Darum ist es etwas so Natürliches wie der Weg der Zugvögel, daß Israel seinem Gott die Treue hält. Es entspricht dem in der Schöpfung Geschehenden. In diesen Vergleichen erhalten die Zugvögel und die Schneegebirge eine Sprache, die mitspricht in der Anklage des Propheten gegen sein Volk. Sie haben etwas zu sagen, das Volk hätte es hören können, hat es aber nicht gehört. Das Verhältnis Israels zu seinem Gott erhält eine Entsprechung im Verhalten der Kreaturen. Gott hat sie alle geschaffen, die Zugvögel, die Berge und sein Volk Israel.
Vergleiche bei der Anklge des Verhaltens zu den Mitmenschen. 5,26: »Fallen stellen sie auf, um zu verderben, um Menschen zu fangen«; V. 27: »Wie ein Korb voller Vögel, so sind ihre Häuser voller erlisteten Gutes«; 6,7: »Wie ein Brunnen sein Wasser quellen läßt, so läßt sie ihre Bosheit quellen«; 8,6: »Ein jeder stürmt daher in seinem Lauf wie das Roß in der Schlacht daherstürmt«; 9,3: »Sie spannen ihre Zunge wie einen Bogen, die Lüge... führt im Lande das Regiment«; V. 8: »Ein tödlicher Pfeil ist ihre Zunge«; 5,8: »Wohlge-

nährte, geile Hengste sind sie geworden, sie wiehern ein jeder nach dem Weib des Nächsten«, dazu 7,11.
Vergleiche bei der Anklage gegen die Propheten, 8,11: »Sie heilen den Schaden... meines Volkes leichthin, indem sie sagen: Friede, Friede...«; 23,28: »Was hat das Stroh mit dem Weizen gemein?« Gegen die Führenden insgesamt, 23,1: »Wehe den Hirten, welche die Schafe meiner Weide verkommen lassen, so daß sie sich zerstreuen!«; V.2: »... ihr habt zerstreut und versprengt und nicht nach ihm gesucht, siehe, nun...«; V.3: »Und ich selber sammle den Rest meiner Herde aus allen Ländern... und führe sie wieder auf ihre Trift«; der Vergleich fast genauso in Ez 34. Eine Anklage gegen die Führenden ist auch 8,8: »Zu Lüge macht es der Lügengriffel der Schreiber« (das Gesetz).
Vergleiche, die mehrere Motive verbinden. Dazu gehört der Vergleich der Führenden mit dem bösen Hirten 23,1–3. Da diese Verse in Prosafassung überliefert sind, ist es eine spätere Fassung. Wie weit dahinter ein Wehe-Wort Jeremias steht, kann man nicht mehr erkennen. Wie in Ez 34 ist hier ein Gerichtswort über die bisherigen Führer des Volkes mit einem Heilswort verbunden, das die Wiederherstellung durch Jahwe, den guten Hirten, verheißt. Vgl. dazu weiter das zu Ez 34 Gesagte u. S. 59.
Ein Vergleich, der den Rückblick (Kontrastmotiv) mit der Anklage verbindet, ist Jer 2,13 (18):

> »denn zweifach Böses hat mein Volk begangen:
> Mich haben sie verlassen, Quelle lebendigen Wassers,
> um sich Brunnen zu graben, rissige Brunnen,
> die kein Wasser halten!«

Der Vergleich faßt abschließend zusammen, was vorher in V.4–7 entfaltet war, und zwar unter dem Gesichtspunkt: Was hat es für euch bedeutet, was habt ihr davon gehabt? Die Antwort, die darauf der Vergleich gibt, weist wieder auf das Unverständliche, das Sinnlose des Abfalls, wie viele andere Vergleiche auch. Das Besondere hier liegt darin, daß der Kontrast zwischen Gottes Heilshandeln an seinem Volk und der Reaktion des Volkes darauf in einem Kontrast-Vergleich zum Ausdruck kommt, der jedem deutlich sagt: wie sinnlos war das doch! Die Tendenz zur Weiterentwicklung zeigt sich, wenn der Vergleich in der Folge noch einmal aufgenommen wird, V.18: »Was nützt es dir, nach Ägypten zu laufen um Wasser des Sihon zu trinken und nach Assur,... um Wasser des Eufrat zu trinken?« Der Satz 2,13a kehrt in 17,13b noch einmal wieder. Es ist der gleiche Kontrast, der in 2,21 einen anderen Vergleich bildet: »Ich habe dich gepflanzt als edle Rebe, ganz echtes Gewächs, wie bist du mir verwandelt zum faulen, entarteten Weinstock!« Diesem steht nahe der Vergleich in 8,13: »Will ich einheimsen ihre Ernte, so sind keine Trauben am Weinstock und keine Feigen am Feigenbaum!«, vgl. Jes. 5,1–7. Auch die beiden auf das Sinnlose des Abfalls weisenden Vergleiche 8,7 und 18,14 verbinden implizit die beiden gleichen Motive. Eine andere Motivverbindung enthält der Vergleich aus der Tempelrede Jeremias 7,11:

> »Ist denn dieses Haus, das nach meinem Namen genannt ist,
> in euren Augen eine Räuberhöhle geworden?«

Der Vergleich hat den Sinn: wie ein Räuber seine Beute in seiner Höhle sichert, so wollen die Israeliten ihr frevelhaftes, räuberisches Leben im Tempelkult sichern. Dieser tiefsinnige Vergleich verbindet die Anklage des Frevels gegen die Nächsten – sie sind in V.9 aufgezählt – mit der Anklage der Entheiligung des Gottesdienstes. Dieser Vergleich, der den

Höhepunkt der Tempelrede Jeremias bildet, kann die Funktion der Vergleiche in der prophetischen Verkündigung deutlich zeigen. Der schreiende Kontrast: der Tempel – eine Räuberhöhle, mußte sich jedem Hörer einprägen. Er ist eine denkbar starke Intensivierung der Anklage der Entheiligung des Gottesdienstes, der zugleich den Grund der Entheiligung impliziert. Es konnte gar nicht ausbleiben, daß dieses Wort von Mund zu Mund ging.

Vergleiche beim Rückblick. Im Kontrastmotiv, das sich bei allen vorexilischen Gerichtspropheten findet, ist in den meisten Fällen der gegenwärtige Abfall dem früheren Heilshandeln Gottes an seinem Volk entgegengehalten. Die Stellen sind schon bei der Anklage genannt, bei denen derselbe Vergleich beides verbindet: 2,13: Quelle – Zisterne; 2,21: edle Rebe – entarteter Weinstock; 11,16: grünender Ölbaum – versengt. Dazu kommen 2,2–3; V.2: »Wie du mir hold warst in deiner Jugend, mich liebtest in deiner Brautzeit...«, damit ist die Zeit der Nachfolge in der Wüste beschrieben: »wie du mir folgtest in der Wüste, im saatlosen Land«; dem entsprach die Bewahrung Israels durch Gott, verglichen mit dem Geweihten, das nicht angetastet werden darf, V.3: »Heilig war Israel Jahwe, wie der Erstling der Ernte...«. In der Aufeinanderfolge von V.2 und V.3 weisen die Vergleiche auf einen weiten Zusammenhang, der gerade durch die nur andeutenden Vergleiche dem Hörer sofort klar wird: Das Heilshandeln Gottes in der Frühzeit hatte die Folge, daß Israel seinem Gott treu war und seinem Wort folgte. Indem die Vergleiche so die Vergangenheit wachrufen, muß auch der Kontrast zur Gegenwart scharf hervortreten.

Immer wieder heben die Vergleiche das Unnatürliche und Unbegreifliche des Abfalls hervor, 2,32: »Vergißt wohl eine Jungfrau ihren Schmuck, eine Braut ihren Gürtel? Aber mein Volk...«, vgl. 13,1–11. Mit dem Vergleich klingt an, wie kostbar und wertvoll Gott in seinen Werken an seinem Volk erfahren wurde, so wie die Lobpsalmen davon sprechen. Dasselbe kann e negativo so gesagt werden, 2,31:

> »Welch ein Geschlecht seid ihr!
> Bin ich eine Wüste geworden für Israel
> oder ein Land des Dunkels? Warum...«

Auf einen für Israel wichtigen Teil des Gotteswirkens in der Vergangenheit weist 6,17: »Oft bestellte ich Wächter über sie: Habt acht, wenn das Horn ertönt!« In 5,22 wird nicht auf Gottes Geschichtstaten in der Vergangenheit zurückverwiesen, sondern auf sein Schöpferwirken, ganz im Stil der Schöpfungspsalmen. Wahrscheinlich ist dies ein späteres Wort, das Deuterojesaja schon voraussetzt.

Bei Jeremia sind Verbindungen mehrerer Motive in den Vergleichen häufiger als vorher; bei Ezechiel geht das noch weiter. Das prophetische Gerichtswort ist ursprünglich für den Augenblick einer Ankündigung oder Anklage bestimmt. Die Vergleiche sind ein Mittel, das die Form des prophetischen Wortes durch das Nebeneinanderstellen von größeren Zusammenhängen weiterführt. Wenn in Jer 2,2–3 das Motiv Gottes früheres Heilshandeln erweitert wird um den Gehorsam Israels in der Frühzeit, zeigt sich hier die Tendenz der Propheten um das Exil herum verstärkt bei Ezechiel, ebenfalls in Vergleichen, von der Gegenwart her die Geschichte Israels als ganze zu überblicken.

Vergleiche im Zusammenhang der Berufung Jeremias. In 1,10 wird der Prophet Jeremia dazu eingesetzt, durch sein ankündigendes Wort aufbauend und zerstörend in die Geschichte einzugreifen.

»Siehe, ich setze dich heute über Völker und Königreiche,
auszureißen und niederzureißen,
einzupflanzen und aufzubauen«.

Eigentlich handelt es sich bei diesen Verben um Metaphern; sie alle haben auch in der
deutschen Sprache metaphorische Bedeutung. Das Gewicht eines Vergleiches erhalten
sie, weil mit diesen Verben dem Propheten am Wirken Gottes in der Geschichte teilgege-
ben wird, so sind diese Verben in 45,4 gebraucht; denn das ankündigende Wort und die
ausführende Tat gehören zusammen. Zu der Einsetzung kommt die Ausrüstung 1,28:
»Ich mache dich heute zur festen Burg, zur ehernen Mauer und zur eisernen Säule.« Damit wird Jeremia verheißen, daß er für die schweren Anfeindungen, die auf ihn zukom-
men, die Kraft zum Widerstand und zum Durchhalten erhalten wird. Diese Verheißung
wird da, wo die Anfeindungen am schwersten werden, wiederholt, 15,20. Auf die Berufung beziehen sich zwei Worte zurück, in denen diese nahe Zusammengehörigkeit des
Prophetenwortes mit dem Wirken Gottes durch den Vergleich intensiviert wird.

5,14: »Siehe, ich mache meine Worte in deinem Mund zu Feuer
und dieses Volk zum Brennholz...«
6,11: »Ich bin voll der Zornglut Jahwes,
ich habe Mühe, sie zurückzuhalten,
ausgießen muß ich sie über...«

In diesen beiden besonders kraftvollen Vergleichsworten sind mehrere Motive miteinander verbunden, in 5,14 das Motiv der Berufung und Einsetzung Jeremias mit dem der Gerichtsankündigung, in 6,11 das Motiv der Berufung und Einsetzung Jeremias mit dem des
Eingreifens Gottes. Existenz und Aufgabe des Propheten können wohl kaum stärker und
wirksamer zum Ausdruck kommen als in diesen Vergleichen.
In Jer 1,11–15 treten zu der Berufung Jeremias die beiden Visionen vom Mandelzweig
und vom kochenden Topf. In ihnen sind die beiden Glieder der Gerichtsankündigung
angedeutet: Gott wacht über seinem Wort (das Eingreifen) – es kommt eine Katastrophe
über das Land (Folge des Eingreifens). Die Vision gehört ursprünglich zum Seher, sie ist
von dort in die Prophetie übernommen. Dabei zeigt sich: das Gesicht bedarf einer Deutung, Vergleich und Gleichnis nicht. Die Deutung gehört ursprünglich nur zum Traum
und zur Vision; erst durch die Verbindung beider wurde die Deutung auf Vergleich und
Gleichnis übertragen.
Zu der Berufung tritt allein bei dem Propheten Jeremia ein besonderer Auftrag: er wird
zum Prüfer eingesetzt. Dahinter steht die Frage, ob denn wirklich alle verwerflich sind,
das Gericht also über alle ergehen muß. Dies nachzuprüfen wird in 5,1–6 aufgefordert
(ohne Vergleich: »Durchstreift die Gassen Jerusalems... ob ihr einen findet, der recht
tut, der Treue sucht...)« In einem Vergleich wird der Prophet dazu aufgefordert, 6,9:
»Halte Nachlese, halte Nachlese am Rest Israels wie an einem Weinberg, leg deine Hand
wie ein Winzer an ihre Ranken.« In einem weiteren wird er zum Prüfer eingesetzt,
6,27–29 (30):

»Ich habe dich bestellt zum Prüfer meines Volkes,
damit du ihren Wandel erforschest und prüfst.
Alle miteinander sind Empörer...
Der Blasebalg, damit das Blei vom Feuer ausgeschieden
werde, (doch) umsonst hat der Schmelzer geschmolzen.
Die Schlacken waren nicht auszuscheiden«,

dazu 9,7: »Siehe, ich will sie prüfen, will schmelzen…«. In diesem Zusammenhang erhält der Vergleich dadurch eine besondere Bedeutung, daß es für diesen Auftrag, den der Prophet Jeremia erhält, einen festen Begriff nicht gibt; er kann nur verbal beschrieben werden (so in 5,1–6 ohne Vergleich) oder im Vergleich benannt werden. Das Nomen »Prüfer« in dem Satz »Zum Prüfer habe ich dich bestellt« ist wahrscheinlich hierfür vom Verb gebildet worden; es kommt nur an dieser einen Stelle vor. In 6,27–29 (30) ist der Vergleich erweitert in die Richtung auf ein Gleichnis; er erhält damit eine Fermate, die seine Bedeutung unterstreicht.

Die Zeichenhandlungen bei Jeremia. Sie sind nichts anderes als in Handlungen umgesetzte Vergleiche. Sie wollen etwas sagen, und das soll durch die Handlung intensiviert, eindrücklicher werden. Es ist dann nicht nur ein Wort, das nachgesprochen werden kann, sondern eine Geschichte, die erzählt werden kann. Was die Zeichenhandlungen Jeremias sagen wollen, ist in jedem Fall seiner prophetischen Verkündigung zugeordnet, in den meisten Fällen der Gerichtsankündigung. 13,1–11: Jeremia erhält den Auftrag, einen Gürtel zu besorgen und sich anzulegen, V. 1–2, darauf, ihn in einer Felsspalte einzugraben, 3–5, und nach einer Weile feststellen zu lassen, daß er verrottet ist, 6,7. So soll er das Gericht über Israel darstellend ankündigen, wobei die frühere feste Verbundenheit Gottes mit seinem Volk angedeutet wird: »Gleichwie der Gürtel sich anschmiegt an die Hüften des Mannes…« – Kap. 18 f. Jeremia erhält den Auftrag, einen Topf aus Ton zu kaufen und ihn vor den Ältesten als Zeugen draußen vor dem Scherbentor zu zerschmettern. – 18,1–10: er soll in das Haus des Töpfers gehen und selber zum Zeugen des Vorganges werden, wie der Töpfer das mißratene Gefäß vernichtet und dann ein neues bildet: Eine Gerichtsankündigung, die Anklage ist dabei angedeutet. – Kap. 24, bei dem Gesicht von den zwei Feigenkörben ist die eine Seite, der Korb mit den schlechten Feigen, eine Ankündigung des Gerichts (mit implizierter Anklage) gegen die nach 597 in Juda Gebliebenen. – Kap. 27, Jeremia erhält den Auftrag, ein Joch zu tragen vor den Gesandten der Nachbarvölker, die nach Jerusalem gekommen waren. Juda und seine Nachbarn werden unter das Joch des Königs von Babel gebeugt.
Gerichtsankündigungen gegen andere Völker sind 43,8–13 (Ägypten) und 51,59–64, verbunden mit dem Auftrag in 43,8–13, Steine am Tor des Pharao-Palastes einzugraben, in 51,59–64, verbunden mit einem Auftrag Jeremias an Seraja, Gerichtsworte Jeremias über Babel in den Eufrat zu versenken. Auch die Einleitung zu den Völkersprüchen in 25,15–31 ist in der Form einer Zeichenhandlung gestaltet. Jeremia erhält aus der Hand Jahwes den Zornesbecher mit berauschendem Trank mit dem Auftrag: »laß daraus trinken alle Völker, zu denen ich dich sende«, 25,15. Der Auftrag läuft auf eine Gerichtsankündigung hinaus. Aber während in Kap. 27; 43,8–13; 51,59–64 bestimmte, begrenzte Situationen im Wirken Jeremias vorausgesetzt sind, ist 25,15–31 eine Zusammenfassung aller Gerichtsworte Jeremias gegen andere Völker, die nachträglich in die Form einer Zeichenhandlung gefaßt wurde.
Einige der Zeichenhandlungen, die ein Gericht über Israel ankündigen, haben eine Fortsetzung, die sich so nur bei Jeremia findet: 20,1–6, nachdem Jeremia nach der Zeichenhandlung Kap. 19 die Gerichtsankündigung im Vorhof des Tempels (V. 14–15) wiederholt hat, wird er von dem Aufseher des Tempels, Pašḥur, geschlagen und in den Stock gelegt. – Kap. 28, nachdem er mit dem Joch auf dem Nacken die Unterwerfung unter den König von Babel angekündigt hat, reißt ihm der Heilsprophet Chananja das Joch von der Schulter und zerbricht es. Da Jeremia in dieser Stunde kein Wort zu sagen hat, muß er un-

ter dem Hohn der Leute weggehen. – Kap. 36, das Verbrennen der Buchrolle ist nicht eigentlich eine Zeichenhandlung; aber der Bericht gehört darin in die Reihe der Zeichenhandlungen, daß auch hier der Vorgang zum Lautwerden der Gerichtsankündigung über Juda und Jerusalem führt und auch hier der Prophet dadurch gefährdet wird. Er entgeht gerade noch der Festnahme, ebenso wie bei der Tempelrede.

Neu ist gegenüber den Zeichenhandlungen in der Prophetie vor ihm, daß Jeremia mit seiner Person in sie hineingezogen ist und sie zum Leiden des Propheten führen. Bei dem Propheten unmittelbar vor dem Untergang schließt die Ankündigung des Gerichts über das Volksganze das Leiden des Boten ein (Klage).

Zeichenhandlungen bei Heilsworten. Kap. 24, das Gesicht von den zwei Feigenkörben. Wie bei den Visionen in 1,11–15 ist Kap. 24 nach Gesicht und Deutung des Gesehenen gegliedert. Die Vision bedarf einer Deutung. Die Verschiedenheit der zwei Körbe entspricht der Verschiedenheit des Schicksals der beiden Teile des Volkes nach 597. Gericht wird den in Juda und Jerusalem Gebliebenen angesagt, Heil den in Babylon Verbannten (vgl. Kap. 29). Eine Zeichenhandlung ist dies nur in dem Sinn, daß dem Propheten Jeremia durch das Gericht gezeigt wird, daß Gerichts- und Heilsankündigung von jetzt ab Verschiedenen gelten; vgl. den Brief Jeremias Kap. 29. – Kap. 32, der Ackerkauf. Diese Zeichenhandlung hat für das Wirken Jeremias eine entscheidende Bedeutung. Gottes Auftrag an Jeremia, in Anatot, im jetzt von dem Jerusalem belagernden Feind besetzten Gebiet einen Acker zu kaufen, bedeutet: »Man wird in diesem Land wieder einmal Häuser und Äcker und Weinberge kaufen«, 32,15. Es ist eine Segensverheißung, die an der Gerichtsankündigung nichts ändert. Sie sagt nur: Gott wird nach dem Untergang weiter an seinem Volk handeln, aber anders als bisher.

Zeichenhandlungen im Zusammenhang der Anklage. Kap. 35, die Rekabiten. Auch in dieser Zeichenhandlung ist wie in Kap. 24 eine Scheidung im Volk angedeutet, hier eine Scheidung zwischen Gehorsam und Ungehorsam. Der Ton liegt aber darauf, daß Jeremia seinen Hörern die Treue der Rekabiten vorhält, zu der die Untreue Israels im Gegensatz steht.

Vergleiche bei der Gerichtsankündigung gegen die Völker. Bei den Völkersprüchen werden die Gegner, die das Gericht über das in ihnen angeredete Volk vollziehen, niemals mit Namen genannt. Sie werden immer durch Vergleiche umschrieben, die das Vernichten zum Ausdruck bringen, aber einen bestimmten Gegner niemals erkennen lassen. Sie weisen niemals auf etwas Spezifisches, nur diesem Gegner Eignendes, sondern sind immer nur Vergleiche für das Vernichten als solches. Der Gegner ist das »Schwert« 46,10; »Schwert Jahwes«, 47,6; der Holzhauer, 46,22; 50,23: »wie wird zerhauen, zerbrochen der Hammer der Welt«; der Erntende, 51,33; »Küfer, die sollen es umschütten«, 48,12. »Winzer kommen über dich«, 49,9; »Über deinen Herbst und deine Lese ist der Verwüster hereingebrochen«, 48,32; »Ich schicke Worfler nach Babel«, 51,2; der Schlingenleger, 50,24.

Das Gericht wird als Unwetter bezeichnet, 47,2; 49,35. Die Feinde als wilde Tiere, stechende Insekten: »Ägypten ist eine stattliche Kuh, die Bremse vom Norden fällt über sie her«, 46,20; »Es zischt wie die zischende Schlange«, 46,22; »Siehe, wie ein Adler fliegt's heran und breitet seine Flügel aus über Moab«, 48,40; »wie ein Löwe, der aus dem Jordandickicht heraufsteigt«, 49,19; 50,44; 51,38.

Alle bisher genannten Vergleiche gehören zum ersten Glied der Gerichtsankündigung, dem Eingreifen Gottes, das zweite Glied, Folge des Eingreifens, fehlt ganz. Sie begegnet in einem Vergleich nur einmal: »Zieh hinauf und hole Balsam, Tochter Ägyptens! Umsonst brauchst du Heilmittel die Menge, es gibt keine Genesung für dich!«, 46,11; ähnlich 51,8 f. (auf Israel angewandt, 8,22). Auf die Folge des Gerichts bezogen ist das ganze Kap. 48 insofern, als hier in der Gerichtsankündigung eine andere Gattung erkennbar wird: ein Klagelied über Moab, wie bei den Völkerworten Ezechiels. Dieses Klagelied geht auf die Besonderheit Moabs als Weinland ein: »Ich weine um dich, Weinstock von Sibna...«, »über deinen Herbst und deine Lese ist der Verwüster hereingebrochen«, 48,31. 32. In viel stärkerem Maß verbindet sich darin bei Ezechiel der Völkerspruch mit dem Klagelied. Die selbständige Gattung »Klage über eine Stadt/Land« könnte aus den Völkersprüchen z. T. rekonstruiert werden.

Die Anklage in Vergleichen bei Völkersprüchen. Wir sehen bei den Gerichtsankündigungen, daß mit Vergleichen fast nur das erste Glied, Gottes Eingreifen, begegnet. Bei der Frage nach Vergleichen im Zusammenhang der Anklage stellt sich heraus, daß auch diese fast gar nicht vorkommt. Zu nennen ist nur Jer 46,7, wo mit dem Ansteigen des Nils das »Ansteigen« Ägyptens verglichen wird, um ein Land zu bedecken und seine Bewohner zu verderben. Moab wird vorgeworfen, daß es Israel zum Gespött gemacht hat, deswegen soll es trunken gemacht und auch zum Gespött werden 48,26. 27. Von Babel wird gesagt: »die ganze Erde macht es trunken«, 51,7.

Die Völkersprüche in Kap. 50 und 51 sind nicht von Jeremia, sie sind zur Zeit des Exils entstanden und in ihrer Intention Heilsworte für Israel. Es wird Jahwes Gericht über Ägypten angekündigt, damit Israel befreit und wieder in sein Land zurückkehren kann.

Die Untersuchung der Vergleiche in den Völkerworten Jer 46–51 lassen vermuten, daß die Gerichtsworte über die Völker zwar die Herkunft aus den Gerichtsworten über Israel mit deren sehr fester Struktur erkennen lassen, aber stark davon abweichen. Das zeigt sich besonders in der Verbindung mit der Klage über einen Ort Kap. 48.

Vergleiche bei Heilsworten. Mit Sicherheit auf Jeremia zurückzuführen ist nur die Gleichnishandlung Kap. 32; die wenigen Vergleiche bei Heilsworten gehören wahrscheinlich alle späteren Zusätzen an. In 31,10 b ist Jahwe als Israels Hirte bezeichnet (wie in 31,9), als sein Vater, die Verheißung neuen Segens in 31,27: »da besäe ich das Haus Israel und Juda mit Saat von Menschen und Vieh«, und in V. 29 wird die Geltung der alten Redensart: »die Väter haben saure Trauben gegessen...« (vgl. Ezechiel), aufgehoben. In 33,22 kehrt der Vergleich aus Väterverheißungen wieder: Mehrung unzählbar wie die Sterne des Himmels und der Sand des Meeres; in 42,10 die Verheißung des Aufbaues und Pflanzens (vgl. 1,10). Schließlich der Vergleich des Frommen mit dem am Wasser gepflanzten Baum in 17,7 f. ist fast wörtlich gleich Ps 1 und gehört wie dieser der frommen Weisheit an.

Vergleiche in den Klagen Jeremias

Die Klage zieht sich durch das ganze Wirken Jeremias. Gott leidet unter dem, was er seinem Volk antun muß, Kap. 45. Die Totenklage über das Volk war schon erwähnt, dazu 9,1: »O daß mein Haupt mir zerflösse, mein Auge mir zum Tränenquell!«; 12,4: »Wie lange noch soll trauern das Land...«. Die Klagen Jeremias entsprechen den Klagepsalmen des Einzelnen in ihren drei Gliedern, 10,19: »Wehe mir meines Schadens, wie schmerzt mich meine Wunde!«; 15,17: »Von deiner Hand gepackt saß ich einsam, denn

du hast mich mit Zorn erfüllt!«; 11,19: »Ich aber war wie ein zahmes Lamm, das zur Schlachtbank geführt wird.«
Die Gottes-Klage. 15,18: »Wie ein Trugbach warest du mir, wie ein Wasser, auf das kein Verlaß ist!« Im Blick auf den Verfolger, 12,2: »Du hast sie gepflanzt, sie haben auch Wurzel geschlagen, sie wachsen und bringen auch Frucht.«

14,8: »Warum bist du wie ein Fremdling im Land,
dem Wanderer gleich, der zur Nachtzeit zeltet?
Warum bist du wie ein erschrockener Mann,
wie ein Krieger, der nicht zu helfen vermag?«

Die Feinde verabreden sich gegen ihn, 11,19: »Laßt uns verderben den Baum in seiner Blüte, ihn ausrotten aus dem Land der Lebenden!«, und Jeremias Klage: »denn sie haben meinem Leben eine Grube gegraben«, 18,20. 22. Gott antwortet Jeremia auf seine Klage zunächst, daß es noch schwerer für ihn werden wird, 12,5:

»Wenn du mit Fußgängern läufst
und sie haben dich müde gemacht,
wie willst du mit Rossen wetteifern...?«

Aber Jeremia ist seiner Hilfe gewiß, 20,11: »Aber Gott ist mit mir wie ein starker Held.« Auch in seinen Klagen spricht Jeremia die geprägte Sprache des Gebetes seines Volkes, in der die Vergleiche ein wesentlicher Bestandteil sind. (Siehe Näheres hierzu u. S. 80 zu den Klagepsalmen.) Für den Zusammenhang dieser Klagen mit der Verkündigung ist wichtig: Hier kommen die beiden großen Komplexe, in denen die Vergleiche im AT ihren Ort haben, zusammen im Wirken und Leiden ein und desselben Propheten.

Abschließend zu den Vergleichen bei Jeremia: Würde man die häufigsten oder wichtigsten Vergleiche in der Verkündigung Jeremias zusammenstellen, könnte man auf diese Weise deren wirkliche Bedeutung nicht treffen. Es ist vielmehr der Gesamtvogang, das Gesamtgeschehen dieser Prophetie, den die Vergleiche scharf und klar profilieren. Es ist der elementare Charakter des Gerichts, das er als über Israel kommend anzukündigen hat (Sturmflut, Löwe, Panther), verursacht durch den unbegreiflichen Abfall des Volkes von seinem Gott (die lebendige Quelle – löcherige Brunnen; bin ich eine Wüste geworden für Israel?). Hier häufen sich die Vergleiche, hier ist ihre Sprache am leidenschaftlichsten. Alles andere geht von hier aus oder hängt damit zusammen. Das Ankündigen des Gerichts in diese unbegreifliche Verhärtung hinein erhält ein schweres Gewicht: Das in die Geschichte eingreifende, in ihr wirkende Gotteswort, die Schwere der Aufgabe dessen, der es zu verkünden hat und an diesem Auftrag leidet, der das Unbegreifliche zu verstehen sucht und deshalb nach den Zusammenhängen fragt, der selber nachprüfen muß, ob es wirklich unausweichlich ist. Der mit seiner ganzen Person in das, was er zu verkündigen hat, einbezogen wird und trotz allem durchhält in der Gewißheit, daß er in Gottes Auftrag handelt.

Vergleiche bei Nahum, Habakuk, Zephanja

Vergleiche bei Nahum. Hierzu J. Jeremias, Kultprophetie und Gerichtsankündigung in der späten Königszeit (WMANT 35) S. 11–54. In Israelworten, 2,3, ist in der üblichen

Deutung ein Heilswort über Israel: »Denn Jahwe will den Weinstock (eigentlich die Pracht) Jakobs wiederherstellen gleichwie den Weinstock Israels, weil die Räuber sie ausgeplündert und ihre Ranken vernichtet haben.« So verstanden ist es ein Heilswort aus exilisch-nachexilischer Zeit, das deutlich den Vergleich (Weinstock – Ranken) aus früheren Gerichtsworten (Jes 5,1–7) übernimmt und zum Heilswort wandelt. 3,1–7 ist ein Wehewort über Assur: »Wehe der Blutstadt...«, V.7: »Ninive ist zerstört...«; J. Jeremias streicht V.7 als Zusatz (mit V.6) und versteht 3,1–5 als Gerichtswort über Juda. Er begründet das vor allem damit, daß die Anklage der Unzucht in V.4, der in der Gerichtsprophetie typischen Anklage gegen Israel von Hosea an, entspricht (Jeremias S. 34 Anm. 2 und 4). Aber der Wortlaut der Anklage in V.4 spricht dagegen:

»Wegen der vielen Buhlereien der Buhlerin,
der anmutigen Zauberin,
die Völker berauscht mit ihrem Buhlen,
Nationen mit ihrer Zauberkunst«.

Der Relativsatz paßt zu der Weltmacht Ninive, aber nicht zu Juda. »Hurerei« kann hier durchaus in einem weiteren Sinn den Götzendienst meinen, so auch in Jes 23,27 f. auf Tyrus bezogen. Auch ist die Streichung des V.7 sehr gewagt und nicht ausreichend begründet. Diese nur andeutenden Bemerkungen zu der These von J. Jeremias können zeigen, daß die Vergleiche unter Umständen eine erhebliche Bedeutung für die Datierung eines Wortes haben können.

Die Assur-Worte Nah 2,4–14; 3,12–19: Die dramatische Schilderung der Eroberung Ninives, dabei erklärende Vergleiche in V.5: »sie sind anzusehen wie Fackeln«, V.8: »... ihre Mägde schluchzen wie Tauben«, und ein originaler Vergleich in V.9: »Ninive ist wie ein Teich, dessen Wasser entflieht«, kommt zum Abschluß in einem Vergleich V.12–13, der die abgeschlossene Vernichtung konstatiert:

»Wo ist nun die Lagerstatt des Löwen
und die Höhle für die Jungleuen,
wohin sich der Löwe zurückzog, der junge Löwe,
wo keiner sie aufschreckte?
Der Löwe, der raubte, daß seine Jungen genug hatten,
der für seine Löwinnen würgte,
der mit Raub die Höhle füllte
und seine Lagerstätte mit zerrissener Beute?«

Die Frage am Anfang: »Wo ist nun...« weist auf die nicht ausgesprochene Antwort: sie ist nicht mehr da!, zugleich aber auf die frühere Kraft und Sicherheit des Löwen und darauf, wie man früher von ihm sprach. Es ist ursprünglich Lob der Macht und des Mächtigen, wie der Vergleich mit dem Löwen in dem Judaspruch Gen 49,9, aber auch auf den gegen Juda aufbrechenden Feind in Jer 2. Damit ist es nun zu Ende, sagt der Vergleich; der Löwe ist erlegt! (so sagt es die wahrscheinlich selbständige Gerichtsankündigung V.14). Sowohl in V.12–13 wie auch auf andere Weise in V.14 lebt ein überlieferter Vergleich dadurch weiter, daß er eine andere Bedeutung, eine andere Funktion erhält, ähnlich wie in Nah 2,3.

In 3,8–19 (gegen J. Jeremias gehören V.8–11 zu dem Assur-Wort) ist die Unfähigkeit Assurs, den Eroberer abzuwehren, in V.12 und 15b. 17b in zwei Vergleiche gefaßt. 3,12: »Alle deine Bollwerke sind wie Feigenbäume mit frühreifen Feigen: schüttelt man sie, so fallen sie dem, der essen will, in den Mund.« Während es hier um die Stärke der Stadt geht, geht es in V. 15 b. 17 b um die Menge ihrer Verteidiger: »Ob du zahlreich bist wie die Grashüpfer, zahlreich wie die Heuschrecken... die sich, wenn es kalt wird, an der Mauer lagern; geht aber die Sonne auf, so fliehen sie, und niemand weiß, wo sie sind!« Die Entsprechung dieser beiden Vergleiche ist ein Beispiel für deren durchdachten Gebrauch. Sie sind einander zugeordnet nach dem, was sie meinen: Die Stärke der festen Stadt und die Menge ihrer Bewohner kann die Eroberung nicht verhindern. Daneben enthält die Schilderung gebräuchliche Vergleiche, in V. 18 werden die Führenden mit Hirten verglichen, die geschlafen haben, so daß sich die Herde (das Volk) auf den Bergen zerstreute, und in V. 19 die Niederlage mi einer tödlichen Wunde. Vgl. Jer 30,12: »Keine Heilung gibt es für deinen Schaden, tödlich ist deine Wunde.«

Vergleiche bei Habakuk. In den Weheworten des Buches Habakuk 2,5–20 zeigt sich noch einmal die ganze Kraft und Kunst der Vergleiche, die unmittelbar aus der Funktion des prophetischen Wortes erwachsen, hier aus der Anklage gegen die Eroberungsgier einer Großmacht, 2,5:

> »Wehe dem Räuber, dem übermütigen Mann...,
> der seinen Schlund wie Scheol weit macht
> und unersättlich ist wie der Tod...«

Die Anklage erhält im folgenden eine soziale Spitze, V. 6 b–7:

> »Wehe dem, der so lange schon anhäuft,
> was ihm nicht gehört
> und der sich belastet mit Pfändern.
> Werden nicht plötzlich erstehen dir Gläubiger?...«

Der Vergleich soll sagen: Das Geraubte wird niemals zum Eigentum des Eroberers; es sind vielmehr Pfänder, die einmal ausgelöst werden müssen. Die Beraubten bleiben Gläubiger des Eroberers, die eines Tages die Schuld einfordern werden. Ein tiefsinniger Vergleich, der die politischen Eroberungen zum Diebstahl erklärt. In die gleiche Richtung geht der Vergleich im dritten Wehewort, 2,9–10: »Wehe dem, der unrechten Gewinn in sein Haus einheimst, um in der Höhe sein Nest zu bauen...«.
Im vierten Wehe (2,12. 11. 13. 17) sind Text und Reihenfolge fraglich, die Vergleiche aber sind klar erkennbar.

> V. 12: »Wehe dem, der die Stadt mit Blut baut
> und die Burg mit Frevel gründet;
> V. 11: denn der Stein aus der Mauer schreit
> und der Sparren im Gebälk gibt ihm Antwort.
> (V. 13: ... daß sich Völker mühen fürs Feuer
> und Nationen für nichts sich quälen).
> V. 17: Denn der Frevel am Libanon wird auf dir lasten,
> und das Mißhandeln der Tiere zerbricht dich«.

Angeklagt ist ein Gewaltherrscher, weil er Stadt und Befestigung durch Zwangsarbeit mit Anwendung brutaler Gewalt gegen Menschen, Tiere und Pflanzen baut. Auch hier ist eine soziale Anklage angewandt auf die Machtpolitik eines Gewaltherrschers. Die Eigenart dieses Vergleiches liegt in der Kontraktion: Blut und Frevel werden zum Baumaterial!

Aus dieser Sprache spricht die Leidenschaft des Eintretens für die mißbrauchten und gequälten Arbeiter: »Denn der Stein in der Mauer schreit...« Was ein Vergleich vermag, zeigt sich selten so deutlich wie hier, das Bauwerk, das Macht und Pracht darstellen soll, ist für den, der hier redet, in erster Linie Zeuge für die brutale Vergewaltigung der Arbeiter, die an ihm bauten. Die Steine werden daran erinnern! Jesus hat diesen Vergleich, etwas anders gewendet, aufgenommen: »Wenn diese schweigen, werden die Steine schreien!«

In der Schilderung des Ansturms des Eroberers sind es wieder die Vergleiche, die dieser Schilderung Gewicht und Tiefe verleihen, 1,9. 14. 15f. 11 b:

> V. 9: »... und sammeln Gefangene wie Sand...
> V. 14: ... wenn er den Menschen tut wie den Fischen im Meer,
> wie dem Gewürm, das keinen Herrscher hat,...
> V. 15f: Alles holt er mit der Angel herauf,
> schleppt es mit seinem Netz und sammelt in sein Garn,
> darüber freut er sich und frohlockt.
> Dann opfert er seinem Netz und räuchert seinem Garn,
> denn sie verschaffen ihm menschliche Beute
> und ein üppiges Mahl.
> V. 11 b: ... und sie machen ihre Kraft zu ihrem Gott.«

Für den Gewaltherrscher wird die übermäßige Macht zum Gott, er erhöht sie in den Bereich des Göttlichen, ebenso die Mittel der Ausübung seiner Gewalt. Die Macht ist so wie ein Gott fähig, Segen zu spenden, also gebühren ihr auch Opfer wie einem Gott. Der Vergleich wird erweitert in Richtung auf ein Gleichnis. Sowohl in der Beurteilung der Eroberungen der Großmacht wie auch in der Kraft und Treffsicherheit der Sprache der Vergleiche steht Habakuk hier Jesaja ganz nahe.

Gegenüber Jesaja aber ebenso wie gegenüber Jeremia erhält die Prophetie Habakuks, so wie sie sich in den Vergleichen zeigt, eine einzigartige Bedeutung. Der Prophet, der diese Vergleiche prägt, spricht nicht als direkt Betroffener. Er sieht den Eroberer, den er so eindrücklich schildert, aus einer gewissen Distanz, aus einer kritischen Distanz. Sie bewirkt, daß er in seinen Anklagen nicht den Feind Israels vor Augen hat, sondern objektiv die Großmacht und ihre Herrschaft. In der Bibel, aber darüber hinaus auch in der gesamten vorderorientalischen Literatur, gibt es eine so scharfe, klare und treffende Charakterisierung der andere Völker erobernden und sie sich einverleibenden Großmacht nicht. Sie steht in schärfstem Gegensatz zu jeder Verherrlichung politischer Macht und Größe um ihrer selber willen und zu jeder Heldenverehrung. 2,5: »Wehe dem Räuber, dem übermütigen Mann, der seinen Schlund wie Scheol weit macht und unersättlich ist wie der Tod...«;

> V. 1,15: »Alles holt er mit der Angel herauf,
> schleppt es mit seinem Netz und sammelt in sein Garn,
> darüber freut er sich und frohlockt.
> Dann opfert er seinem Netz und räuchert seinem Garn.
> V. 11 b: ... und sie machen ihre Kraft zu ihrem Gott.«

Die Distanz, aus der hier gesprochen wird, ermöglicht eine objektive Sicht des geschichtlichen Phänomens der Großmacht, die keine Grenze ihres Eroberns kennt. Darin sieht der Prophet eine Überschreitung der dem Menschen als Geschöpf gesetzten Grenzen: die

Macht wird zum Gott. Hinter dieser Erkenntnis steht die prophetische Tradition, vor allem Jesaja, aber auch eigene intensive Reflexion. Sie hat ihren Ausdruck in den Vergleichen gefunden. Was Vergleiche vermögen, zeigt sich hier.

Vergleiche bei Zephanja. Zephanja ist gegliedert wie die großen Prophetenbücher: 1,2–2,3 und 3,1–8 Gerichtsworte über Juda; 2,4–15 Völkersprüche; 3,11–20 Heilsworte für Juda.
Vergleiche in den Gerichtsworten über Juda, 1,1–2,3; 3,1–8. Mehrfach wird die Glut oder das Feuer des Zornes Gottes angekündigt, 1,18; 2,1; 3,8; der Gerichtstag Jahwes wird als Schlachtopfer bezeichnet, 1,7. Die Folge des Eingreifens Gottes: es kommt ein Schrecken über die Menschen, »daß die umhergehen wie die Blinden«. Sie werden »wie die zerstiebende Spreu«, 2,1. Dem Eingreifen Gottes geht ein Prüfen voraus, 1,12: »Zu jener Zeit will ich Jerusalem absuchen mit der Leuchte«, wie bei Jeremia.
Im Zusammenhang der Anklage begegnet ein origineller und sprechender Vergleich, 1,12b: »... und heimsuchen die Menschen, die auf ihren Hefen erstarrt sind«. Er enthält eine geschichtliche Perspektive: es gab einmal den frischen, edlen Wein, aber dann ist nur noch der schale, trockene Satz übriggeblieben. Auf diesen wertlosen Überresten sind die Leute aus Jerusalem erstarrt. Ihr Handeln, ihr Reden, ihr Denken ist erstarrt. Dazu kommt eine Anklage gegen die Führenden, 3,3: »Die Fürsten in ihrer Mitte sind brüllende Löwen, ihre Richter sind Wölfe...« Sie haben darin gefrevelt, daß sie die ihnen Anvertrauten beraubt haben. Abgesehen von 1,12 begegnen diese Vergleiche auch sonst.
Zeph 2,4–15 Völkersprüche: In den Völkersprüchen begegnet ein geschichtlicher Vergleich 2,9: »Moab soll wie Sodom werden und Amon wie Gomorra.«
Zeph 3,11–20 Heilsworte über Juda: Das Gerichtswort über die bösen Hirten 3,3–4 wird 3,13 in einem Heilswort ergänzt (wie oft): »sie werden weiden und lagern, ohne daß sie jemand aufstört«.
Mehrfach lassen sich Zusätze erkennen. Einige Vergleiche bei der Gerichtsankündigung unterscheiden sich von den anderen durch ein Übermaß in der Art oder dem Ausmaß der Vernichtung, 1,17b: »Ihr Blut soll ausgeschüttet werden wie Staub und ihr Mark wie Kot«, und 1,18: »Wenn im Feuer seines Eifers die ganze Erde verzehrt wird«, ebenso 3,8b. Hier zeigt sich der Übergang in die Apokalyptik. Die übertreibenden Vergleiche verlieren oft die Schärfe: daß das Blut ausgeschüttet werden soll wie Staub, ist ein unpassender Vergleich.

Vergleiche bei Ezechiel

Übersieht man alle Vergleiche bei Ezechiel, erhält man zunächst einen widersprüchlichen Eindruck. Man fragt sich, ob sie wirklich alle die Sprache eines Mannes sein können und, wenn ja, wie diese starken Unterschiede zu erklären sind. Auf jeden Fall ist der Abstand zu den Vergleichen bei den Propheten vor Ezechiel auf den ersten Blick evident. Bei manchen Texten erhält man den Eindruck eines überbordenden, explosiven Gebrauchs des Vergleiches, der die bisherigen Formen sprengt und vorher nie begegnet. Bei einigen dieser Texte ist der Übergang von der Prophetie zur Apokalyptik offenkundig.
Die einfachen Vergleiche treten bei Ezechiel, dem Stil seiner Prophetie entsprechend, gegenüber den größeren Gebilden zurück. Sie begegnen so wie bei den früheren Propheten jeweils den prophetischen Redeformen zugeordnet.

Vergleiche bei der Gerichtsankündigung: 7,10f.: der blühende Stab verwelkt (Text verderbt); 12,13: Fangen mit dem Netz, wörtlich 17,20; 32,3; 13,11. 13: das Gericht als ein Unwetter; 21,1–5: Vernichten durch Feuer: »gegen den Wald im Süden«; 22,17–22: Läuterung durch Feuer, dazu 15,1–8; 21,6–12. 13–22. 23–27, das Gericht ist im Schwert verkörpert.

Vergleiche bei der Anklage: Hier konzentrieren sich die Vergleiche auf die Anklage gegen die Führenden. a) Gegen die Propheten, 13,4: »gleich Füchsen in den Ruinen sind deine Propheten«, d. h. sie bauen sich im Ruin Israels an (W. Eichrodt). 13,5: Sie sind nicht in die Bresche getreten und haben keine Mauer gebaut um das Haus Israel; 13,10: das Volk baut eine Wand, sie aber streichen Tünche darauf, dazu V. 12. 14; 22,28. b) Gegen die Fürsten – gegen die Vornehmen, 22,24: sie sind brüllenden, reißenden Löwen gleich, V. 27: wie reißende Wölfe, darauf aus, Blut zu vergießen.

Typisch für Ezechiel ist die Verbindung von mehreren Motiven in *einem* Vergleich, wie das z. B. 15,1–8 zeigt. Zugrunde liegt der einfache Vergleich des Gottesgerichts mit der Vernichtung durch Feuer; er ist hier aber erweitert durch die Gegenüberstellung von gewöhnlichem Reisig und dem Holz der edlen Rebe: Beides, wenn es verdorrt, ist nur noch für das Feuer tauglich: »was hat das Holz der Rebe voraus vor allem Reisigholz?«, 15,2. Das impliziert die Anklage, daß Israel, die edle Rebe, wertlos geworden ist; vgl. Jer 2,21. Angedeutet ist diese Verbindung auch in 6,1–10, wenn hier die Gerichtsankündigung »an die Berge Israels« gerichtet ist: die Anklage des Götzendienstes auf den Höhenheiligtümern ist darin impliziert.

Typisch für Ezechiel ist auch der Gebrauch von Metaphern. In Kap. 36 ist die Metapher der Reinigung V. 25 mit reinem Wasser besprengen, reinigen, für Vergebung gebraucht. Wandlung und Erneuerung ist ebenfalls in Metaphern beschrieben: V. 26: ein neues Herz und einen neuen Geist in euer Inneres legen (vgl. Jeremia), steinernes – fleischernes Herz. Die Verheißung der Wiederbevölkerung Jerusalems V. 30 wird verstärkt durch den Vergleich mit der Menge der Opferschafe, die an den hohen Festen nach Jerusalem gebracht werden. Intensivierende Funktion hat ebenso in der Berufungsvision in 3,9 die Zusage: »Wie Diamant, härter als Fels mache ich deine Stirn.«

Gleichnis beim Gerichtswort gegen die Führenden Kap. 34: Im Unterschied zu den Gerichtsworten gegen die Führenden in Kap. 13,1–23, die denen bei den früheren Propheten entsprechen, ist Kap. 34 ein echtes, bis ins kleinste durchdachtes Gleichnis. Es entfaltet das Verhältnis von Hirt und Herde, das Tun des Hirten und das Ergehen der Herde ganz der Wirklichkeit entsprechend, wie sie die Hörer aus ihrer Erfahrung kennen. Im Hintergrund steht die Tradition der fest geregelten Pflichten des Hirten, wie sie in Gen 31,38–41 aufgezählt sind, ebenso auch im Codex Hammurabi. Es ist das ausführlichste Hirtengleichnis der Bibel. Kap. 34 ist darin ein echtes Gleichnis, daß ein Vorgang in einem Bereich, der allen Hörern aus der täglichen Erfahrung bekannt und vertraut ist, neben einen Vorgang in einem anderen Bereich gestellt wird, zu dem er etwas sagen soll. An ihm sollen sich die Hörer ein Urteil bilden, das auch für den Vorgang im anderen Bereich gilt. Beide Vorgänge, das zwischen Hirt und Herde Geschehene (Vergleichende) und das zwischen den Herrschern (Königen) Israels und dem Volk Israels Geschehende (Verglichene) haben denselben Zielpunkt: die Zerstreuung der Herde (= die Zerstreuung Israels im Exil). Das Gleichnis soll das Urteil in V. 10 über die Hirten bekräftigen. Dabei hat das Gleichnis Ez 34 seine Funktion im Zusammenhang einer prophetischen Redeform: der Gerichtsankündigung gegen die Führenden in Israel.

Ez 34,1–31. Gliederung:

V. 1–2 a: Einleitung, Auftrag.
V. 2 b–10: Wehe über die schlechten Hirten.
  V. 2 b–6: Anklage
    V. 2 b–4: Sie haben die Schafe nicht recht geweidet.
    V. 5–6: da zerstreuten sich meine Schafe.
  V. 7–10: Gerichtsankündigung über die schlechten Hirten.
    V. 7–8: Wiederholung der Anklage.
    V. 9–10: Ich werde ihrem Hirtenamt ein Ende machen.
V. 11–16: Ich selber will meine Schafe weiden.
  V. 11: Ich selber will meine Schafe aufsuchen = V. 15.
  V. 12: Wie ein Hirt will ich sie befreien und
    zurückführen, sammeln aus den Völkern und zurückbringen.
  V. 13. 14: sie sollen weiden auf den Bergen Israels.
  V. 16: das Verlorene, Gebrochene, Kranke…
V. 17–22: Erweiterung: Ich werde richten zwischen den Starken
              und Schwachen
V. 23–24: Erweiterung: Ich werde David zum Hirten über sie bestellen.
V. 25–30: Erweiterung: Ich werde einen Friedensbund mit ihnen schließen.
  V. 27. 30: sie werden erkennen, daß ich, Jahwe, mit ihnen bin.
V. 31: Nachträglicher Abschluß: Ihr seid Schafe meiner Weide.

Der Aufbau des Kapitels, vom Anfang bis zum Ende vom Vergleich mit Hirt und Herde bestimmt, ist leicht zu erkennen. Der Vergleich reicht von V. 1–16, was dann folgt, sind Erweiterungen (von wem, kann offen bleiben), daran kenntlich, daß sie in V. 31 durch eine nachträgliche Klammer mit V. 1–16 verbunden sind. Der Vergleich V. 1–16 ist in ein Gerichtswort V. 2 b–10 und ein Heilswort V. 11–16 gegliedert, zusammengehalten durch den Vergleich: die schlechten Hirten – der gute Hirt. Die beiden Teile sind dadurch unterschieden, daß V. 2 b–10 die Struktur eines prophetischen Gerichtswortes hat: V. 2 b–6 Anklage, V. 7–10 Ankündigung, wobei dem Stil Ezechiels entsprechend zu Beginn der Ankündigung in V. 7–8 die Anklage noch einmal wiederholt wird, während das Heilswort V. 11–16 in sich keine erkennbare Struktur hat, es reiht aneinander, was der Hirte an der Herde tun will. Aus diesem Aufbau ergibt sich: In V. 2 b–10 ist ein prophetisches Gerichtswort in den Vergleich mit Hirt und Herde gekleidet, dahinter steht die Anklage gegen die Führenden in Israel. Das entspricht dem Weinberglied Jes. 5,1–7. Anders aber als Jes 5,1–7 folgt in Ez 34 dem Gerichts- ein Heilswort, das das Gleichnis fortsetzt. Dies ist bedingt durch den besonderen Auftrag, den der Prophet Ezechiel in seiner besonderen Situation erhält: Er wird nach dem Eintreten des Gerichts zum Künder der Rettung und der Heimkehr (dasselbe in Kap. 37). Das Heilswort V. 11–16 könnte ebensogut eine selbständige Einheit sein; die Absicht des Propheten in 34,1–16 mit seinen beiden Teilen ist aber, die beiden Abschnitte seines Auftrages als eine zusammenhängende Geschichte in zwei Akten darzustellen. Das ermöglicht ihm der zu einem zweiteiligen Gleichnis erweiterte Vergleich.

Die Erweiterungen in V. 17–30 fallen aus der Parallelität von Vergleichendem und Verglichenem heraus. Ob sie von Ezechiel selbst oder sekundär angefügt sind, an ihnen zeigt sich, daß das Empfinden für diese Parallelität geschwunden ist.

Der V. 1–16 bestimmende Vergleich begegnet oft in späteren Texten. Man kann mit Sicherheit annehmen, daß die ursprüngliche Prägung in Ez 34 vorliegt und später vielfach übernommen wurde.

Allegorien der Geschichte Israels. Der Prophetie Ezechiels eigentümlich ist das Ausweiten der gegen Israel erhobenen Anklage auf dessen ganze Geschichte. Hierin ist das Kontrastmotiv in der früheren Prophetie weitergeführt, in dem dem gegenwärtigen Abfall Israels Gottes frühere Heilstaten an ihm entgegengehalten werden. Angesichts des unmittelbar bevorstehenden Endes der Volksgeschichte (Kap. 7) sieht der Prophet die hier zu ihrem Ende kommende Geschichte als Ganzheit. Diese Ganzheit darzustellen dient ihm der zur Allegorie erweiterte Vergleich:

16,1–63: die beiden Schwestern
17,1–24: der große Adler und die Bäume
19,1–14: Klage über das Schicksal des Königshauses
(20,1–31: »Tue ihnen die Greuel ihrer Väter kund!«)
23,1–49: die beiden Schwestern

In 20,1–31 erhält der Prophet den Auftrag: »Tue ihnen die Greuel ihrer Väter kund!« (wie 16,1); die Ausführung ist eine Zusammenfassung der Geschichte Israels als Geschichte des Abfalls. Hierbei gebraucht Ezechiel keinen Vergleich. Eine solche anklagende Zusammenfassung der Geschichte Israels ist in eine Allegorie gefaßt in Kap. 16 und 23, beidemal wird die Geschichte von zwei Schwestern erzählt, aber mit dem Unterschied, daß in Kap. 16, dem Kontrastmotiv der vorexilischen Prophetie entsprechend, auf einen positiv beurteilenden Abschnitt V. 3–14 (der Findling; vgl. Hos 9,10), die Zeit des Abfalls folgt V. 15–34 (die Hure), während in Kap. 23 die beiden Schwestern von Anfang an Unzucht treiben, die Geschichte Israels also einseitig als Geschichte des Abfalls dargestellt wird.

Die beiden Kap. 17 und 19 handeln von der Geschichte des Königtums; beides sind Allegorien, aber der Charakter der Allegorie ist in Kap. 17 ausgeprägter als in Kap. 19. Die von zwei judäischen Königen handelnde Allegorie Kap. 17 hat die Struktur eines Gerichtswortes: das Gericht ergeht über einen wortbrüchigen König, Kap. 19 ist eine Klage über das Schicksal des Könighauses (Löwin). Als Allegorie weist sich Kap. 17 dadurch aus, daß in V. 11–21 die Deutung des »Rätselspruches«, V. 2, folgt: »Versteht ihr nicht, was das bedeutet?«, V. 11. Außerdem ist das Nebeneinander der Adler und der Bäume nur allegorisch zu deuten.

Die Zeichenhandlungen. Bei Ezechiel häufen sich die Zeichenhandlungen. Das mag durch die Nähe des Gerichts veranlaßt sein, es entspricht aber auch dem Charakter seiner Prophetie. Die meisten haben die Funktion, die Gerichtsankündigung zu intensivieren, so, wenn er in einer Zeichenhandlung die Belagerung und Eroberung Jerusalems darstellt 4,1–3, dazu 4,4–8. 9–17; 5,1–4; 6,11–14; 12,1–7. 17–20; 24,1–14. 15–24. In einigen dieser Zeichenhandlungen muß der Prophet leiden, so in 3,22–27; 4,4–8. 9–17; 12,1–7. 17–20; 24,15–24. In 4,4–8 stellt er das Tragen der Schuld Israels dar. In allen Zeichenhandlungen aber ist die Existenz des Propheten in seine Botschaft einbezogen, wie bei Jeremia.

Die beiden Zeichenhandlungen 2,8–10; 3,1–3 (das Essen der Rolle) und 3,4–21 = Kap. 33 (der Wächter) gehören in den Zusammenhang der Beauftragung des Propheten. Bei dem Auftrag, die Rolle mit der Gerichtsbotschaft zu essen, ist die Verstärkung gegen Jer 1 fast bis ins Groteske gesteigert, typisch für Ezechiel.

Vergleiche in den Völkersprüchen Ez 25–32; 35. Die an die kleinen Nachbarvölker Israels gerichteten Völkersprüche sind ohne Vergleiche: 25; 26; 28; 35, auch der Spruch gegen Ägypten Kap. 30. Ganz von Vergleichen bestimmt sind Kap. 27 (Tyrus); 29 (Ägypten); 31 (Ägypten); 32 (Ägypten). In Kap. 27 ist Tyrus mit einem Prachtschiff verglichen, Ägypten in 29 und 32 mit einem Krokodil, in 31 mit einem Prachtbaum. In 27; 31; 32 ist die abgewandelte Struktur einer Totenklage zu erkennen, z. T. verschiedenartig mit der Struktur des prophetischen Gerichtswortes verbunden. Kap. 27 ist ein Klagelied über den Untergang der Stadt Tyrus (V. 25 b–26), von den Seevölkern angestimmt (V. 28–36). Die Größe und Schönheit der Stadt wird im Vergleich eines Prachtschiffes dargestellt, ein ursprünglich selbständiges Lied; der Vergleich hat dieselbe Funktion wie der Preis eines Stammes in den Stammessprüchen Gen 49, vielleicht als eine Weiterentwicklung dieser. Der Stil dieses Liedes zeigt keinerlei Berührung mit der Sprache des Propheten Ezechiel, das ganze Kapitel keinerlei Zusammenhang mit der Prophetie (es wird keine Anklage gegen Tyrus erhoben, und der Untergang der Stadt ist kein Gericht Gottes). Das Lied erhält einen prosaischen Anhang in der Aufzählung der Handelsgüter der Stadt V. 12–25 in anderem Stil und ganz anderer Herkunft. Der Vergleich V. 4–10 hat also ursprünglich keinen Zusammenhang mit der Prophetie, er steht den Vergleichen in den Stammessprüchen nahe.

Alle diese Völkersprüche über Großmächte mit den erweiterten Vergleichen machen den Eindruck sekundärer literarischer Kompositionen, in denen Elemente verschiedenen Ursprungs kombiniert sind. Dabei begegnen auf Schritt und Tritt geliehene Motive. Daß die Vergleiche im AT eine Geschichte haben, sieht man nirgends so deutlich wie bei den Völkersprüchen des Ezechiel. Diese erweiterten Vergleiche haben nicht mehr den spontanen und originalen Charakter der Vergleiche bei den vorexilischen Propheten; sie ergeben sich auch nicht mehr zwingend aus dem Zusammenhang der prophetischen Redeform wie jene (die Sprüche über die kleinen Nachbarvölker gebrauchen keine Vergleiche). Der Zusammenhang hat sich gelockert, z. T. gehören die Vergleiche ursprünglich anderen Zusammenhängen an. Hier hat man tatsächlich den Eindruck, daß einige dieser Vergleiche dem »Ausschmücken« (»ornatus«, Aristoteles) dienen.

Die Visionen. Im Unterschied zu der vorangehenden Prophetie bilden die Visionen einen wesentlichen Bestandteil des Ezechielbuches. Schon darin zeigt sich der Übergang zur Apokalyptik. Mit den Vergleichen berühren sich die Visionen nur am Rande. Sie bilden in sich einen deutlichen Zusammenhang in den drei Teilen Kap. 1–3; 8–11; 37; 40–48. Kap. 1–3 zielt auf die Beauftragung des Propheten mit der Gerichtsankündigung in 2,8–10 mit 3,1–3. Es folgt eine Reihe von Zeichenhandlungen, in denen es um die Gerichtsbotschaft geht. In Kap. 8–11 wird Kap. 1–3 zum Teil wiederholt, zum Teil weitergeführt, in ihnen liegt der Nachdruck auf der Anklage. Hier folgen die die ganze Geschichte Israels umspannenden Anklagen. In Kap. 33–37 folgt die Heilsverkündigung mit der Vision von der Erweckung der Totengebeine Kap. 37 am Ende. Am Abschluß Kap. 40–48 steht die Vision vom neuen Tempel; auch alle vorangehenden Visionen sind stark vom Kult bestimmt. Die beiden Texte am Ende von Kap. 1–3 und 33–37 (also 2,8–10; 3,1–3 und 37) könnten als Zeichenhandlungen bezeichnet werden; so bei G. Fohrer, 1953, und W. Zimmerli, Kommentar zu Ezechiel, Einleitung S. 42). Sie unterscheiden sich aber darin von den prophetischen Zeichenhandlungen, daß sie nicht vor Zeugen geschehen und deshalb mehr zu den Visionen gehören. Beide Texte entsprechen einander darin, daß der Prophet in 2,8–10 und 3,1–3 den Auftrag zur Gerichtsankündigung, in 37 den Auftrag zur Ankündigung der Rettung des Volkes aus dem Tod erhält; der eine ist verglichen mit dem Essen der Rolle, der andere mit dem an die Totengebeine gerichteten Wort. Der Übergang in die Apokalyptik zeigt sich hier in der Transzendierung der Zeichenhandlungen.

Zum Übergang in die Apokalyptik gehört auch eine im AT nur hier begegnende neue Funktion des Vergleichs in der Visionsschilderung. Es ist die in Berichten begegnende erklärende Funktion des Vergleichs (s. o. S. 16), hier wie dort angewandt, Unbekanntes von Bekanntem her zu erklären (z. B. beim Manna). Hier aber mit der bewußten Absicht, das in der Vision Geschaute in seiner Transzendenz herauszustellen. Diese Vergleiche durchziehen die Visionsschilderung fast Satz für Satz: »Wie der Glanz des Chrysolith«, »Wie das Rauschen vieler Wasser«; in Kap. 1 allein V. 4. 7. 13. 14. 16. 22. 24 (3mal). 26. 27. 28 (2mal). Es ist dabei zu beachten: In diesen Visionen im Übergang zur Apokalyptik, in der Zeit um das Exil, begegnet im AT zum erstenmal in hohem Maß der etwas Vorhandenes schildernde, d. h. der auf ein Seiendes bezogene Vergleich. Vorher bezog sich das Vergleichen überwiegend auf Geschehendes. Wo aber der Vergleich zur Schilderung eines Seienden, eines Vorhandenen eine wesentliche Bedeutung bekommt, ist es das Jenseitige, in der Vision Geschaute. Von diesem Tatbestand her wird verständlicher, daß das auf Aristoteles gegründete griechische Verständnis des Vergleichs (Metapher), das grundlegend auf das Seiende bezogen ist, radikal anders ist als das alttestamentliche Verständnis des Vergleichs, der sich primär auf Geschehendes bezieht.

Abschließend zu Ezechiel: In den Vergleichen des Ezechielbuches zeigt sich, dem ersten Eindruck entsprechend, ein Übergang, den man auch einen Bruch nennen könnte (s. o. S. 57). Er entspricht dem Übergang von der Prophetie zur Apokalyptik. Es begegnen bei ihm noch die Vergleiche in derselben Art und derselben Funktion, die sie in der Prophetie vor ihm hatten, daneben aber zeigt sich die Auflösung einmal im Übergang in die Allegorie, dann auch in der Wucherung der Vergleiche und zugleich der Lockerung der strengen Parallelität von Vergleichen und Verglichenem. Das zeigt sich insbesondere bei den Vergleichen in den Völkerworten und bei denen in der Visionsschilderung. In Kap. 27 (Tyrus, Prachtschiff) entspricht der Vergleich nicht dem Vorgang, der in V. 26 b. 27 erwähnt ist, sondern die frühere Pracht der Stadt wird mit der Pracht eines Schiffes verglichen (Motiv der Totenklage). In den Visionen dient der Vergleich überwiegend zur Schilderung eines jenseitig Seienden. Hier wie dort erhält der Vergleich eine ausmalende Funktion. Zugleich damit lockert sich die Beziehung von Vergleichendem und Verglichenem, vor allem bei den geschichtlichen Allegorien. Bei Ezechiel tritt in der Funktion und Bedeutung der Vergleiche eine deutliche Wende ein. Wenn Ezechiel geboten wird, in Rätseln zu reden (17,1 f.), und das Volk reagiert: »Redet der nicht immer in Rätseln zu uns?«, zeigt sich darin ein Nachlassen der prophetischen Unmittelbarkeit.

Vergleiche bei Deuterojesaja, Jes. 40–55

Bei Deuterojesaja begegnen uns sehr wenig gängige, aus der Tradition übernommene Vergleiche. In der überwiegenden Mehrzahl sind sie je in ihrem Zusammenhang aus der Botschaft des Propheten neu geprägt. Diese Vergleiche sind mit der Botschaft so fest verbunden, daß sie sich nicht aus ihr herauslösen lassen. Oft ist es kaum möglich, mit Sicherheit zu entscheiden, ob ein Vergleich oder direkte Rede vorliegt. Die Sprache ist so stark dichterisch geprägt, daß die Grenze zwischen Wirklichkeit und Vergleich fließend wird. Wenn Deuterojesaja von dem Weg durch die Wüste spricht, meint er den Rückweg aus der babylonischen Gefangenschaft nach Kanaan. Aber darin schwingt so viel mehr mit, daß es eben mehr und anderes ist als nur der Marsch einer aus der Gefangenschaft befreiten Gruppe. Einmal ist es zugleich der »klassische Weg durch die Wüste«, der Auszug aus Ägypten (43,16–21), dann kann es aber auch »Weg« in dem metaphorischen Sinn der Ermöglichung der Befreiung sein, so im Prolog 40,1–11.

Eine andere Metaphorik, die man kaum als Vergleich im üblichen Sinn verstehen kann und die im AT nur bei Deuterojesaja vorkommt, liegt dort vor, wo verschiedene Bedeutungen des gleichen Verbs einander gegenübergestellt werden: dienen und dienen 43,22–28, tragen und tragen 46,1–4. Hier enthält der Vergleich eine so konzentrierte Reflexion, daß er nur an dieser einen Stelle, eben in der Verkündigung Deuterojesajas möglich ist.

In der ausgeprägten dichterischen Sprache des Propheten ist es auch begründet, daß die Vergleiche bei ihm einen stark rhetorischen Charakter haben. Sie sind sehr bewußt und reflektiert auf die Wirkung bei den Hörern gezielt. Das zeigt sich etwa in dem großen Gedicht 40,12–31, wenn die Unermeßlichkeit Jahwes konkretisiert wird in rhetorischen Fragen, die Unermeßliches darstellen: »Wer mißt mit der hohlen Hand das Meer?« Hier wie an vielen anderen Stellen geht der Vergleich (hier ein Kontrastvergleich) in die Hyperbel über, die ja ein typisch rhetorisches Mittel ist. Zwischen Hyperbel und Vergleich läßt sich bei Deuterojesaja oft keine feste Grenze ziehen.

Versucht man, die Vergleiche bei Deuterojesaja in Gruppen zu ordnen, so bieten sich dafür die von ihm benutzten Redeformen an, eine andere Gruppierung ist kaum möglich. Da die Botschaft Deuterojesajas Heilsbotschaft ist, ist zu erwarten, daß die größte Gruppe von Vergleichen in diesem Zusammenhang steht. Aber nicht nur das ist der Fall, sondern die Mehrzahl der Gruppen von Vergleichen sind der Botschaft von der Befreiung in klar erkennbarem Zusammenhang zugeordnet:

1. An die Gefangenen ergeht die Botschaft der Befreiung. Sie ist begründet in der Botschaft von der Vergebung.
2. Zu der Befreiung gehört die Bereitung des Weges, die Ermöglichung der Rückkehr durch Kyros, und der Rückweg.
3. Mit der Botschaft der Befreiung stehen indirekt die Streitgespräche (Gott–Israel) und die Gerichtsreden (Gott – die Völker) in Zusammenhang.
4. Zur Verheißung der Befreiung tritt die Verheißung des Segens für die Zeit nach der Rückkehr.
5. Die Reaktion auf die Botschaft von der Rettung ist das Gotteslob, durch das die Klage gewendet wird.
6. Eine besondere Gruppe bilden die Vergleiche in den Gottesknechtliedern.

Es bleiben dann nur wenige Stellen, die keiner dieser Gruppen zugehören.

Die Botschaft von der Befreiung ist die Meldung eines Spähers von hoher Warte 40,9 f., eines Boten, der über die Berge kommt 52,7. 9 (am Anfang und am Ende von Kap. 40–52). Es ist eine Freudenbotschaft: »Wie lieblich sind die Füße des Boten…«, 52,7, sie läßt die »Trümmer Jerusalems« in Freude ausbrechen und erweckt deren Jubel, 52,9. Die schwebende Bedeutung des »Boten« im Prolog ist für Deuterojesaja bezeichnend: der Bote – der Späher von hoher Warte – die Freudenbotin Zion. Nur angedeutet ist damit, daß der hier redende Prophet in anderer Weise Bote ist als seine Vorgänger; denn das Überbringen der Freudenbotschaft ist etwas anderes als das der Gerichtsbotschaft. Die

Botensprache tritt bei ihm ganz zurück; alles kommt jetzt darauf an, daß die Freudenbotschaft angenommen wird. Deshalb wird »Zion« zur Freudenbotin, deshalb gehört zu Deuterojesajas Verkündigung die Reaktion der Angeredeten, denn die Befreiung wird durch das Kommen und Eingreifen Gottes bewirkt, das in den Klagen der Bedrückten erfleht wurde und das in alten Erzählungen als Gottes Epiphanie geschildert wird, wie es sich auch in manchen Psalmen spiegelt, z. B. Ps 18. Diese Epiphanie klingt in den Vergleichen an. 40,10:

> »Gott kommt mit Macht, sein Arm greift ein«
> »er zieht aus wie ein Kriegsmann« 42,13

Er schreit auf wie eine Gebärende 42,14–17, nachdem er lange geschwiegen hat. Der Vergleich mit dem Aufschreien der Gebärenden wird hier im Kontrast zum Schrei der Klagenden gebraucht: Mit diesem Aufschrei beginnt das neue Leben!
Die Botschaft von der Befreiung gründet in der Vergebung, 40,2:

> » ... daß vollendet ihr Frondienst,
> daß abgezahlt ihre Schuld«

In den Streitgesprächen sagt Gott entgegen der Anklage, daß er sein Volk verlassen habe, daß Israels Schuld sein Gericht notwendig macht, daß er seinem Volk jetzt aber vergeben hat, 43,25:

> »Ich, ich bin es, der abwäscht eure Sünden,
> denn der Schande deiner Jugend wirst du vergessen,
> der Schmach deiner Witwenschaft
> (die Anklage: du hast mich verlassen!)
> nicht mehr gedenken«,

dazu die Erinnerung 54,9: »wie in den Tagen Noahs...«. Der Botschaft von der Vergebung entspricht es, daß Israel den Zusammenbruch und das Exil als Gericht Gottes begreifen muß. Es war »Frondienst«, »Schuldhaft«, aus der Israel nun befreit wird, 40,2; durch Jahwes Zorn, 40,7, bewirkt: »Er goß über sie aus seinen grimmigen Zorn«, 42,25; »Jerusalem, die du den Kelch des Taumels getrunken«, 51,17–23; »Um eurer Sünden willen seid ihr verkauft... weggeschafft«, 50,1–3; 52,3; die verlassene Frau 54,4–6.
Es ist bezeichnend, daß beim Rückblick auf das nun beendete Gericht Gottes die Vergleiche mehrfach an die bei den Gerichtspropheten erinnern.

Das ganze Gewicht der Heilsverkündigung Deuterojesajas liegt auf der Rückkehr; hier begegnen auch die meisten und die nur ihm eigenen Vergleiche. Der Prolog 40,1–11 hat sein Ziel in der Ankündigung der Rückkehr, V. 9–11. Jahwe kommt mit dem »Lohn«, mit dem »Ertrag« seiner Rettungstat:

> »Wie ein Hirt, der seine Herde hütet,
> mit seinem Arm die Lämmer sammelt,
> sie an seinem Busen trägt,
> die Muttertiere leitet.«

Wenn hier der Zurückkehrende nicht Israel, sondern Jahwe selbst ist, der sein Volk als »Lohn«, als Ertrag mitbringt, so bringt der Dichter damit zum Ausdruck, daß die Rückkehr ganz und gar Jahwes befreiende, erlösende Tat ist. Dabei hat das Kommen Gottes zwei Aspekte: der eine ist die Machttat V. 10, der andere das Sich-Herabneigen in gütiger Zuwendung, die hier der Vergleich mit dem Hirten zeigt, wie in Ps 80,2 die Hilfe des gütigen Hirten seines Volkes erfleht wird. Dabei ist im Prolog das Gewicht bewußt darauf gelegt, daß der Hirt sich jedem einzelnen gütig zuwendet. Dazu 42,16: »und ich geleite den Blinden auf seinem Weg«; 52,12: »Denn vor euch her geht Jahwe, und einen Zug beschließt der Gott Israels«, so wie beim Heereszug eine Vorhut und eine Nachhut notwendig ist. Der Vergleich mit dem Hirten, wie er hier gebraucht wird (daß das Zurückkommen der Exilierten dargestellt wird im Kommen des Hirten, der die Herde bringt), begegnet nur an dieser einen Stelle im AT. Zum Tun des Hirten gehört auch das Sammeln der Zerstreuten, 43,5–6. Der Weg aber muß erst bereitet werden, 40,3–4:

> »In der Wüste bereitet den Weg für Jahwe.
> Richtet in der Öde eine Straße unserem Gott.
> Jedes Tal soll sich heben,
> jeder Berg und Hügel sich senken,
> das Höckrige werde Fläche,
> das Bucklige werde Ebene
> und offenbar wird die Herrlichkeit Jahwes...«

Mit dem Bereiten des Weges in der Wüste und dem Wegräumen der Hindernisse ist die Ermöglichung der Rückkehr des Volkes durch das Eingreifen Gottes in die Geschichte (Kyros) gemeint. Zu diesem Wegbereiten gehören alle Stellen bei Deuterojesaja, die von Kyros handeln, an erster Stelle das Kyros-Wort 44,24–45,7. Der Vergleich von 40,3–4 wird hier aufgenommen, auf Kyros bezogen, 45,1–2:

> »So spricht Jahwe zu Kyros...
> Pforten vor ihm zu öffnen
> und Tore bleiben nicht verschlossen,
> ich selber gehe vor ihm her und Berge ebene ich.
> Eherne Tore zerbreche ich
> und seine Riegel sprenge ich...«

Der Vergleich verbindet Kap. 45 mit 40 und bestätigt die dort gegebene Erklärung. Bei dem anderen Vergleich, dem Öffnen oder Sprengen der Türen, ist die Bedeutung ebenso schwebend: es bedeutet zugleich, daß Kyros auf seinem Siegeszug alle Hindernisse überwindet. Aber der wörtliche Sinn spricht mit, daß sich die Tore von Städten und Festungen vor ihm öffnen. Dem Prolog 40,1–11 entspricht auch, daß das Wirken Gottes in der Geschichte, also hier durch den Perserkönig Kyros, in eins gesehen wird mit seinem Herrsein über die Schöpfung, 44,27–28:

> »Der zur Tiefe sagt: Versiege!
> und deine Fluten lege ich trocken,
> der zu Kyros sagt: mein Hirt!
> er soll ausrichten, was ich will!«

Dabei zeigt sich eine andere Eigenart der Verkündigung Deuterojesajas, an der auch die Vergleiche teilhaben: sie steht den Psalmen nahe und bezieht Psalmenmotive in seine Verkündigung ein. Das Kyros-Orakel ist vom Lob Gottes bestimmt, 45,5–7; das Lob der Majestät Gottes wird in den Psalmen entfaltet: Er ist der Schöpfer – er ist der Herr der Geschichte. Wenn Kyros in diesem Wort »mein Hirt« genannt wird, heißt das: der von mir bestimmte Führer, der als solcher auch die Rückführung des Gottesvolkes bewirkt. An anderer Stelle wird er als »Stoßvogel« aus dem Osten bezeichnet, 46,11:

> »Ich rufe den Stoßvogel vom Aufgang,
> aus fernem Land den Mann meines Plans.«

Eine weitere Stellengruppe handelt von der Rückkehr des Volkes auf dem Weg durch die Wüste. In ihnen allen wird die Bewahrung des Volkes auf diesem Weg verheißen, die Bewahrung vor Gefährdungen, 43,1–7:

> »Wenn du durch Wasser gehst – mit dir bin ich!
> und Ströme werden dich nicht überfluten.
> Wenn du durch Feuer schreitest,
> verbrennst du nicht,
> und die Flamme versengt dich nicht.«

Dazu die Versorgung, die Bewahrung vor Hunger und Durst, 41,17–20: »Ich öffne auf Kahlhöhen... Quellen... In die Wüste setze ich Zedern,... Ölbäume...«; 43,16–21: »Ich lege einen Weg in die Wüste, in die Einöde Flüsse, zu tränken mein Volk...«; 48,20–21: »Durch die Wüsten führt er sie, doch sie leiden nicht Durst... Wasser vom Felsen läßt er ihnen rinnen. Er spaltet den Fels und es strömen die Wasser«; 49,7–12: »Auf allen Wegen weiden sie, auf allen Lichtungen ist ihr Weidegrund. Sie hungern nicht und sie dürsten nicht,... Denn ihr Erbarmer leitet sie, zu Wassersprudeln führt er sie...«
Alle diese Stellen sind Vergleich noch in einem anderen Sinn: Es wird auf den Auszug aus Ägypten verwiesen; so wird es auch euch ergehen! Der alte und der neue Exodus. Wie im Buch Exodus so folgt auch hier der Weg durch die Wüste der Tat der Befreiung.
Mit der Botschaft von der Befreiung stehen indirekt die Streitgespräche (Gott – Israel) und die Gerichtsreden (Gott – die Völker) in Zusammenhang. In beiden haben die Vergleiche eine geringere Bedeutung, weil sie wesentlich Argumentation sind. In den Streitgesprächen geht es besonders darum, daß Israel begreift, daß das Gericht über es kommen mußte; sie werden als die Blinden und Tauben angeredet (42,18f.; 43,8–15), die doch Gottes Zeugen sein müßten. Gegen ihre Klage, daß Gott sie verlassen habe, fragt 50,1–3: »wo ist denn der Scheidebrief eurer Mutter...?«, dazu 49,14–26: »Vergißt denn eine Frau ihr Kind?« Gegen die Zweifel daran, daß Gott durch Kyros wirkt, 49,9–13: »Weh dem, der mit seinem Bildner rechnet, eine Scherbe...«; gegen den Einwand, Israel habe doch Gott so lange Zeit seine Opfer dargebracht, entgegnet er 43,22–28: Ihr habt mit euren Opfern nicht wirklich mir gedient, und mit euren Sünden habt ihr mich dienen lassen!
So wie in 43,22–28 liegt in 46,1–4, einer der Gerichtsreden (Gott – die Völker), der verschiedene Gebrauch des gleichen Wortes zugrunde. Der Text ist Nachbildung einer Siegesbotschaft. Das Wegtragen der Götterbilder auf Lasttieren wird dem Tragen Jahwes, der Israel durch die Katastrophe trug und in Zukunft tragen wird, gegenübergestellt. Ein wahrhaft tiefsinniger Vergleich! Die mächtigen Götter eines mächtigen Reiches sind bei einer Niederlage nicht einmal imstande, ihre Bilder zu retten, geschweige denn ihr Volk. Die Bilder müssen von Tieren weggeschleppt werden. Jahwe aber hat sein Volk durch die schwerste Katastrophe seiner Geschichte hindurchgetragen und: »ich will euch tragen bis ins Alter...«
Die beiden Kapitel 54 und 55 sind nicht mehr, wie der Anfang, von der Verheißung der Rettung, sondern zukünftigen Segens bestimmt. Das zeigt sich auch in der Sprache der Vergleiche: Hinter 54,1–10 steht die Mehrungsverheißung

54,1: »Juble, du Unfruchtbare, die nicht gebar,
brich aus in Jubel..., die nicht in die Wehen kam:
Denn mehr sind die Söhne der Einzelnen als... der Ehefrau«
V. 2 »Erweitere den Raum deines Zeltes,
breite deine Decken aus, spare nicht!
Zieh deine Zeltseile weit,
mach deine Pflöcke fest!«
V. 3: »Denn nach rechts und links breitest du dich aus,
deine Kinder beerben Völker,
besiedeln verwüstete Städte«
V. 4: »... denn die Schande deiner Jugend wirst du vergessen,
der Schande deiner Witwenschaft nicht mehr gedenken«
V. 6: »... denn wie die verlorene Frau...
rief er dich...«

Das Erbarmen, das Gott jetzt seinem Volk zuwendet, bleibt für immer bestehen,

54,9–10: »Wie in den Tagen Noahs ist mir das:
Wie ich schwur, daß die Wasser Noahs nicht mehr...,
so schwöre ich, dir nicht mehr zu zürnen...
Denn wenn auch Berge weichen und Hügel wanken,
meine Gnade soll nicht von dir weichen
und der Bund meines Friedens...«

Den bleibenden Bund (Davidverheißung) verheißt auch 55,1–5, das mit dem Ruf an die (Hungernden und) Durstigen beginnt: »Auf ihr Durstigen, kommt zum Wasser...!«, und die Versorgung mit Speise und Trank in Fülle zusagt. Es folgt in 55,6–11 die Zusicherung des Eintreffens der Verheißung mit einem Vergleich aus der Schöpfung, das einem Gleichnis nahekommt, 55,8f.: »Denn meine Gedanken sind nicht eure Gedanken..., sondern so hoch der Himmel über der Erde ist...«, V. 10f.: »Denn wie der Regen und der Schnee vom Himmel herabkommt und nicht wieder dorthin kommt, sondern die Erde benetzt und sie fruchtbar macht... So ist mein Wort, das von meinem Munde ausgeht. Es kehrt nicht wieder leer zu mir zurück, sondern es tut, was ich will und läßt gelingen, wozu ich es sende.«
Wie im ganzen AT zum gnädigen Handeln Gottes das Retten und das Segnen gehört, so gehört bei Deuterojesaja zu Gottes Befreiungstat der Segen, der das Wachsen und das Bleiben ermöglicht, in Kap. 54–55, dem Schlußteil, deutlich vom Vorangehenden abgehoben, das von der Rettung bestimmt ist. Wenn in diesem Teil 54–55 alle Vergleiche aus dem Bereich des Schöpfungswerkes Gottes stammen, ist das ein sicherer und eindeutiger Nachweis dafür, daß die Vergleiche jeweils aus ihrem Zusammenhang erwachsen, zu ihm gehören und aus ihm ihre Funktion erhalten. Der Vergleich in 55,10–11: »Wie der Regen... so mein Wort«, erhält sein besonderes Gewicht als Abschluß und zugleich als Entsprechung zum Anfang, 40,8: »... doch das Wort unseres Gottes besteht für immer«. Dieses Gewicht bewirkt, daß der Vergleich erweitert wird zu einer kleinen Erzählung. Damit nähert sich der Vergleich einem Gleichnis, das inhaltlich den Gleichnissen Jesu vom vierfachen Acker oder der selbstwachsenden Saat ähnlich ist. So ist dieser Text ein Musterbeispiel dafür, wie der Weg von den Vergleichen im AT zu den Gleichnissen im NT führt.

So wie in den beiden das Ganze rahmenden Texten vom Wort Gottes ist die gesamte Verkündigung Deuterojesajas von der Kontrapunktik von Klage und Lob bestimmt. Seine Heilsverheißung ergeht in das Leid, das auf den Zusammenbruch folgte, und die Klage, in der dieses Leid zur Sprache kam. Das zeigt die Vergänglichkeitsklage im Prolog 40,6–7 und die Klage des Volkes 40,27, auf die V. 28–31 antwortet und der entgegen in 40,12–26 das Lob der Majestät Gottes entfaltet wird in der Anrede an die Müden und Verzagten.

Vom Ruf zum Lob ist die gesamte Verkündigung Deuterojesajas bestimmt in den kurzen Lobliedern jeweils am Ende eines größeren Teils, einem das Ganze durchklingenden Ruf zur Freude, der auf alles Geschaffene erweitert wird.

Die vielen Vergleiche in 40,12–31 dienen alle der Entfaltung und der Wiedererweckung des Gotteslobes, das den hier angeredeten Israeliten im Exil aus den Gottesdiensten der Vergangenheit bekannt, aber bei ihnen verstummt ist. Es sind Kontrast-Vergleiche:

> 40,12: »Wer mißt mit der hohlen Hand das Meer…,
> wer wiegt mit der Waage die Berge…«

Oder Hyperbeln

> 40,15: »Siehe: Völker sind wie ein Tropfen am Eimer…
> Siehe: Inseln wiegen wie ein Gran…«
> V. 16: »Der Libanon reicht nicht zum Brand,
> sein Wild nicht zum Opfer…«
> V. 22: »Der über dem Kreis der Erde trohnt,
> seine Bewohner sind wie Heuschrecken…«;
> V. 23: »der die Würdenträger zunichte macht…«;
> V. 24: »kaum sind sie gepflanzt…,
> da bläst er sie um und sie welken…«

In den Lobpsalmen erweist sich Gottes Majestät in der Schöpfung und in der Geschichte. So ist auch der Preis der Majestät Gottes in Jes 40 gegliedert, wobei die vielen Vergleiche die Funktion des Intensivierens und damit, im Streitgespräch, der Wiedererweckung des verstummten Gotteslobes hat. Diese ganze Fuge auf das Motiv des Lobes der Majestät Gottes hat ihr Gefälle auf das dieses ergänzende Lob der Güte Gottes in V. 27–31 hin, auch dieses in einem Kontrast-Vergleich erweitert:

> »Er gibt den Müden Kraft…,
> Jünglinge werden müde und matt,…
> doch die auf Jahwe harren, erneuern ihre Kraft,
> sie treiben Flügel wie Adler…«

Um dieses »Erneuern der Kraft« der Müden und Mutlosen geht es in dem ganzen Gedicht V. 12–31. Der Prophet, der ein Dichter ist, erfüllt darin den Auftrag, den er von Gott hat: »Tröstet mein Volk!« Es wäre aber kein wirklicher Trost, wenn er sie nur an die früher gesungenen Lobpsalmen erinnerte, indem er sie wörtlich zitierte. Durch die vielen Vergleiche werden die alten Worte neu und lebendig, durch sie vergegenwärtigt er die Psalmen in der gewandelten Situation, so erst erhalten sie wieder Sprachkraft. 40,12–31 ist ein Beispiel dafür, daß ein ganzer umfangreicher Text erst durch die Vergleiche Leben erhält. In anderer Weise gilt das für den imperativischen Lobruf, zum Freudenruf gewandelt, der das Ganze durchzieht. In ihm wird die Reaktion, die Antwort der Befreiten vorausgenommen und mit deren Ankündigung verbunden,

52,9: »Brecht aus, frohlockt, ihr Trümmer Jerusalems,
denn erbarmt hat sich Jahwe seines Volkes,
erlöst Jerusalem...«

Wenn in diesem Lobruf die »Trümmer Jerusalems« angeredet sind, ist das nicht eigentlich ein Vergleich, es ist die kühne Personifizierung einer zerstörten Stadt, mit der aber die Reste des Volkes gemeint sind. Sie können schon zur Freude gerufen werden, denn: »die Heimkehr Jahwes zum Zion« V. 8 ist gewiß.
Dichterische Kraft und Tiefe zeigt sich darin, daß Deuterojesaja hierbei die weite Dimension des Lobrufs in den Psalmen aufnimmt: alle Kreatur wird zum Lob gerufen,

55,12 f.: »Berge und Hügel sollen vor euch in Jubel ausbrechen
und alle Bäume der Ebene
sollen in die Hände klatschen.«

Die Begründung ist 52,10: »... und es sehen alle Enden der Erde das Heil unseres Gottes!« Diese die Botschaft Deuterojesajas durchziehenden Rufe zur Freude geben ihr von Anfang bis zum Ende den Grundton freudiger Erwartung. Er ist ermöglicht durch die Verbindung von Heilsverkündigungen und Psalmen, wie sie im AT nur an dieser einen Stelle begegnen.

Vergleiche im Zusammenhang des Wirkens des Knechtes. Für das nur andeutende und manchmal bewußt verschleiernde Reden vom Knecht in den Gottesknechtliedern ist der Gebrauch von Vergleichen bezeichnend. Sie haben zum Teil eine bewußt verschleiernde Funktion. Von der Person des Knechts wird gesagt

53,2 f: »Er wuchs auf wie ein Reis...,
wie eine Wurzel aus dürrem Erdreich,...
ein Schmerzensmann, ein Krankheitsgedemütigter.
Wie einer, vor dem man das Gesicht verbirgt.«

Von seinem Wirken: ist es ein Wirken durch das Wort,

49,2: »Er hat meinen Mund wie ein scharfes Schwert gemacht,
im Schatten seiner Hand hat er mich geborgen,
er hat mich zum glatten Pfeil gemacht,
in seinem Köcher hat er mich versteckt.«
50,4 f.: »Der Herr hat mir die Zunge von Jüngern gegeben,
daß ich wisse zu antworten dem Müden das Wort...
Morgen für Morgen weckt er mir das Ohr
zu hören wie Jünger.«

Sein Wort soll nicht dem Zerstören, sondern zum Heilen und Lindern dienen, 42,3: »das zerknickte Rohr bricht er nicht, den glimmenden Docht löscht er nicht«. Er selbst wird bei diesem Dienst bewahrt werden, V. 4: »Er verlischt nicht und er zerbricht nicht« (50,7). Aber er muß in seinem Dienst stellvertretend leiden, 50,7: »Darum mach ich mein Gesicht wie Kiesel«; 53,4: »unsere Schmerzen, die lud er auf...«, V.5: »Er war durchbohrt wegen unserer Sünden, zerschlagen wegen unserer Verschuldungen«, V.7: »Gepeinigt duldet er demütig und tat seinen Mund nicht auf wie ein Schaf, das zur Schlachtung geführt wird, wie ein Lamm vor seinen Scherern, er verstummt und tut den Mund nicht auf«. Von denen, für die er litt, ist gesagt 53,6: »Wir alle gingen wie Schafe in die

Irre, jeder von uns auf seinen Weg bedacht«, und von denen, die ihnen Leid zufügen und ihn töten 50,9: »sie alle vergehen wie ein Kleid«. Sein Wirken ist nicht auf Israel begrenzt, 42,6: »Ich habe dich zum Licht der Völker gemacht« (49,6). Er wird nach seinem Tod Anerkennung finden, 53,12: »Darum will ich ihm Anteil geben unter den Großen, und mit den Mächtigen soll er Beute teilen.« Auf die einzelnen Vergleiche braucht nicht eingegangen zu werden. Ähnlich wie in der Verkündigung Deuterojesajas geben die Vergleiche in großen Zügen alles wieder, was die Lieder vom Knecht sagen.

Die wenigen Vergleiche in Jes 40–55, die aus diesem großen Zusammenhang herausfallen, sind entweder untypisch für Deuterojesaja oder es sind nachträgliche Zufügungen,

42,15: »Berge und Hügel dörre ich aus,
all ihr Grün laß ich vertrocknen,
Flüsse mache ich zum Festland,
und Sümpfe trockne ich aus«

Das scheint in den Zusammenhang (Rückweg durch die Wüste 42,14–17) nicht zu passen; es sind aber nur, den Lobpsalmen (z. B. Ps 107) entsprechend, die beiden Seiten des umwandelnden Handelns Gottes, 41,15: »Siehe, ich mache dich zum Dreschschlitten, neu mit doppelten Schneiden, Berge sollst du dreschen und zermalmen und Hügel zu Spreu machen.« Hier kann nicht gemeint sein, daß Gott Israel zu dem Instrument macht, dessen Feinde zu vernichten, »Berge und Hügel« sind vielmehr wie im Prolog zu verstehen: Hindernisse auf dem Weg in die Heimat. 41,15 sagt, daß Israel diese Hindernisse überwinden wird. 48,4: »Da ich wußte, daß du hart bist und ein eisernes Band dein Nakken und deine Stirn von Erz.« Diese Vergleiche gehören einem Gotteswort an, einer nachträglichen Erweiterung in 48,1–11 (Begründung in meinem Kommentar zu Jes 40–55 z. St.). – 47,1–15: Die Personifizierung Babels. Das Kapitel gehört zu den Völkersprüchen, denen Ezechiels ähnlich.

Zum Abschluß: Fragt man zusammenfassend nach den Funktionen der Vergleiche in der Verkündigung Deuterojesajas, kann man sagen, daß sie alle, wenn auch auf verschiedene Weise, dem Ruf am Anfang: »Tröstet mein Volk!« dienen. Sie alle intensivieren die Trostbotschaft, machen sie lebendig, vergegenwärtigen sie und helfen dazu, daß sie angenommen werde. Man kann dann noch, je nach dem Zusammenhang, die jeweils besondere Funktion eines Vergleichs aus diesem Zusammenhang näher bestimmen; dennoch ist die allen gemeinsame Funktion im Zusammengehören der Elemente der Freudenbotschaft begründet, wie es o. S. 63 gezeigt war.

Vergleiche in der nachexilischen Prophetie

Vergleiche bei Tritojesaja

Vorausgesetzt ist im folgenden, daß Tritojesaja ein Heilsprophet nach dem Exil ist, ein Nachfolger Deuterojesajas, dessen Verkündigung er voraussetzt, aber in der gewandelten Situation abwandelt. (Dazu C. Westermann, Das Buch Jesaja... ⁴1981; W. Zimmerli,

Zur Sprache Tritojesajas... 1950.) Tritojesaja sind die Kapitel 60–62; 57,14–26; 65,16b–25; 66,6–16 zuzurechnen.
Vergleiche im Zusammenhang der Heilsbotschaft. In 61,1–3 bezeichnet sich der Prophet als Bote des Heils, der die Wende des Leides anzukündigen hat: »zu verbinden, die zerbrochenen Herzens sind«, »zur Freude den Trauernden Zions, ihnen zu geben Zierde statt Asche, Öl der Freude statt Trauerhülle, Lobgesang statt Verzagtheit, daß man sie nenne Bäume des Heils, eine Pflanzung Jahwes zur Verherrlichung«. Diese Botschaft wird in 60–62 entfaltet. Das Kommen des Heils wird mit dem Kommen des Lichtes verglichen:

> »Auf, werde Licht,
> denn es kommt dein Licht
> und die Herrlichkeit Jahwes geht auf über dir...«

Ähnlich 62,1–2. In enger Anlehnung an 40,1–11 der Ruf zum Auszug und zum Bahnen des Weges 62,10–12; 57,14; ebenso der Ruf zu Freude 65,18; 66,10–11; das Ende der Leidenszeit ist da 61,10; 62,4f. Da aber Tritojesaja nicht ein bestimmtes geschichtliches Ereignis anzukündigen hat, sondern nur das unbestimmte Kommen einer Heilszeit, sind bei ihm die Vergleiche allgemeiner, nicht fest umrissen, oft vieldeutig. Das Kommen Jahwes wird mehrfach in der Weise einer Epiphanie angekündigt: 59,15b–20; 62,10–12; 66,6. 15. 16, aber es fehlt der Punkt, an dem die Epiphanie die Erde berührt. Bei der Aufforderung zum Bereiten des Weges in 57,14–21; 62,10 (Mk 1,3) fehlt gegenüber 40,1–11 die Beziehung auf den wirklichen Weg der Heimkehr. Das Bahnen des Weges ist in einem »geistigen Sinn« (W. Zimmerli, P. Volz, Kommentare) gemeint. Dem entspricht es, daß in der Heilsbotschaft Tritojesajas das perfektische Element ganz zurücktritt; sie besteht fast ganz in der Segensverheißung. Bei Deuterojesaja ist die Begründung des Rufes zur Freude die Tat Gottes, bei Tritojesaja ist es das Teilhaben an den Segnungen der Heilszeit, 66,10–11. Dem entspricht es, daß die Vergleiche fast alle aus dem Bereich der Schöpfung sind. Das Heil geht über Israel auf wie ein Licht, 60,1–3, ebenso 62,1; 60,19–20; 58,8–10; 59,9–11. Das Heil wird als Wachsen und Gedeihen, Ausbreiten, auch als Überfluß, Reichtum, Pracht dargestellt. Israel ist »der Same, den Jahwe gesegnet hat«, 61,9; 65,23; »Bäume des Heils«, 61,3; »eine Pflanzung Jahwes zur Verherrlichung«, 61,3; 61,11:

> »Denn wie die Erde das Gewächs hervorbringt,
> und wie ein Garten seinen Samen sprossen läßt,
> so läßt der Herr Jahwes Heil sprossen
> und Ruhm vor allen Völkern.«

Dem Volk wird Mehrung (60,22) und langes Leben (65,21) verheißen. Israel ist nicht mehr verlassen, sondern Gott hat sich ihm wieder zugewendet wie der Bräutigam der Braut 61,10; 62,4–5. An die Stelle des Dürftigen und Wertlosen tritt das Wertvolle und Prächtige, 60,17; 61,3; 66,11. Die Schätze der Völker werden nach Israel gebracht, 60,8f. »Schiffe, die wie Wolken fliegen...«, 60,13; 61,5f.; 66,12.
Bei Deuterojesaja sind die Heilsworte auf ein bestimmtes Ereignis gerichtet, bei Tritojesaja sind sie überwiegend Schilderung eines Zustandes, dem entsprechend die Vergleiche. Sie werden vielfach (wie z. B. in 61,1–3) gehäuft, wodurch sie an Kraft und Präzision verlieren. Allein schon von den Vergleichen her ist es sicher, daß die Kapitel 56–66 nicht dem gleichen Verfasser angehören können wie Kapitel 40–55.

Vergleiche in anderen Zusammenhängen: Die Heilsworte in 60–62 sind von zwei Volks-klagen in 59 und 63/64 gerahmt, während bei Deuterojesaja die Elemente der Volksklage in die Botschaft von der Rettung integriert sind. Die hier begegnenden Vergleiche gehören in den Zusammenhang der Volksklage. Erwähnt sei, daß auch hier die Häufung der Vergleiche begegnet: Das Eingreifen Jahwes wird in 59,15b–20 als Epiphanie und dabei Jahwe als Krieger geschildert, V. 17:

>»Gerechtigkeit zog er an wie einen Panzer,
den Helm des Heils setzte er auf sein Haupt,
Vergeltung zog er an als Gewand,
Eifer band er um wie einen Mantel«,

aufgenommen in Eph 6,14–17. Dies ist kein echter Vergleich, sondern ein Ausmalen, das an Allegorisieren grenzt. Kap. 59 ist auch dadurch als ein später Text ausgewiesen, daß an die Stelle der Feinde des Gottesvolkes die Frevler getreten sind wie in dem späten Ps 83, Schilderung der Frevler sind auch 57,20f. und 65,11–12. Dem entsprechen die Vergleiche, 57,20f.:

>»Die Frevler aber –
wie das aufgewühlte Meer,
wenn es nicht zu Ruhe kommen kann.
Schlamm und Schmutz wühlen seine Wasser auf.
Keinen Frieden – spricht Gott – für die Frevler!«

59,5f.: »Sie brüten Schlangeneier aus, Spinnenfäden weben sie...«; 65,5f.: »Sie sind Rauch in meiner Nase, loderndes Feuer allezeit!« Diese Vergleiche gehören in den Zu-sammenhang der Schilderung der Frevler, wie sie sich in der Erweiterung der Feindklage und in den Reden der Freunde Hiobs findet.

Während die Verheißungen bei Tritojesaja nicht bedingt sind und dem Volk als ganzem gelten, findet sich in einer späteren Schicht die bedingte Verheißung, die den einzelnen gilt, die diese Bedingungen erfüllen: 58,8–12. 13–14; 65,8–16a. 58,1–12 ist eine Mahn-rede zum rechten Fasten: dem, der recht fastet, wird verheißen, V. 8–11:

>»dann wird wie die Morgenröte dein Licht hervorbrechen...,
du wirst sein wie ein frischer Garten und wie ein Quell,
dessen Wasser nicht versiegen«.

Für eine umfassende Untersuchung der Vergleiche im AT wäre eine Zusammenfassung der Vergleiche in allen Heilsworten notwendig. Sie fehlt in dieser Untersuchung, weil nach meiner Meinung eine umfassende Untersuchung der Heilsworte im ganzen AT (nicht nur bei den Propheten) die Voraussetzung wäre. Hier ist in der bisherigen For-schung noch vieles unsicher. Sie hätte nach meinem Urteil auszugehen von der Unter-scheidung der Rettungs- von der Segensverheißung, weil diese verschiedene Wurzeln und eine verschiedene Traditionsgeschichte haben. Sie hätte einzusetzen mit der Heilsver-kündigung Deuterojesajas einmal, weil diese mit Sicherheit datiert werden kann, aber auch, weil in ihr Rettungs- und Segensverheißung deutlich unterschieden sind. Es kommt hinzu, daß man durch die Folge der Heilsworte Tritojesajas auf Deuterojesaja zunächst einmal ein sicheres Kriterium für die Geschichte der Heilsworte erhält.

Vergleiche bei Joel

Joel 1,1–5 ist ein Aufruf zur Volksklage, begründet durch den Einfall von Heuschrecken, die alles vernichten, V. 4. 6–7. 9–12. 16–18. 20. Dabei wird er in V. 6 a mit dem Überfall durch ein starkes Volk verglichen, in V. 6 b: »seine Zähne sind wie Zähne eines Löwen...«. In V. 13–14 wird zu einem Fasten aufgerufen, in V. 15 und V. 19 setzt das Klagelied ein. Erst in Kap. 2 beginnt die Ankündigung eines Gerichtes Gottes. In V. 2. 1–3 a wird der »Tag Jahwes« angekündigt, das Heranrücken eines gewaltigen Heeres V. 2 b. 3 a. 10–11. Es wird in V. 3 b–9 mit dem Überfall eines Heuschreckenschwarms verglichen, eine äußerst lebendige, dichterisch schöne Schilderung; eine Entfaltung des gleichen Motivs in 1,6. Diese Schilderung aber ist nur sehr lose in den Rahmen V. 1–3 a. 10–11 gefügt und hat mit ihm ursprünglich nichts zu tun; das zeigt der »harte Übergang« (H. W. Wolff) zwischen V. 9 und V. 10, auch zwischen V. 3 a und V. 3 b. Auch im Stil ist die Schilderung V. 3 b–9 anders als der Rahmen V. 1–3 a. 10–11. Es ist ein kleines, selbständiges Gedicht, ähnlich wie die Schilderung des Prachtschiffs Tyrus in Ezechiel. Dies Gedicht ist aus der Beobachtung von Tieren erwachsen; es hat in V. 7 b eine exakte Parallele in Spr 30,27: »die Heuschrecken haben keinen König und ziehen doch alle geordnet daher«.

Die übrigen Vergleiche im Buch Joel. Dem Ruf zur Klage des Volkes ist in 1,8 der Vergleich zugeordnet: »wie eine Jungfrau im Trauergewand um den Bräutigam ihrer Jugend«, eine häufig begegnende Personifizierung des Volkes und seines Leides. Im Tal Josaphat wird das Gericht über die Völker durch Israel vollzogen, 4,13:

»Legt die Sichel an, denn die Ernte ist reif!
Kommt, tretet!, denn die Kelter ist voll,
die Kufen fließen über,
denn ihrer Bosheit ist viel.«

Derselbe Vergleich Mi 4,11–13 im gleichen Zusammenhang. 4,16 b: »Aber Jahwe ist eine Zuflucht seinem Volk, eine Burg den Kindern Israel«, ein Motiv der Zuversicht, ebenso Jes 24,4; vgl. Ps 31,3; Jes 17,10; Nah 1,4.

Vergleiche in Obadja

Das Buch Obadja ist eine kleine Sammlung von Fremdvölker-Sprüchen (insbesondere gegen Edom), in diesen Zusammenhang gehören die in ihm begegnenden Vergleiche. Typisch für sie ist, daß Edom die Vergeltung für sein Tun an Juda angekündigt wird, V. 15: »deine Tat fällt auf dein Haupt zurück«; V. 16: »wie ihr getrunken habt, ... so werden alle Völker ringsum trinken«. Gott wird sein Gericht an Edom durch Israel vollstrecken, V. 18:

»das Haus Jakob wird zum Feuer,
das Haus Joseph zur Flamme werden,
das Haus Esau aber zu Stoppeln:
und sie werden es anzünden und verzehren....«

Von den Vergleichen V. 4. 5–6. 15. 16. 18 begegnet keiner nur hier; besonders deutlich ist die Übereinstimmung von V. 4: »Wenn du gleich horstest hoch wie der Adler und zwischen den Sternen dein Nest baust«, mit Hab 2,9. Das Trinken aus dem Zornes- (oder Taumel-)Becher ist häufig, z. B. Klgl 4,21, auch der Vergleich V. 18.

Vergleiche im Buch Jona

In der Erzählung begegnen keine Vergleiche. Der Gegensatz zu dem Psalm in Kap. 2, der in V. 4. 6. 7 eine Fülle von Vergleichen für die Todesnot hat, ist besonders auffällig.

Vergleiche bei Sacharja

In den acht Nachtgesichten 1,7–6,8 tritt an die Stelle des Prophetenwortes das Seherwort. Es ist jedesmal in Gesicht und Deutung gegliedert, z. B. 1,8. 9. Die Deutung erfolgt durch einen angelus interpres; das von Gott in der Schau Angekündigte ist verschlüsselt und muß entschlüsselt werden, im Gegensatz zum Vergleich, der von selbst und ohne Deutung spricht. Da die »Prophetie« Sacharjas Kap. 1–8 in 1,7–6,8 von den Gesichten bestimmt ist, bezeichnet diese Wandlung das Ende der bis ins Exil reichenden Prophetie. Daneben begegnen in Kap. 1–8 nur wenige Vergleiche, zum Teil nur angedeutet und am Rande stehend. Der von Sacharja rehabilitierte Priester Josua ist ein »aus dem Feuer gerissenes Scheit«, 3,2. In 3,3–5 werden ihm die schmutzigen Kleider aus und Feierkleider angezogen, das ist etwas wie eine Zeichenhandlung. Der König der Heilszeit wird »der Sproß« genannt, 3,8; 6,12. Die Schwierigkeiten, die dem Tempelbau Serubbabels entgegenstehen, werden als »der große Berg« 4,7 bezeichnet. Der Stadt wird Gottes Schutz verheißen, 2,9: »Ich selbst will ihm eine feurige Mauer sein ringsum«, und auf die frühere Gerichtsankündigung wird zurückgesehen 7,14: »Und ich verwehte sie wie ein Sturm über alle Länder.«

Sach 9–14. Deutero- (und Trito-)Sacharja

In einem Verheißungswort 9,11–17 wird Juda als Vergeltung für seine Leiden blutige Rache an seinen Feinden verheißen. Dabei mehrere Vergleiche, 9,13:

> »Denn ich spanne mir Juda als Bogen,
> Lege Ephraim auf (als Pfeil)...
> und mache dich wie das Schwert eines Helden.«

Gott selbst wird in den Kampf eingreifen, ähnlich wie bei den Jahwekriegen der Frühzeit, V. 14: »seine Pfeile schießen heraus wie Blitze«, er »deckt den Schild über sie«, V. 15 a. Die Vernichtung des Gegners tritt in einem grellen Bild heraus: »Sie (Subjekt unsicher) trinken Blut wie Wein und werden davon voll wie die Opferschalen«, V. 15 b. Der Sieg Gottes bewirkt: »Wie eine Herde wird er sie weiden auf seinem Land.« Der nächste Satz ist unsicher, »wie schimmernde Edelsteine« ist dann etwas, was im Text nicht mehr zu erkennen ist. Eine ähnliche Verheißung ist 10,3–12. 10,3 a ist das Fragment eines Gerichtswortes über die Führenden, die hier wie oft als Hirten (parallel dazu: Leitböcke) bezeichnet werden. Ein Wehe über den bösen Hirten ist auch 11,17. So wie in Ez 34 will sich Gott selbst seiner Herde annehmen. Die Fortsetzung wandelt das Bild merkwürdig ab: »und macht sie sich zum prächtigen Roß im Streit«, 10,3 b. Es wird ihm Sieg über die Feinde verheißen, wieder in einem sehr grellen Vergleich: »... und sie zertreten Helden im Kampf wie Gassenkot«.

11,1–3 ist Ankündigung des Unterganges der Weltmacht in einem Vergleich, der die Klage über den Untergang eines Gemeinwesens nachahmt. Die Größe und den Stolz der Weltmacht stellen die starken Bäume und der mächtige Löwe dar; sie werden zur Klage (zum Heulen) über den Untergang aufgerufen: denn die Prächtigen sind vernichtet.

11,4–16: »weide die Schlachtschafe«, hat stark allegorischen Charakter. Die Deutung ist umstritten.

Die Kapitel 12–14 zeigen auf verschiedene Weise den Übergang von der Prophetie zur Apokalyptik, am stärksten Kap. 14. Es begegnen hier auch Vergleiche, aber sie sind alle entweder aus der älteren Prophetie übernommen, oder aber sie sind nicht in einem erkennbaren Zusammenhang festzulegen.

Vergleiche bei Haggai und Maleachi

In dem Text Haggai 2,10–14 begegnet eine neue Art von Vergleich:

> V. 10: »Am... erging das Wort Jahwes an den Propheten Haggai:
> V. 11: So spricht Jahwe Zebaoth: Frage auch die Priester
> um Belehrung über folgenden Fall:
> V. 12: Wenn jemand heiliges Fleisch im Zipfel seines Kleides...
> ... und berührt..., wird das dann heilig?
> Die Priester antworteten und sagten: Nein!
> V. 13: Darauf sagte Haggai: Wenn nun einer durch eine Leiche
> unrein geworden ist... und berührt...
> wird das dann unrein?
> Die Priester antworten: Sie werden unrein.
> V. 14: Da erwiderte Haggai und sagte:
> So ist es mit diesem Volk... in meinen Augen
> spricht Jahwe, und so ist es auch mit dem Tun ihrer Hände:
> Was sie dort darbringen, ist unrein!«

Hier beginnt eine neue Art des Vergleichs, der dem Lehrgespräch dient. Eine Frage des Gesetzes oder des Kultes wird durch einen Vergleich beantwortet. Der Aufbau des Wortes zeigt, wie dieser ganz andersartige Vergleich aus dem Prophetenwort heraustritt. Der Rahmen des Prophetenwortes ist geblieben: V. 10. 11 a und das unorganische »spricht Jahwe Zebaoth« in V. 14. Was aber in diesen Rahmen gefaßt ist, das ist Priesterbelehrung, wie sie in V. 11 b definiert ist. Es ist auch kein wirklicher Vergleich, denn die zwei Antworten der Priesterbelehrung haben in V. 14 keine Entsprechung.

In der Prophetie Maleachis tritt in anderer Weise das Lehrgespräch an die Stelle des Prophetenwortes. Ausdrückliche Vergleiche aber enthalten die von Argumentation bestimmten Worte Maleachis nicht. Man könnte 1,6 als Vergleich bezeichnen: »Wenn ich nun Vater bin, wo ist meine Ehre...?« Aber der Vergleich ist hier nur angedeutet; er ist Bestandteil eines Argumentes.

Sie sind zum Teil bei den Prophetenbüchern erwähnt, in die sie eingefügt wurden. Hier beschränke ich mich auf zwei Gruppen: Ankündigung des Gerichtes gegen Israels Feinde. Hier scheint der Vergleich eine andere Funktion anzunehmen, eine psychologisch bedingte: der ohnmächtigen Erbitterung der Unterlegenen Ausdruck zu geben. So in den einander ähnlichen Texten, in denen angekündigt wird, daß Gottes Gericht über die Völker durch Israel vollzogen werden soll, Mi 4,11–13; Sach 9,11–17; 12,2–6; Joel 4,12–13; Obd 18:

> »Das Haus Jakob wird zum Feuer,
> das Haus Joseph wird zur Flamme,
> aber das Haus Esau zu Stoppeln,
> und sie werden es in Brand stecken und verzehren.«

Diese Ankündigung, daß Jahwe sein Volk Israel als Waffe benützen wird, um die Fremdvölker zu vernichten, steht in schroffem Gegensatz zur Verkündigung Deuterojesajas. Es kommt eine Gruppe wiederum ähnlicher Texte hinzu, in denen die Vernichtung der Feinde Israels in einer so emotional-gesteigerten Sprache angekündigt wird wie sonst nirgends. Für die Geschichte der Vergleiche ist diese Gruppe deswegen besonders wichtig, weil diese Übersteigerung nur durch Vergleiche möglich ist; kein anderer sprachlicher Ausdruck wäre dasselbe auszudrücken imstande:

> Zeph 1,17: »Ihr Blut soll ausgeschüttet werden wie Staub.«
> Sach 9,15: »sie (subj. unsicher) trinken Blut wie Wein
> und werden davon voll wie Opferschalen.«
> 10,5: »und sie zertreten Helden im Kampf wie Gassenkot«,

dazu die Kelterlieder Jes 63,1–6, V.3:

> »Ich trat sie nieder in meinem Zorn
> und zerstampfte sie in meinem Grimm, daß ihr Blut
> an meine Kleider spritzte
> und ich mein Gewand besudelte...«

V.6: »so zermalmte ich die Völker in meinem Zorn«. Jes 34,1–5: Gottes Gericht über Edom (und alle Völker), V.2:

> »der Grimm Jahwes gilt allen Völkern,
> sein Zorn all ihren Heeren...
> das Schwert Jahwes ist voller Blut, es trieft von Fett...
> Denn ein Opferfest hält Jahwe in Bazra,
> ein großes Schlachten im Lande Edom...«

In all diesen Texten (es könnten noch mehr genannt werden) ist das Gericht Gottes in Vergleichen dargestellt; diese Vergleiche sind ebenso wirklichkeitsfern wie die der vorigen Gruppe. In Jes 63 ist das Gericht Gottes über die Völker als ein Keltertreten, in Kap. 34 als ein Schlachtopfer(fest) dargestellt, beide Vergleiche begegnen noch mehrmals. Auch für diese Textgruppe gilt, daß diese Ankündigung in schroffem Gegensatz zu der Botschaft Deuterojesajas steht. Bei Jes 63,1–6 tritt das noch deutlicher dadurch heraus, daß das Schicksal der Völker nach Jes 60–62 ein anderes ist als das in 63,1–6. Es kann kein Wort Tritojesajas, des Propheten von Kap. 60–62, sein. Ebenso aber ist die Wirklichkeitsferne des Vergleichs in Jes 63,1–6 eklatant. Die Vernichtung von Völkern im Zweikampf durch einen einzelnen ist unrealistisch. »Es liegt eine apokalyptische Schilderung in mythischer Sprache vor« (C. Westermann ATD 19 S. 305).

Auch das Völkerwort Jes 34 ist emotionsgeladen in seiner überbordenden Blutrünstigkeit, die sich in den bizarren und grotesk übersteigernden Vergleichen zeigt. Wie Jes 63,1–6 ist der Vergleich unrealistisch. Die Vorstellung, daß Jahwe opfert, ist für das alte Israel unvollziehbar; wem sollte er auch opfern? Der Vergleich beruht nur auf einer oberflächlichen Assoziation. Die beiden Texte sind keine Prophetenworte, auch wenn sie als solche eingekleidet sind.

Zur Geschichte des Vergleichs in den Prophetenbüchern

Solange man die Vergleiche als »Bilder« verstand und sie entsprechend als bloße Illustration bewertete, konnte man nicht darauf kommen, nach der Geschichte der Vergleiche zu fragen. Ist die eigenständige Funktion der Vergleiche im jeweiligen Zusammenhang, hier im Zusammenhang der prophetischen Verkündigung, erkannt, ist eine Wandlung der Vergleiche in den Stadien der Geschichte der Prophetie von vornherein anzunehmen. Wie für die Geschichte der Prophetie ist auch für die Geschichte des Vergleichs in der Prophetie das Exil der Wendepunkt. Die Vergleiche in Prophetenworten vor dem Exil sind anders als die Vergleiche in Prophetenworten vom Exil ab.

Vergleiche in Prophetenworten vor dem Exil

Ein deutlicher Einschnitt ist hier zwischen den Prophetenworten vor Amos – also den in den Geschichtsbüchern überlieferten – und den Prophetenworten von Amos ab. In den ersten sind Vergleiche ganz selten, weil der Horizont der Prophetenworte kleiner war und der Vergleiche noch nicht bedurfte. Es begegnen aber zu Gleichnissen erweiterte Vergleiche in besonderen Situationen Ri 9; 2 Sam 12,1–13; (1 Kön 22: Gesicht); 1 Kön 20,39–43. Die eigentliche Funktion der Vergleiche bei Prophetenworten setzt erst da ein (von Amos ab), wo Anklage und Gerichtsankündigung an das ganze Volk ergehen. Vor Amos sind Prophetenworte und Seherworte (Num 22–24) noch gesondert. Von Amos ab begegnen beide zusammen im Wirken der Propheten (Vision). Das zeigt sich auch in den Vergleichen.

Die Vergleiche bei Prophetenworten von Amos bis Jeremia (Ezechiel nur zum Teil) haben im wesentlichen die gleiche Funktion und die gleiche (kurze) Form. Die Unterschiede zwischen den Vergleichen bei den einzelnen Propheten sind nicht beträchtlich. Bezeichnend für die Vergleiche von Amos bis Jeremia: sie sind den Redeformen des Prophetenwortes zugeordnet, insbesondere der prophetischen Gerichtsankündigung in deren Gliedern. Aus diesem Zusammenhang erhalten sie ihre Funktion: Intensivierung der Ankündigung des Gerichtes, der Anklage und des Zusammenhangs beider. Dabei ist die Entsprechung von Vergleichendem und Verglichenem durchweg streng und klar.

Von Amos bis Jeremia begegnet neben dem Vergleich (sehr häufig) die Vision (selten), die durch Bild und Deutung konstituiert wird. Beides bleibt gesondert, die Vision ist vom Sehertum übernommen. Von Amos bis Jeremia umfaßt der Bereich der Vergleiche die gesamte Wirklichkeit von Mensch und Welt, die gesamte Schöpfung.

Die Vergleiche sind auf die für den Propheten wichtigsten Anklagen und deren Folge in der Gerichtsankündigung konzentriert: bei Amos und Micha die soziale Anklage, bei Hosea die Untreue Israels, bei Jesaja die Hybris, bei Jeremia die Unbegreiflichkeit des Abfalls, bei Habakuk die soziale Anklage gegen die Großmacht.

Ein Unterschied zwischen den Vergleichen der Propheten des 8. und 7. Jahrhunderts liegt darin, daß bei Jeremia und z. T. Ezechiel die Person des Propheten stärker in seine Botschaft einbezogen ist, was sich auch in den Vergleichen abzeichnet.

Vergleiche in der Prophetie während des Exils

Vergleiche bei Deuterojesaja: Die Vergleiche bei Deuterojesaja sind mit der Botschaft des Propheten fest verbunden, sie sind nach dessen Redeformen, ausgehend von der Verheißung der Befreiung, zu gruppieren, wobei die Freudenbotschaft das Ganze bestimmt. In der strengen Zuordnung der Vergleiche zu den Redeformen stimmen die Vergleiche bei Deuterojesaja mit denen der vorexilischen Prophetie überein, darin steht Deuterojesaja der vorexilischen Gerichtsprophetie näher als Ezechiel. Die Vergleiche bei der Heilsbotschaft Deuterojesajas gliedern sich nach Ankündigung der Rettung in Kap. 40–52 und Segensverheißung 54–55. Das Neue bei Deuterojesaja, daß die prophetische Verkündigung sich mit der Psalmensprache verbindet, zeichnet sich auch in den Vergleichen ab.

Vergleiche bei Ezechiel: Der Abstand der Vergleiche bei Ezechiel zu denen der Gerichtsprophetie vor ihm ist evident, einmal in dem explosiven Gebrauch der Vergleiche, dann auch darin, daß die einfachen Vergleiche zurücktreten gegenüber größeren Gebilden. Zwar bleibt die Zuordnung zu den Redeformen, aber sie weiten sich aus und sprengen oft die Form; dabei ist die Verbindung mehrerer Motive in einem Vergleich häufiger als vorher. Bezeichnend für Ezechiel ist das Hirtengleichnis Kap. 34, das in seinen zwei Teilen (die bösen Hirten – der gute Hirt) die beiden Phasen des Auftrages des Propheten verbindet. Bezeichnend ist auch der Übergang vom Vergleich bzw. Gleichnis zur Allegorie in den Allegorien der Geschichte Israels. Die Zeichenhandlungen sind bei ihm gehäuft und haben oft eine übertreibend-barocke Form. In den Völkersprüchen verselbständigt sich der Vergleich durch ausmalende Erweiterungen mit geliehenen Motiven. Es sind sekundäre literarische Kompositionen. Die Visionen Ezechiels vollziehen den Übergang von der Prophetie zur Apokalyptik; das Transzendente wird in Bildern dargestellt. In alledem läßt sich beobachten, wie sich die Beziehung von Vergleichendem und Verglichenem lockert.

Vergleiche in der nachexilischen Prophetie

Das Exil bedeutet auch für die Vergleiche einen großen Einschnitt. Die wichtigsten Wandlungen sind:

a) Während bis zum Exil Wiederholungen von Vergleichen verhältnismäßig selten sind (manche häufig begegnenden Vergleiche wie Feuer des Zorns Gottes kommen einer Metapher nahe), werden vom Exil ab manche Vergleiche häufig, zum Teil stereotyp gebraucht, originale Vergleiche werden selten. Ein Beispiel: Oft begegnet der Zornesbecher oder Taumelbecher wie in Jer 25; Hab 3,15 f.; Obd 16; Nah 3,18; Sach 12,2 oder Obd 4 = Hab 2,9. Dabei wird oft die Funktion übernommener Vergleiche abgewandelt; der Vergleich etwa mit dem Löwen begegnet in vielen Zusammenhängen.

b) Es begegnen Häufungen von Vergleichen, so mehrfach bei Tritojesaja, z. B. 61,1–3. Solche Häufungen mindern die Klarheit und Schärfe des Vergleichs, wie überhaupt die Kraft des Vergleichs vielfach nachläßt. In Jes 59,7 geht diese Häufung in das Allegorisieren über.

c) Dem entspricht es, daß manchmal die Schärfe der Entsprechung von Vergleichendem und Verglichenem nachläßt. Das ist zuerst bei den Vergleichen in den Völkersprüchen Ezechiels zu beobachten, wo die Vergleiche sich verselbständigen und sich so von dem Verglichenen ablösen. Das zeigt sich wie schon bei Ezechiel besonders in Joel, wo einmal der Ruf zur Klage in Kap. 1 das Eintreten der Heuschreckenplage schon voraussetzt, wo außerdem in Kap. 2 die Schilderung des Heranziehens der Heuschrecken in 2,3 b–9 von dem Rahmen 2,1–3 a. 10–12, der das Kommen des Tages Jahwes ankündigt, durchaus unabhängig und nur lose mit ihm verbunden ist. Auch der Vergleich Hag 2,10–14 ist unorganisch eingefügt.

d) Nicht selten werden jetzt Vergleiche zum Grotesken und Bizarren gesteigert.

Vergleiche in den Psalmen

Vergleiche begegnen in den Psalmen etwa gleich häufig wie bei den Propheten, so daß sie als ein wesentlicher Bestandteil der Psalmen angesehen werden müssen.

So wie in den Prophetenworten die Vergleiche von dem Auftrag des Propheten und dessen Ausführung bestimmt sind, sind sie in den Psalmen von dem bestimmt, was in ihnen zwischen Gott und Mensch vor sich geht, insbesondere in Klage und Gotteslob. Die Vergleiche gliedern sich von selbst nach der Struktur der Klage- und Lobpsalmen. Wenn dieselben Vergleiche in verschiedenen Teilen der Psalmen vorkommen, liegt gewöhnlich eine Motivwanderung vor.

Vergleiche in den Klagepsalmen. Die Vergleiche sind den drei Gliedern der Klage des Volkes und der Klage des einzelnen zugeordnet (hierzu vgl. C. Westermann, Struktur und Geschichte der Klage... S. 125–164, in »Lob und Klage...«).

Vergleiche bei der Gott-Klage (Anklage Gottes). Obwohl die Zahl der Volksklagen sehr viel geringer ist als die der Einzelklagen, begegnen in der Volksklage Vergleiche bei der Gott-Klage häufiger (44; 79; 80; 89; Klgl 1,15) als in den Einzelklagen (22; 38; 42; 88; 102; Klgl 3). Der Grund liegt im Zurücktreten der Gott-Klage in den Einzelklagen überhaupt; sie ist hier oft in negative Bitten abgewandelt. Die Vergleiche werfen alle Gott ein feindliches, schädigendes Sich-Verhalten vor: gegenüber seinem Volk (in der Volksklage):

> »du gibst uns preis wie Schlachtvieh...«, 44,12. 23
> »du verkaufst dein Volk um ein Spottgeld...«, 44,12
> »du hast uns getränkt mit betäubendem Wein...«, 60,5
> »und hast uns gespeist mit Tränenbrot...,
> getränkt mit Tränen«, 80,6;

dazu 89,40. 44; 80,13; 44,24; Klgl 1,12. 13. 15; 79,5; 44,20; Klgl 3,44; 2,3; 4,11. Gegenüber einzelnen in der Einzelklage:

> »in den Staub des Todes legst du mich«, 22,16
> »denn deine Pfeile haben mich getroffen« 38,3
> »alle deine Wellen und Wogen gehen über mich hin«, 42,8;

dazu 88,7. 8. 17f.; 102,11; Klgl 3,1–16.

Alle diese Vergleiche haben die Funktion, die gegen Gott erhobene Anklage zu verschärfen. Die Vielzahl, die Mannigfaltigkeit der Vergleiche zeigt die leidenschaftliche Bewegtheit der Vorwürfe, die sich nicht nur auf einen Vergleich festlegen lassen können. Indem die Vergleiche den Vorwurf gegen Gott verstärken, sind sie selber Vorwürfe. Zu verstehen sind solche Anklagen gegen Gott nur dort, wo Gott hinter allem steht, was geschieht und das jedem ganz selbstverständlich und ohne alle Reflexion bewußt ist. Es ist die Sprache der Leiden und der Schmerzen, die hier zu Wort kommt. Als objektive Aussagen über Gott wären solche Anklagen mißverstanden. In ihnen ist der Aufschrei des Schmerzes, der Schmerzenslaut des Geschlagenen zu hören. Das wird noch deutlicher, wenn man sieht, wie die Vergleiche in den beiden Gruppen jeweils die Erfahrungen des Volkes und des einzelnen spiegeln: In der Klage des Volkes erheben die Klagenden den Vorwurf, daß Gott zum Feind seines Volkes geworden sei: »Er hat seinen Bogen gespannt wie ein Feind«, Klgl 2,3–8; »eingerissen hast du all seine Mauern«, Ps 89,40. Vgl. 80,13; 89,40. 44; Klgl 3,5; diese sind im strengen Sinn keine Vergleiche, kommen ihnen aber nahe, weil ein komplexer geschichtlicher Vorgang, der Verlust eines Kampfes, in eine einzelne Handlung konzentriert ist. Anstatt sich seines Volkes anzunehmen, gibt er es preis: »wie Schlachtvieh«, 44,12. 23; verkauft es um ein Spottgeld, 44,13. Statt seinem Volk Ruhm zu verschaffen, hat er: »seine Krone zu Boden getreten«, 89,40; vgl. Klgl 3,16. 45. Dahinter steht die Anklage, daß sich Gott von seinem Volk abgewendet hat: Ps 44,2; Klgl 3,44, die Anklage, daß Gott sich im Zorn gegen sein Volk wendet. Dabei wird immer wieder der Zorn Gottes mit der Glut des Feuers verglichen, Klgl 2,3 ff.; Ps 79,5; Klgl 1,12. 13.

Ganz anders sind die Vergleiche in den Einzelklagen. Häufig ist die Anklage, daß Gott den Klagenden in die Tiefe des Wassers (Meeres) hinabstoße: Ps 42,8; 88,8. 17 f., in die Finsternis 88,7; Klgl 3,2, des Grabes oder des Todes Ps 22,16; 88,7; Klgl 3,6; 3,1. 9. Auch hier wird Gott angeklagt, daß er zum Feind wurde, aber das ist auf den einzelnen bezogen: Ps 38,3; Klgl 3,12. 13; 102,11. Die Feindklage, zu der der Vergleich mit den wilden Tieren gehört, kann auf die Anklage Gottes übertragen werden: Klgl 3,10.

Hört man diese Vergleiche bei den Anklagen Gottes in den Klagepsalmen zusammen, sagen sie deutlicher als ein zusammenfassender, abstrahierender Begriff, welchen Sinn die Anklage Gottes in den Psalmen hat. Ohne die Vergleiche wäre diese undenkbar.

Vergleiche bei der Ich-(Wir-)Klage. Sie begegnen überwiegend in den Klagen des einzelnen. In der Ich-Klage vollzieht sich insbesondere das persönliche Sich-Aussprechen des Leides. Nur hier begegnet eine Gruppe von Stellen, in der das Klagen als solches geschildert wird, 102,1: »Meine Klage schütte ich vor ihm aus«, 142,3; 119,15 b, und besonders sprechend: »Tränen sind meine Speise geworden bei Tag und bei Nacht«, ähnlich 102,2 (hier Speise und Trank). Der Rhythmus des Lebens ist dadurch gestört und bedroht, daß an die Stelle von Essen und Trinken die Tränen getreten sind. Der Vergleich steht auch Ps 80,6, hier durch Motivwanderung?

Die Vergleiche bei der Ich-Klage haben nicht wie die bei der Gott-Klage die Funktion des Verstärkens, Intensivierens; das zeigt die Art der Vergleiche. Eine kleine Beobachtung zeigt das schon: wilde Tiere kommen hier bei den Vergleichen nicht vor, nur Schaf, Hirsch, Wurm, Vögel: Tauben, Dohle, Eule. Ein den meisten Vergleichen gemeinsamer Zug ist, daß sie auf die Kreatürlichkeit des in diesen Ich-Klagen Redenden weisen: Körper und Glieder, Essen und Trinken, Pflanzen und Tiere. In alledem hält die leidende Kreatur Mensch ihre bedrohte Kreatürlichkeit ihrem Schöpfer vor. Es ist nicht ein leidenschaftliches Vorwerfen wie in der Gott-Klage, sondern ein flehendes Vorhalten, das sich in den Vergleichen zeigt. Dieser feine Unterschied kommt nur durch die Vergleiche zum Vorschein. Es ist die Hinfälligkeit des menschlichen Daseins, auf die die meisten Vergleiche weisen; das dem Klagenden widerfahrene Leid in seinem Gefälle zum Tod hin, als Mächtigwerden des Todes mitten im Leben: »Ich bin dem Gedächtnis entschwunden wie ein Toter, bin geworden wie ein zerbrochenes Gefäß«, Ps 31,12; vgl. 88,6; 55,5; 88,16 f. In solchen Sätzen ist der Tod als in das Leben hineinragende Macht verstanden. Das kann sehr verschieden ausgedrückt werden, deshalb steht 55,5 nicht im Widerspruch zu 31,12; 88,6. Ähnlich 44,26: »unsere Seele ist in den Staub hinabgelegt, unser Leib liegt am Boden«, dazu 119,25 oder 28,1; »wie ein Taubstummer«, 38,14 f. Dasselbe Gefälle zum Tod hin wird als Versinken in den Fluten dargestellt, 69,2: »Schon dringt mir das Wasser bis an die Kehle, bin versunken in tiefem Schlamm..., in Wassertiefen bin ich geraten, die Strömung reißt mich fort!« Dieser Text zeigt die Tendenz zur Erweiterung des Vergleichs in Richtung auf eine Erzählung, ähnlich auch Klgl 3,54, dazu Ps 38,5: »... denn meine Sünden schlagen über meinem Kopf zusammen...«, hier ist das Sündenbekenntnis mit der Ich-Klage verbunden. Das Mächtigwerden des Todes kann auch als Auflösung beschrieben werden, Ps 22,15–16: »Wie Wasser bin ich hingeschüttet,... zerflossen in meiner Brust«, vgl. 102,4f. 12; 119,83: »ein Schlauch voller Risse«. Einige dieser Vergleiche zeigen schon den Übergang zur Vergänglichkeitsklage, in der die Ich-Klage auf das Todesschicksal des Menschen erweitert verallgemeinert ist, auch mit vielen Vergleichen: Ps 39,6. 7. 12. 13; 49,12. 13. 15. 21; 62,10; 90,5f. 10; 144,4 und besonders im Hiobbuch. Das also halten die Klagenden dem vor, der ihnen das Leben gab: du bist es, der uns das Leben gab – und nun läßt du es schwinden, versinken, zerbrechen! Wenn das in so verschiedenen Vergleichen gesagt werden kann, ist gerade das charakteristisch; diese Vielfalt entspricht der Wirklichkeit, in der das Leid aus der Vielfalt und Vielgestaltigkeit des einzelnen Menschenschicksals erwächst.

In einer anderen Gruppe findet die dem Schöpfer vorgehaltene Kreatürlichkeit ihren Ausdruck im Vergleich mit und in der Nähe zu der »seufzenden Kreatur«: Das Leid bewirkt Einsamkeit und Erniedrigung, 102,4: »Ich bin eine Dohle in der Wüste, wie eine Eule in öden Ruinen«; vgl. V. 8; (55,3); 119,176; 22,7; 55,17. Zu einem besonders prägnanten Ausdruck kommt die Verbundenheit mit der übrigen Kreatur an Stellen, wo das Lechzen der Tiere nach Wasser mit der Sehnsucht des Menschen nach Gottes Zuwendung verglichen wird, 42,7: »Wie der Hirsch lechzt nach frischem Wasser (andere Übersetzung: »lechzt an versiegenden Bächen«), so schreit (lechzt) meine Seele, Gott, nach dir!«, und 63,2; 143,6: »... wie lechzendes Land«. Wenn in dieser Gruppe Vergleiche mit Tieren stehen, zeigt das an, wie sich der hinfällige Mensch mit der Kreatur (nicht nur den Tieren, auch dem Land) verbunden weiß und sein Leiden mit der seufzenden Kreatur zusammen erleidet. Was etwa dieser Vergleich sagt: »Ich liege wach und klage wie ein einsamer Vogel auf dem Dach«, kann man in einem Begriff nicht wiedergeben, und diesen Vergleich kann auch nur ein Leidender wirklich verstehen. Diese Gruppe von Vergleichen allein beweist, daß für die Menschen im alten Israel das, was die Bibel vom Schöpfer und der Schöpfung sagt, eine im Alltag bewußte Wirklichkeit war.

Vergleiche in der Wir-Klage begegnen nur wenige, diese wenigen aber (meist in Volksklagen außerhalb des Psalters) lassen die Entstehungszeit erkennen, um das Exil (Klgl und Dtjes; Klgl 5 besteht fast nur aus einer zum Bericht erweiterten Wir-Klage). In Klgl 1,1–2 wird Jerusalem als eine einsame, trauernde Witwe beklagt: »O weh! wie sitzt die Stadt nun einsam, die einst so reich an Volk war. Sie ist wie eine Witwe...« Dieser Vergleich mit einer kinderlosen Witwe begegnet bei Deuterojesaja an vielen Stellen: »... und der Schande deiner Witwenschaft nicht mehr gedenken«, Jes 49,20. 21; 51,18. 20; 54,1. 4. 6. Er läßt noch in der Wiederspiegelung des Heilswortes die Vergleiche in der hier vorausgesetzten Klage erkennen. Bezeichnend ist dabei, daß der Wir-Klage ein auf eine Gemeinschaft bezogener Vergleich entspricht. Bezeichnend für die Zeit um den Zusammenbruch ist auch, daß an mehreren Stellen die Schande des Leides sehr grelle Vergleiche findet, Klgl 3,45: »Zu Kehricht und Unrat machtest du uns inmitten der Völker«, verbunden mit der Gott-Klage. Dazu Klgl 5,16; Jes 64,5f.; Klgl 1,8f.:

»Schwer gesündigt hat Jerusalem,
sie ist unrein geworden;
die einst sie verehrten, verachten sie,
sie sahen ihre Blöße...,
besudelt ist ihre Schleppe.«

Ebenfalls bezeichnend für die Klage der Exilzeit ist die Verbindung mit dem Sündenbekenntnis, Jes 64,5f.; Klgl 5,7. 16. Das sagt auch, verbunden mit der Gott-Klage, ein origineller Vergleich in Klgl 1,14:

»Er hat gewacht über meinen Sünden;
sie schlingen sich um meine Hände,
sie lasten als Joch auf meinem Nacken«.

Dieser Vergleich geht in Richtung auf eine kleine Erzählung: Gott hat Israel in seinen Sünden gefunden, nun erfährt Israel dessen Folgen, jetzt sind sie durch sie gebunden und haben ihre Folgen zu tragen.
Andere Vergleiche haben die Funktion, die Größe des Zusammenbruchs zu schildern, sie alle intensivieren die Wir-Klage, Jes 59,9f.:

»Wir harren auf das Licht und siehe da: Finsternis...
Wir tappen wie die Blinden an der Wand, wie ohne Augen
tasten wir, straucheln am Mittag...«

dazu V. 14, das Darstellen der Trauer auch bei der Einzelklage; Klgl 3,10; 2,13; 5,15. Und wieder besonders bezeichnend für die Klage nach dem Zusammenbruch ist ein zweigliedriger Kontrastvergleich in Klgl 4,2–8:

»Die Söhne Zions, kostbares, feines Gold –
irdenes Geschirr; die Töchter Zions, selbst Schakale... –
hart wie Strauße;
die Fürsten, weißer als Milch – schwärzer als Ruß.«

Aber hier ist der Abstand vom einfachen Vergleich bei der Wir-Klage erheblich: die Klage ist in Schilderung gewandelt (3. pers.), die Schilderung stark rhetorisch durch den Kontrast früher – jetzt. Dabei benutzt das Glied »früher« bei den Fürsten in V. 7 eine andere Gattung, den Preis der Schönheit wie in den Cantica. Ein einfacher Vergleich dagegen in Klgl 1,6: »ihre Fürsten gleichen Hirschen, die keine Weide finden«.
Abschließend: Die Vergleiche bei der Wir-Klage sind dem Leben des Volkes, die der Ich-Klage dem Leben des einzelnen, dem persönlichen Lebensbereich zugeordnet. Diese beiden Daseinsbereiche sind in der zu Gott gerichteten Klage in der Weise anwesend, daß die Elemente, aus denen der eine wie der andere Bereich besteht, in den Vergleichen genannt und durch sie in einen weiteren Zusammenhang gestellt werden, z. B. wird der Leidende in den Kreis der leidenden Kreatur gestellt.
Scheidet, wie im christlichen Gebet, die Klage aus dem Gebet aus, haben auch die Vergleiche keinen Ort mehr, und das Gebet erhält einen mehr begrifflichen, abstrakten Charakter. Es ist zu fragen, ob damit nicht etwas Wesentliches aus dem biblischen Gebet verlorenging.

Vergleiche bei den Feindklagen. Sie gehören fast alle den Klagen des einzelnen an. In den Volksklagen wird berichtet, was die (politischen) Feinde des Volkes *getan haben;* dazu gehören keine Vergleiche. In den Klagen des einzelnen bedrohen die Feinde, Frevler, Gottlosen den Klagenden. Diese Bedrohung wird in vielen Vergleichen intensiviert, es ist die zahlenmäßig stärkste Gruppe. Zum Folgenden vgl. den Abschnitt zur Feindklage in: C. Westermann, Struktur und Geschichte der Klage, S. 144–149, in »Lob und Klage…«. Die Vergleiche gliedern sich in drei deutlich voneinander unterschiedene Gruppen. In allen dreien geht es um die Bedrohung durch die Feinde.

a) Von wilden Tieren bedroht. In Ps 22 ist der Vergleich besonders ausführlich, V. 13:

> »Mich umgeben mächtige Stiere,
> Büffel von Basan umringen mich,
> sie (die Feinde) sperren den Rachen gegen mich auf,
> wie ein reißender, brüllender Löwe…«,

weiter V. 17. 21 f. Alle diese Sätze sagen lediglich eine Bedrohung aus; ohne Vergleich V. 17 b: »mich umkreist die Rotte der Übeltäter«. Dem entsprechen andere Stellen: »Ich muß mitten unter Löwen lagern, die nach Menschen gieren«; »er lauert im Verborgenen wie ein Löwe im Dickicht…« 10,9 f. und 59,7. 15 f.; 17,11 f. Alle diese einander sehr ähnlichen Vergleiche sollen offenbar die gleiche Bedrohung umschreiben. Diese Gruppe von Stellen wäre falsch verstanden, würde man sagen, die Feinde des Beters sind im Bild von wilden Tieren dargestellt. Vielmehr wird die Bedrohung des Klagenden mit der Bedrohung durch wilde Tiere verglichen. Er fleht um die Abwendung dieser Bedrohung: »… daß er mich nicht zerreiße wie ein Löwe«, Ps 7,3; vgl. 58,7. Abgesehen von der Bedrohung sagt der Vergleich über die Gegner der Klagenden nichts, außer daß es ein übermächtiger Gegner ist. In keinem der Sätze ist auch nur angedeutet, daß die »wilden Tiere« den Klagenden angefallen, angesprungen, gepackt hätten. Es ist zu beachten, daß die wilden Tiere in dem Teil »Bitte gegen die Feinde« nicht wiederkehren. Sie bezeichnen die Bedrohung durch die Feinde, nicht aber die Feinde als solche.

b) In einer zweiten Gruppe von Stellen kommt ein anderer Aspekt der gleichen Bedrohung hinzu. Das bedrohende wilde Tier hört man und sieht man; bedroht fühlen sich die Klagenden aber auch durch Gefahren für ihr Leben, die sie nicht sehen und vor denen sie gerade deswegen immer in Angst sein müssen. Diese unsichtbaren Gefahren werden mit Grube, Netz, Schlinge, Falle verglichen: »Denn ohne Ursache haben sie mir ihre Netze gestellt, ohne Ursache eine Grube gegraben«, Ps 35,7; 57,7: »sie haben meinen Schritten ein Netz gelegt, sie haben vor mir eine Grube gegraben«. So und ähnlich auch 7,16; 9,16; 10,2. 9; 64,6; 91,3; 104,6; 119,85. Ohne Vergleich 64,6. 7: »Sie sind entschlossen zu bösem Anschlag… sie planen Freveltaten, verbergen den ersonnenen Plan.« Wie bei dem Vergleich mit den wilden Tieren geht keine dieser Klagen über die Bedrohung hinaus; nie wird gesagt, daß einer in die Falle gegangen, in die Grube gefallen sei. Beide Vergleiche können auch miteinander verbunden sein: 10,9; 57,5–7.

c) Das Wort als Waffe. Die ersten beiden Vergleiche sagen nichts davon, worum es bei der Bedrohung geht. Einen entfernten Hinweis darauf gibt die dritte Gruppe: die Waffen, von denen die Klagenden bedroht sind, sind Worte. Daß es dabei um die gleiche Situation der Bedrohung geht, zeigt Ps 57,5–7, wo alle drei im gleichen Psalm aneinandergereiht sind. Die Klagenden müssen leben »unter Menschen, deren Zähne Spieße und Pfeile sind, deren Zunge ein scharfes Schwert« 57,5; vgl. 5,10; 64,4; 52,4, dazu 12,3–5; 7,13; 11,2; 37,14; 64,4–9; 10,7; 42,11; 52,4. 6; 55,22; 59,8; 73,9; 140,4 (kombiniert mit wilden Tieren). Diese größte Gruppe von Vergleichen zeigt einmal, daß keine politischen Feinde gemeint sein können; sie leben mit den Klagenden in derselben Gemeinschaft am selben

Ort. Sie zeigt weiter, daß die sie Bedrohenden unter den Gesetzen dieser Gemeinschaft und dieses Ortes leben und deshalb die Klagenden nicht einfach mit Gewalt beseitigen können. Sie zeigt drittens, daß ihre Überlegenheit ihnen ermöglicht, die Klagenden mit Worten anzugreifen, sie zu demütigen, zu verletzen und zu kränken, ihnen ihre Ehre zu nehmen.

Das Ende der Frevler: Während die Vergleiche der ersten drei Gruppen unmittelbarer Ausdruck der Bedrohung der Klagenden sind, tritt in einer vierten Gruppe eine Erweiterung hinzu, die darüber hinausgeht und kein notwendig zur Klage gehörendes Glied mehr ist. Denn es geht in diesen Sätzen nicht mehr um die Abwendung der Bedrohung, sondern um den Wunsch oder die Bitte, daß der bedrohende Feind sterbe, und zwar als Vergeltung für sein Verhalten an dem Klagenden. Als Vergeltungswunsch ist er mehrfach den anderen Vergleichen angefügt: daß der, der die Grube gegraben habe, selbst hineinfalle, 57,7; 7,16; 9,16; 10,2; 36,7f.; 69,24: »ihr Schwert dringe in ihr eigenes Herz«, 37,15. »Jahwe wolle ausrotten alle falschen Lippen«, 12,3–5; »er bringt sie zu Fall ob ihrer Zunge«, 64,9. Die Mehrzahl der Vergleiche bringt den Wunsch zum Ausdruck, daß der Frevel der Feinde auf sie zurückfalle. Ihr Fluch soll sie selbst treffen (109,18). Hinter dieser Gruppe von Stellen steht das magische Tat-Folge-Denken, das dem Denken und der Sprache der Psalmen fern ist.

In einer weiteren Gruppe wird in den Vergleichen das Ende der Frevler gewünscht; sie haben die Funktion der Intensivierung dieses Wunsches. Sie sollen »verwelken schnell wie das Gras, wie grünes Kraut verdorren«, 37,2, sie sind »wie die Pracht der Auen, sie schwinden dahin wie Rauch«, 37,20. 35f.; 50,8–9; 68,3; 73,20; 129,6. Diese einander sehr ähnlichen Vergleiche gehören ursprünglich zur Vergänglichkeitsklage, hier sind sie von dort übernommen. Nicht wesentlich anders, wo Gott das Ende der Frevler herbeiführt oder führen soll: »Laß die Gottlosen fallen ins eigene Netz!« 141,8; 58,7; 64,8f.; als Bitte gefaßt 83,14–16; 119,119; 58,10; 11,6: Feuer und Schwefel, aus der Volksklage übernommen; 75,9 ebenfalls: Zornesbecher. Andere Fassungen 52,7; 58,10; 73,18; 79,6.

Abschließend: Die ersten drei Gruppen der Vergleiche bei der Feindklage bezeichnen drei Aspekte des Verklagens der Feinde; in allen dreien ist der Klagende von den Feinden bedroht. Die weitgehende Ähnlichkeit der Vergleiche in den drei Gruppen weist auf die allen gemeinsame Situation der Scheidung zwischen Gerechten und Gottlosen, die ebenso in den Sprüchen und im Buch Hiob zu erkennen ist. Das zeigt sich noch deutlicher an der Weiterbildung in der vierten Gruppe: das Ende der Frevler, das nur aus dieser Situation zu erklären ist und in der es originale Vergleiche so gut wie keine mehr gibt, es sind alles geliehene. Das ist deswegen theologisch wichtig, weil von den Vergleichen her die Bitte gegen die Feinde und damit auch das Verfluchen der Feinde als ein sekundärer Zuwachs zu den Klagen des einzelnen nachzuweisen ist, der aus einer erkennbaren, begrenzten Situation erwachsen ist.

Vergleiche bei der Bitte. Es ist zu unterscheiden zwischen dem Flehen aus der Not, einem Hauptteil des Klagepsalms, und der transitiven Bitte (Bitte um etwas), die eigentlich zum Segen gehört, als Segensbitte, und in den Klagepsalmen nur in Erweiterungen vorkommt. Zum Flehen aus der Not gehören Vergleiche gewöhnlich nicht. Sie begegnen zwar gelegentlich, aber das sind oft geliehene Vergleiche; feste Gruppen des Gebrauchs gibt es hier nicht. Wir können nur feststellen, daß der Vergleich beim Flehen aus der Not keine Funktion hat. Zu erklären ist das daraus, daß dieser Teil des Psalms einmal ein selbständiger Vorgang war, der Hilferuf, der Schrei aus der Tiefe: *hōší 'anāh*. Der Hilferuf aber ist so elementar, daß er keinerlei Vergleiche braucht oder bei sich haben kann. 35,1–3:

>>Streite, Jahwe, gegen alle...
Ergreife Schild und Waffen...
schwinge Speer und Lanze<<,

ist bei dem Flehen um Hilfe aus einer Epiphanie entlehnt.
In 69,15–16 ist das Flehen um Rettung, entfaltet als Herausreißen aus dem Sumpf, tiefem Wasser, dem Brunnenschacht, mit der Klage kombiniert, wie die Gruppe der Vergleiche bei der Ich-Klage zeigt; vgl. 71,2. 20; 142,8. Einer anderen Gruppe der Ich-Klage, der Bedrohung durch wilde Tiere, entsprechen 35,17: >>Errette meine Seele vor den Brüllern, vor den Junglöwen mein Leben<<, und 74,19. In Ps 141 bezieht sich die Bitte: >>Schütte mein Leben nicht aus!<< auf die Klage: >>... wie Wasser hingeschüttet...<<, ebenso wie die Bitte 56,9: >>Sammle die Tränen in einen Krug.<< Dazu in den Volksklagen, 126,4: >>Wende, Jahwe, unser Geschick, wie du versiegte Bäche wiederbringst im Südland!<< bezieht sich auf die späte Verheißung mit der Wendung šūb šebūt, z. B. Jes 64,1: >>O daß du den Himmel zerrissest und führest herab!<<, eine Abwandlung der Epiphanie zur Bitte. In Ps 60,4: >>Heile seine Risse, es kam ja ins Wanken<<, auf eine Volksklage oder auf die Gerichtsankündigung Jesajas 30,13: >>... wird sein wie ein Riß in einer hohen Mauer<<. Man sieht an diesem Bestand deutlich: das Flehen um Rettung hat sich zwar an einigen Stellen mit einem Vergleich verbunden, aber das ist dann ein an die Bitte herangebrachter Vergleich, dessen Herkunft in den meisten Fällen zu erkennen ist. Eine auffällige Ausnahme hiervon bildet nur der 123. Psalm, in dem die Gebärde des Flehens zu einem Gleichnis gestaltet ist.
Die transitive Bitte, die an einigen Stellen erweiternd angefügt ist, besteht in erster Linie in Varianten der Segensbitte. Ps 4,7: >>Erhebe über uns das Licht deines Angesichts<<, eine Variante von Num 6,24–26, wobei aber >>Licht<< hier wie dort kaum noch als Vergleich verstanden ist. Ein Vertrauensausdruck, zur Bitte gestaltet, ist Ps 17,8: >>Behüte mich wie den Stern im Auge, im Schatten deiner Flügel wollest du mich bergen vor...<<, eine Bitte um Bewahrung, 90,16: >>Sättige uns am Morgen mit deiner Huld.<< Dazu die Bitte um Weisung und Führung, 25,4: >>Zeige uns deine Wege, deine Pfade lehre mich<<; vgl. V. 5. 10. 12; 27,11; 43,3: >>Sende dein Licht und deine Treue, daß sie mich leiten, mich bringen nach...<<, und 141,3: >>Setze, Jahwe, eine Wache meinem Mund und eine Hut der Tür meiner Lippen!<< Aber Vergleiche im strengen Sinn sind das nicht mehr. Die Sprache ist weisheitlich.
Vergleiche bei dem Rückblick auf Gottes früheres Heilshandeln: Dieser Teil ist der Klage des Volkes eigen, bei der Klage des einzelnen begegnet er fast nie. Vergleiche bei diesem Teil, die darin vorkommen, beziehen sich auf den Anfang der Volksgeschichte.

Ps 44,3: >>du hast Völker vertrieben, sie aber eingepflanzt,
du hast Nationen zerschlagen, sie aber eingesät<<,
Ps 74,2: >>Gedenke deiner Gemeinde, die du von alters erworben,
die du als dein Volk erkauft hast!<<

und 80,9–12; Jes 63,11–14. Alle diese Vergleiche gehören eigentlich zum Gotteslob, dem Lob des Gottes, der Israel aus Ägypten befreit und es in das verheißene Land gebracht hat. Aber als Bestandteil der Volksklage haben sie die Funktion, Gott an seine Rettungstat am Anfang zu erinnern und ihm zum Helfen in der Gegenwart zu bewegen. Das kommt am stärksten in Ps 80 zum Ausdruck, in dem der Vergleich zu einem Gleichnis erweitert ist. Erreicht ist, daß eine Vorgangsfolge, das Tun des Weingärtners, neben die Folge der Vorgänge in der Geschichte damals und jetzt gestellt wird.

Vergleiche beim Ausdruck des *Vertrauens* oder *Bekenntnis der Zuversicht:* Dem Ausdruck des Vertrauens gehört die größte und in mancher Beziehung markanteste Gruppe von Vergleichen im Psalter an. Am Ende ist zu fragen, worin das begründet ist. In der weitaus überwiegenden Zahl der Vergleiche sind diese Ausdrücke des Vertrauens zu dem aus Not und Gefahr rettenden Gott, nur bei einer geringen Zahl zu dem segnenden, versorgenden, geleitenden Gott.

Oft ist die Grenze zwischen Vergleich und direkter Bezeichnung fließend. Oft begegnet das Nomen ʻōz = Kraft, Stärke: »Jahwe ist meine Stärke«, das kein Vergleich ist, aber oft im Parallelismus zu einem Wort des Vergleichs steht: Ps 28,7: »Jahwe, meine Stärke und mein Schild, auf ihn vertraut mein Herz«, dazu 46,2; 59,10; 62,8. 12; 71,7; 81,2; 84,6; 86,12; Jer 16,19 u. ö. Das Nomen vom gleichen Stamm mit mēm locale: māʻōz ist ein Vergleich. Das mēm locale begegnet bei mehreren Nomina dieser Gruppe. Man kann zwar nicht immer mit Sicherheit entscheiden, ob die lokale Bedeutung noch virulent ist; aber sie liegt immer der Wortbildung zugrunde: Ort, an dem man sich birgt: maḥaseh; Ort, an dem man Zuflucht sucht: mānōs. Im profanen Gebrauch ist maḥaseh Zufluchtsort für Menschen und Tiere: Hi 24,8; Ps 104,18, vgl. Jes 25,4; 28,15. 17. Sonst kommt das Wort nur im Bekenntnis der Zuversicht oder Ableitungen davon vor. Die ursprünglich lokale Bedeutung zeigt Ps 61,4: »Denn du bist meine Zuflucht, ein starker Turm vor dem Feinde«, oder 91,2: »Meine Zuflucht, meine Burg, mein Gott, auf den ich vertraue«, Jer 17,17: »du meine Zuflucht am Tag des Unheils«. Die Bedeutung ist an allen Stellen im wesentlichen gleich: Ps 14,6; 46,2; 62,8. 9; 71,7; 73,28; 91,2. 9; 142,6; 94,22; Joel 4,16; Spr 14,26; Jes 4,6. Der Vergleich ist aus seinem Ort im Aufbau des Klagepsalms zu verstehen, im Übergang von der Klage zur Bitte. Nur in dieser sich äußernden Notsituation hat das Erreichen eines Zufluchtsortes einen Sinn. Aus dieser Situation erhalten die Vergleiche ihre Funktion: sie sollen das Vertrauen stärken; das entspricht der hohen Bedeutung, die die Mitte des Klagepsalms für das Gottesverhältnis im AT hat. In dieser Mitte, in der sich der Beter, nachdem er sein Herz ausgeschüttet hat, von seiner Not weg an den Helfer klammert, erhält die »Notwendigkeit« Gottes ihren stärksten Ausdruck. Hier zeigt es sich, was Gott für ihn bedeutet. Von dieser Notwendigkeit reden die Vergleiche: es gibt den Ort, an dem man sich in der Stunde der Bedrängnis bergen kann. Die Erfahrung der Rettung, die viele gemacht haben, gibt diese Vergleiche als eine offene Möglichkeit weiter.

Es kommt eine kleine Gruppe mit mānōs = Zuflucht in der gleichen Bedeutung hinzu: Ps 59,17; 2 Sam 22,3 und Jer 16,19. Beiden steht mibṭāḥ nahe: Ort der Sicherheit, Zuversicht, Vertrauen. Ps 40,5: »Wohl dem Mann, der sein Vertrauen auf Jahwe setzt« = Jer 17,7. Ps 65,6: »du Zuversicht aller Enden der Erde«, und 71,5 f.
Eine der ersten nahestehende Gruppe bilden die Vergleiche Gottes mit einem Felsen oder einer Burg, oft im Parallelismus mit einem Wort aus der ersten Gruppe. Gott ein Felsen (ṣūr, 26 Stellen), Gott wird als Fels angeredet: »Dich rufe ich an, Jahwe, mein Fels!« Ps 28,1; 19,15: »Jahwe, mein Fels und mein Erlöser!«, dazu 73,26; 92,16; 89,27; dazu mit säla' = Felsen 18,3; 31,4; 42,10; in der 3. pers. 18,3. 4. 7. Jahwe ist mein Fels und meine Burg 62,3. 7. 8: »Nur er ist mein Fels und meine Hilfe, meine Burg...«, dazu 32,31; 76,6 (LXX); 2 Sam 23,3; Jes 30,29; 94,22, als Gotteslob Jes 26,4; Ps 18,32: »Wer ist ein Felsen außer unserem Gott?«; Jes 44,8: »Ist ein Gott außer mir, ist ein Fels?«; Dtn 32,4. 37;

2 Sam 23,3; Jes 30,29; Ps 144,1: »gelobt sei mein Fels«; Ps 95,1: »jauchzet dem Fels meiner Hilfe!«; zur Bitte gestaltet 31,3; 71,3; rückblickend 78,35; Jes 17,10. Der Vergleich Gottes mit einem Felsen hat die gleiche Bedeutung und die gleiche Funktion wie der mit dem Zufluchtsort, der Felsen ist ein möglicher Zufluchtsort, ein Ort, der Bergung und Sicherheit in tödlicher Gefahr bedeutet. Daß hier nicht ein Seiendes mit einem Seienden, sondern ein Vorgang mit einem Vorgang verglichen wird, zeigt die Abwandlung, daß Gott den Beter auf einen Felsen bringt, Ps 27,5: »auf einen Felsen hebt er mich«, dasselbe 40,3 mit *säla'*; als Bitte 61,3. Wenn dieser Vergleich weitergeht in das Gotteslob, den Rückblick und in das Flehen um Rettung, zeigt das, wie sehr er zur Mitte des Klagepsalms gehört.

Gott als Burg *(misgāb*, 17 Stellen), dazu meşūdāh = Bergfeste (5 Stellen), *mā'ōz* Bollwerk (6 Stellen). Gott wird als Burg angeredet, 59,10. 18: »denn du bist meine Burg«, dazu 144,2; 31,3; 91,2; 31,5; 43,2; 18,3, hier sind alle Vergleiche gehäuft; 46,8. 12; 59,17f. und 94,22 im Rückblick. In der 3. pers. Ps 27,1: »Jahwe ist meines Lebens Schutz (Bollwerk)«, dazu 62,2. 7. Als Gotteslob 48,4: »Gott ist in seinen Palästen bekannt als Burg«, dazu 28,8; 37,39. In der Bitte 31,3: »Werde mir ... zum Haus der Bergfeste«: 71,3. Weisheitliche Warnung 52,9: »Seht den Mann, der Gott nicht zu seinem Schutz machte!« In der Bedeutung ist kein Unterschied zwischen »Zuflucht« und »Burg«, die Burg ist ein Ort der Zuflucht. Es ist damit nicht Sicherheit von Macht gemeint, sondern das, was auch das deutsche Wort ursprünglich meinte: Ort der Bergung; was zur Bedeutung der vorigen Gruppe »Zuflucht« gesagt war, gilt auch hier. Bergen kann auch eine Wohnung, Ps 27,5: »Er birgt mich in seiner Hütte am Tag des Unheils; er schirmt mich im Schirm seines Zeltes, auf einen Felsen hebt er mich.« Das bergende Haus kann auch der Tempel sein 84,4; 65,5; 61,5; 23,6.

Gott als Schild (17 Stellen). In der dritten großen Gruppe von Vergleichen wird Gott als Schild bezeichnet. 144,2: »Mein Schild, auf den ich vertraue.« Gott bedeutet dem Beter, was der Schild dem in der Schlacht Kämpfenden bedeutet: Abwehr der auf ihn eindringenden Schläge und Pfeilschüsse. Dabei ist zu beachten, daß das Vertrauensbekenntnis den Vergleich Gottes mit einer Angriffswaffe nicht kennt. Niemals begegnet ein Satz wie »Gott ist mein Schwert«; daraus folgt, mit dem Vergleich ist nicht gemeint: Gott ist mein Beistand im Kampf (das kann an anderen Stellen, etwa Ps 18, auch gesagt werden). Im Zusammenhang des Ausdrucks der Zuversicht aber bedeutet der Vergleich, Gott ist mein Schutz, und dieser Vergleich ist dann nicht auf die Situation des Kampfes begrenzt. Gott wird als Schild angeredet 2 Sam 22,3: »mein Schild und Horn meines Heils«, Ps 3,4: »Du aber, Jahwe, bist mir Schild und Ehre«, dazu 18,36; 119,114; 144,2. In der 3. pers. Ps 7,11: »Ein Schild über mir ist Gott«, dazu 28,7; 33,20; vom König 84,10; 89,19. Als Gotteslob 2 Sam 22,31: »Schild ist er allen, die auf ihn vertrauen«, dazu 84,12; 115,9. 10. 11. In der Form der Heilszusage Gen 15,1: »Ich bin dein Schild«. Weisheitlich Spr 2,14: »Ein Schild denen, die unsträflich wandeln«, dazu Spr. 30,8. An manchen dieser Stellen steht der Gebrauch des Wortes ›Schild‹ einer Metapher für das Abstractum »Schutz« nahe; aber es ist für die Sprache der Psalmen bezeichnend, daß »Schild« an keiner Stelle ganz zur Metapher wird, die Form des Vergleichs ist – wenn auch ohne Vergleichspartikel – immer gewahrt. Sie alle reden von Ereignissen, in denen einer diesen Schutz erfährt. Aus solchen Erfahrungen erwächst der Vergleich, in ihm werden sie bewahrt und weitergegeben.

Dem Vergleich mit dem Schild stehen nahe die mit dem Nomen *sēter*, Schirm, Deckung, Versteck. Ps 32,7: »Du bist mir Schirm, bewahrst vor Not mich.« Ein Mensch gewährt Schutz, Jes 16,4; 28,17; 32,2. In der Anrede an Gott, Ps 31,21; 32,7; 119,114; in der 3.

pers. 27,5; 91,1: »Wer unter dem Schirm des Höchsten wohnt«, in die Bitte übertragen 61,5. Parallel mit Schild 119,114; Hütte 27,5; 31,21; Zelt 61,5, »Schirm deiner Flügel«, »Schatten« 91,1. Also mehrfacher Parallelismus mit Zelt und Hütte, aber nicht zu »Fels« und »Burg«. Nicht der Ort, sondern der Vorgang des Sich-Bergens wird verglichen 57,2: »Im Schatten deiner Flügel finde ich Zuflucht, bis das Unheil vorübergeht.« Ein Vogeljunges birgt sich im Schatten der Flügel der Vogeleltern, ein besonders sprechender Vergleich; vgl. Ri 9,15; Jes 30,2; Rut 2,12; Ps 61,5; 63,8. Dabei ist an den weiten Zusammenhang der Tiervergleiche in den Sprüchen zu denken. Ri 9,15 setzt einen metaphorischen Gebrauch voraus. In Ruth begegnet es auf Gott übertragen. Der Vergleich ist so eindrücklich, daß er in einem Kirchenlied übernommen wurde: »Wie ein Adler sein Gefieder über seine Jungen reckt...«

Während die Vergleiche in allen bisher behandelten Gruppen das Vertrauen zu Gott dem Retter, also das rettende Wirken Gottes zum Gegenstand hatten und der zugrundeliegende Vorgang ein augenblickhafter ist, zeigt sich in den nun folgenden Gruppen ein Übergang zum stetigen Wirken Gottes. Das Bekenntnis der Zuversicht umfaßt also beides. In der einen Gruppe (a) ist es Gottes Führen, Geleiten, Behüten, in der anderen (b) das Vertrauen zu dem versorgenden, segnenden Gott.

a) Gott ist Hirt Ps 23; 80,2; 28,9; 78,52; Jes 40,11; 63,11. Der Vergleich Gottes mit einem Hirten ist im AT fast ganz auf das Verhältnis Gottes zu seinem Volk bezogen. Davon steht dem Bekenntnis der Zuversicht nahe nur Ps 80,2 und der Rückblick Jes 63,11. Häufig begegnet er in der Prophetie, insbesondere bei der Anklage gegen die schlechten Hirten (die Führenden) und der Verheißung eines guten Hirten wie in Ez 34. Einer der wenigen Vergleiche, die Propheten und Psalmen gemeinsam sind. Im Zusammenhang mit dem Bekenntnis der Zuversicht eines einzelnen begegnet der Vergleich mit dem Hirten nur in Ps 23; hier ist der Vergleich zu einem Gleichnis ausgeweitet. Auch in diesem Psalm ist noch angedeutet, daß mit dem Vergleich in erster Linie das rettende Handeln Gottes gemeint war, 23,4, wie bei dem Vergleich in der Prophetie. Durch die Erweiterung kam das stetige Handeln Gottes hinzu.

b) In einer kleinen Gruppe von Stellen wird Jahwe als: »Mein Anteil« ḥeläq oder gōrāl bezeichnet, Ps 16,5. 6: »Jahwe ist mein Anteil, mein Erbe und mein Becher«; 73,26: »Fels meines Herzens und mein Anteil ist Gott für immer«, dazu 119,57; 142,6; Klgl 3,24, dazu der Name ḥilqijāhū = mein Anteil ist Jahwe. Diese kleine Gruppe ist die einzige, die von Gottes Versorgen im Bekenntnis der Zuversicht in einem Vergleich redet. Aber es ist in diesen Stellen mehr als das Versorgen gemeint, wie besonders Ps 73,26 zeigt: das Bekenntnis, daß Jahwe allein für den Beter der das Leben Erhaltende ist.

Die beiden Gruppen a) und b) kommen in Ps 23 zusammen. In ihm hat das Bekenntnis der Zuversicht den ganzen Psalm gestaltet. Der Vergleich mit dem Hirten umfaßt das Geleiten, das Bewahren und das Versorgen. Das geschieht nur in diesem einen Psalm. In den meisten Psalmen weisen die Vergleiche auf das Handeln des rettenden Gottes.

Zum Abschluß der Vergleiche beim Vertrauensmotiv. Aus der Zusammenstellung der Vergleiche hat sich ergeben, daß der Gebrauch eine Gruppierung aufweist, die nur hier begegnet. Der Vergleich begegnet in der Gebetsanrede, und in der 3. pers., als Übergang zum Gotteslob, übertragen in die Bitte, im Rückblick. Dadurch wird bestätigt: das Bekenntnis der Zuversicht steht in der Mitte des Psalms. Die Vergleiche haben daran in der Weise teil, als sie den ganzen Weg von der Bitte bis zum Gotteslob begleiten können. Hier zeigt sich die besondere Bedeutung der Vergleiche bei diesem Motiv. Da, wo das abendländische theologische Denken diese Vielfalt von Erfahrungen auf einen Begriff bringt und sie in ihm aufgehen läßt, beharrt das Hebräische auf der unverzichtbaren Vielheit der einzelnen Erfahrungen, die niemals in einem abstrakten Begriff aufgehen können. Es ist die Fülle der einzelnen Erfahrungen von Rettung, Bewahrung und Erhörung, die in den Vergleichen mit dem Zufluchtsort, der Burg, dem Felsen bewahrt wird. Werden Begriffe wie »Vertrauen«, »Zuversicht« losgelöst von den einzelnen Erfahrungen gebraucht, müssen sie erstarren. Es gibt Vertrauen und Zuversicht nur in den einzelnen Erfahrungen, aus denen es erwachsen ist und auf die es zugeht. Die Verbindung zwischen beiden zu bewahren, darin liegt die Bedeutung der Vergleiche.

Für das Verständnis der Gleichnisse Jesu im NT ergibt sich hieraus, daß es eine Fehlinterpretation wäre, den Sinn der Gleichnisse auf abstrakte Begriffe zu bringen.

Die Funktion aller dieser Sätze des Vergleichs im Bekenntnis der Zuversicht besteht darin, daß sie die Erfahrung der Geborgenheit bei Gott bestätigt und bestärkt. Sie schließt einen Traditionsvorgang ein: Die Gott als Zuflucht erfahren haben, sagen es den Zeitgenossen und den kommenden Geschlechtern, daß Gott so bleiben wird. Theologisch bedeutsam ist auch, daß bei dem Satz: »Gott ist…« wenig Vergleiche begegnen; bei dem Satz: »Gott ist mir…«, begegnen Vergleiche in Fülle. Der Gott, von dem die Psalmen reden, ist nicht Gott an sich, es ist der den Menschen zugewandte Gott.

Vergleiche beim berichtenden Lob (Dankpsalm). Beim berichtenden Gotteslob ist zu erwarten, daß Vergleiche hier keine spezifische Funktion haben und nicht häufig sind, dem entsprechend, daß in den berichtenden Texten des AT Vergleiche selten sind. Dieser Erwartung entgegen begegnen in den berichtenden Lobpsalmen (Dankpsalmen) dennoch Vergleiche in nicht geringer Zahl. Dieser Tatbestand erklärt sich, wenn man die hier begegnenden Gruppen von Vergleichen näher ins Auge faßt. Man kann sie nicht nach den einzelnen Teilen des Psalms gliedern, weil sie alle sich auf die Wende von der Not zur Rettung beziehen. Das kann in einem Satz geschehen, der Not und Rettung zusammenfaßt. Ps 4,2: »Der du in Drangsal mir Raum geschafft«, so auch 9,14; 56,14; 30,2; 40,3 u. ö. Dieser Satz bildet meist die einleitende Zusammenfassung. Oder auf den Bericht von der Not folgt der Bericht von der Rettung, beides in mehreren Sätzen. Auch hierbei kann der Vergleich beides zusammenfassen.

Der mit dem Bericht von der Errettung verbundene, ihm vorangehende Rückblick auf die Not stellt diese als Versinken im Wasser, in Fluten, dar, Ps 18,17: »er zog mich heraus aus großem Wasser«; vgl. 18,5; 40,5; 86,13; 116,8; 124,4 f.; 93,3; 66,12; Jona 2,4. 6. Oder es ist eine Rettung aus der Grube, der Tiefe, dem Schlamm, 40,3: »Er zog mich aus der Grube des Verderbens, aus tiefem Schlamm«; 30,2: »du hast mich aus der Tiefe gezogen«; 18,17: »Er langte herab aus der Höhe…, ergriff mich«; Jona 2,4. 7: »Du warfst mich in die Tiefe,…«; V.7: »… hinabgestiegen war ich zur Unterwelt…, aber du zogst aus der Grube mein Leben…«, auf einen Felsen 30,8; 40,3; 103,4; 116,16. Aus den Schlingen des Todes, 116,3: »Umfangen hatten mich Fesseln des Todes, befallen Ängste der Unterwelt«; 18,5: »… auf mich fielen die Schlingen des Todes…«; 30,4: »du hast mein Leben aus dem Totenreich heraufgeführt…«; 9,14: »der du mich erhebst aus den Pforten des Todes«; Sir 51,2. 5; Klgl 3,53. 55.

Aus der Enge in die Weite (Befreiung) Ps 4,2: »der du in Drangsal mir Raum geschafft«; 18,20: »Er führt mich heraus ins Weite«; 18,37; 31,9; 55,19; 66,12; 71,2.

Körperliche Wiederherstellung Ps 30,2; 32,4; 73,2.

Alle diese Gruppen von Vergleichen aber finden sich auch bei den Klagen, insbesondere bei Ich-Klagen, z. T. mit den gleichen Worten. Das heißt: Der berichtende Lobpsalm nimmt im »Rückblick auf die Not« die Vergleiche auf, die der Intensivierung der Klage dienten, und führt sie im Bericht von der Rettung weiter: »du hast mich aus der Tiefe gezogen«, 30,2. Das zeigt einmal, daß der berichtende Lobpsalm keine nur ihm eigenen Vergleiche bildet; es zeigt damit zugleich, daß die Zusammengehörigkeit von Klage- und Lobpsalm in den Vergleichen ausdrücklich artikuliert wird. Für die polare Entsprechung von Klage und Lob ist dies ein sicherer Beweis (das habe ich in meiner Arbeit »Das Loben...« noch nicht gesehen). Wenn gerade diese Vergleiche als ein bildliches Reden der Psalmen verstanden wurde (so H. Gunkel mit den meisten Auslegern), trifft das die Funktion dieser Vergleiche nicht. Für die Ausdrücke des Rettens aus/vor dem Tod hat das schon J. Pedersen und ihm folgend Ch. Barth (Die Errettung vom Tode, 1947) gesehen: »Die Unterscheidung zwischen ›bildlich‹ und ›real‹ oder ›uneigentlich‹ und ›eigentlich‹ dürfte hier wenig am Platz sein« (S. 114). Mit diesen Worten ist das reale Wirken des Todes als in das Leben hineinragende Macht gemeint. Aber auch das offensichtlich vergleichende Reden, das im gleichen Sinn von Wasserfluten, von der Grube, dem Schlamm, der Tiefe spricht, vom Staub, den Pforten und Riegeln, Schlingen des Todes, kann nicht als bildliche oder uneigentliche Rede bezeichnet werden; alle Sätze meinen reale Erfahrungen. Diese Erfahrungen sind vielfältig, deshalb auch die Vergleiche. In dieser Vielfalt haben sie besonders die Funktion, die einzelnen Erfahrungen sprachlich so darzustellen, daß viele ihre je eigenen Erfahrungen darin wiederfinden können. Das zeigt der 107. Psalm, in dem mehrere Berichte einer Errettung zusammengefaßt sind, hier aber in kleinen Erzählungen. Solche Erfahrungen meinen auch die Vergleiche, wenn sie von der Grube, dem Schlamm, der Tiefe reden. Manche lassen das erkennen, wenn sie die Spannung der Todesgefahr andeuten wie Ps 93; Jona 2. Wir können wahrscheinlich gerade in den berichtenden Lobpsalmen ein Stück weit das Entstehen solcher Vergleiche verfolgen: sie bilden sich dadurch, daß typische Erfahrungen, etwa wie das Versinken in Wasserfluten, von anderen nachgesprochen werden, auch wenn sie nur ähnliche, vergleichbare Erfahrungen hatten. Unmittelbar einleuchtend ist das bei einem Satz wie: »Er führte mich hinaus ins Weite«, 18,20, ein Ausdruck für Befreiung, der zunächst eine bestimmte, einzelne Erfahrung wiedergab und dann viele ähnliche Erfahrungen wiedergeben konnte. Das eben Gesagte wird bestätigt durch einen Vergleich der bisher genannten Gruppen von Vergleichen, die fast alle dem Bericht von der Rettung einzelner angehören, mit Sätzen, die von einer Rettung des Volkes berichten: 93,3(?); 124,4–7; 66,10–12; 77,21; 78,52; 81,7. Bei diesen nämlich tritt das Typische zurück gegenüber dem – wenn auch nur angedeuteten – Einmaligen, so in 81,14: »Seine Schultern habe ich von der Bürde befreit, die Hände kamen frei vom Lastkorb«; 66,12: »Du ließest Menschen über unsere Köpfe dahinfahren...« Auch hier ist die Wiedergabe von Not, sofern sie die einer Gruppe war, deutlich unterschieden von Not in einem einzelnen Menschenleben. Dies ist ein klarer, aber gewichtiger Hinweis, daß Tradition als Vorgang hier anders sein muß als dort. Sehr bezeichnend ist eine kleine Gruppe von Stellen, in denen im Bericht von der Rettung der Vergleich nicht die Rettung selbst, sondern deren Wirkung auf den Geretteten bezeichnet, 30,12: »du hast mir meine Klage in Reigen verwandelt, meine Trauerkleider gelöst, mich mit Freude gegürtet«, dazu Ps 4,8; 92,11. Mit einer erstaunlichen Kraft ist hier die von der Klage zum Lob führende Geschehensfolge in einem einzigen Satz konzentriert. Ein Vergleich kann auch eine aus der Reflexion erwachsene Deutung des Leides wiedergeben, 66,10: »Du hast uns geprüft, geläutert, wie man Silber läutert«, vgl. Gen 22,1.

Abschließend: Im berichtenden Lobpsalm haben die zum großen Teil aus der Klage übernommenen Vergleiche einmal die Funktion, den Geschehenszusammenhang, der die Rettung mit der Not verbindet, zum Ausdruck zu bringen, zugleich aber viele und vielerlei Erfahrungen von Rettung aus einer Not auf das ihnen Gemeinsame und Typische zu reduzieren.

Vergleiche beim beschreibenden Gotteslob (Hymnos). Bei dem Gott in seiner Majestät und in seiner Güte preisenden Gotteslob könnte man eine besonders reiche Entfaltung der Vergleiche erwarten. Man findet sie aber nicht; sie sind nicht besonders häufig, deutliche Gruppen lassen sich in ihm nicht erkennen. Eine Erklärung dafür kann der 113. Psalm bieten, ein typischer beschreibender Lobpsalm, der aber keine Vergleiche enthält. In der Mitte dieses Psalmes steht der Satz V. 5: »Wer ist wie Jahwe, unser Gott...?« Von der Unvergleichlichkeit Gottes reden auch andere Zusammenhänge im AT, insbesondere Jes 40,12–31. V. 18: »Mit wem wollt ihr Gott vergleichen, und was wollt ihr neben ihn stellen?« Beim Reden von Gott versagen die Vergleiche und verstummen. Auch darin wirkt sich das zweite Gebot aus. Ps 113,5 geht weiter: »... der in der Höhe thront, der tief in die Tiefe sieht«. In den beiden Sätzen wird das Gottsein Gottes gefaßt. Der erste wird in V. 4 entfaltet: »Erhaben ist Jahwe... seine Herrlichkeit...«, der zweite in V. 7–9: »der den Geringen emporhebt aus dem Staub...«. Im Blick auf die Vergleiche ergibt sich hier ein Unterschied: Unvergleichlich ist Gottes Majestät, ist Gott in seiner Majestät. Für sie werden Gottesprädikate gebraucht, aber keine Vergleiche. Gottes Erbarmen ist unvergleichlich; aber daß er sich aus seiner Höhe in unsere Tiefe neigt, kann erfahren werden, es berührt unsere Erde, und für diesen Aspekt sind Vergleiche möglich.

Die Gott lobenden Prädikate. Gegenüber den vorderorientalischen Religionen sind sie im AT selten, aber sie begegnen doch. Häufig ist nur das Gottesprädikat »König«, etwas weniger begegnet »Richter«. Das Königsprädikat hat für das Gotteslob eine hohe Bedeutung, Ps 5,2: »du mein König und mein Gott«; 9,9: »aber Jahwe thront ewig«; 2,4; 9,8 f.; 9,12; 10,16; 11,4; 22,29; 24,7–10; 26,8; 47,1–10; 55,20; 74,12; 95–99; 103,19 u. ö. Manchmal zusammen mit dem Prädikat »Richter«, 9,7–12; Jes 33,22: »denn Jahwe ist unser Richter, Jahwe ist unser Gebieter *(meḥōqeqenū)*, Jahwe ist unser König, der hilft uns.« (Alle Stellen bei G. Liedke, Artikel *špt*, richten: THAT II, S. 1007–1009.) Beides sind Gottesprädikate wie *'adōnāj*, »Herr«. Man kann sie zwar als metaphorisch bezeichnen, aber sie werden nicht mehr als Vergleiche empfunden. Man empfand das Prädikat »König« als direkte Bezeichnung der Majestät Gottes. Das zeigt sich etwa daran, daß es im Bekenntnis der Zuversicht niemals begegnet. Auch die Bezeichung Gottes ist als direkte Rede gemeint, die dieses besondere Handeln bezeichnet. Es begegnen zwar Sätze wie 36,7: »deine Gerechtigkeit steht wie die Berge Gottes«, aber niemals ein Satz wie: Gott redet gerecht wie ein Richter. Auch sonst begegnet kein Gottesprädikat, das eindeutig ein Vergleich ist. Das zeigen auch die typischen Gottesprädikate *kābōd* und *qādōš*, beide bringen sie direkt das Element der majestas zum Ausdruck. Dem gegenüber tritt um so auffälliger heraus, daß beim Lob der Güte Gottes Vergleiche eine offenkundige Funktion haben. Das zeigt besonders der Ps 103, der bewußt einseitig ein Lob der Güte Gottes ist, in den beiden einander zugeordneten Vergleichen in V. 11–12 und V 13 aus dem Bereich der Schöpfung und dem der Menschengemeinschaft, V. 11 f.:

»So hoch der Himmel über der Erde,
so hoch ist meine Gnade über denen, die ihn fürchten;
so fern der Aufgang vom Niedergang,
so weit entfernt er unsere Übertretungen von uns«.

Das Wirken der Güte Gottes wird gelobt, indem es groß gemacht wird, erhöht, in den Dimensionen der Höhe und der Weite, ebenso wie in Ps 108,5; 36,6f.; 57,11. Beide Sätze bilden einen Zusammenhang: Weil Gottes Güte so hoch über dem Handeln der Menschen – auch ihrer Verfehlungen – steht, darum können sie so vergeben werden, daß die Sünden wirklich entfernt, d. h. wirkungslos geworden sind. Angedeutet ist damit: dieses Erbarmen Gottes ist höher als es unsere Maßstäbe für Schuld und Strafe erkennen lassen. Ein tiefsinniger Vergleich, insofern als die Majestät Gottes (die Höhe und Weite) dazu dient, das Ausmaß seiner Güte zu zeigen. Dazu tritt in Ps 103,13 der Vergleich aus der menschlichen Gemeinschaft:

>»Wie sich der Vater über Kinder erbarmt,
>so erbarmt sich Jahwe über die,
>die ihn fürchten«

Das Zusammengehören von Eltern und Kindern ermöglicht ein Erbarmen, das die sonst geltenden Maßstäbe für Schuld und Strafe zerbrechen kann. Der Vergleich mit dem Vater auch 68,6; Jes 63,16; vgl. Ps 92,2; 97,2. Diese beiden Vergleiche Ps 103 können zeigen, was ein Vergleich vermag und welche gewichtige theologische Funktion er haben kann. Auch zeigt der zweite Vergleich, wie die Vergleiche im AT die Wurzeln für die Gleichnisse Jesu sein können: das Gleichnis vom verlorenen Sohn in Lk 15,11–32 ist eine Entfaltung dieses Vergleichs in Ps 103,13 (so wie Lk 15,4–6 den Satz Ps 119,176 entfaltet). Derselbe Vergleich wie in 103,11–12 begegnet, nur wenig anders, in Ps 36,6f.; vgl. 57,11. Er wird in V. 8 fortgesetzt: »Wie köstlich ist deine Güte, die Menschen bergen sich im Schatten deiner Flügel«. Dieser Vergleich V. 8b gehört eigentlich dem Bekenntnis der Zuversicht an. Bei diesem Motiv war zu beobachten, daß dessen Sätze manchmal in die Form des Gotteslobes übergingen (s. o. S. 89). Dem entspricht es, wenn zum Lob der Güte Gottes eine Reihe von Vergleichen in den Zusammenhang des Gotteslobes übernommen wurden wie in Ps 36,8, dazu 18,32: »Wer ist ein Fels außer unserem Gott?«; V. 47: »Jahwe lebt, und gepriesen sei mein Fels!« oder 31,21: »du birgst sie in deiner Hütte...« Die meisten der dort gebrauchten Vergleiche finden sich auch beim Gotteslob: Burg 9,10; Fels 18,32. 47; Schild 18,31. 36. 47; Zuflucht 27,1; Schirm 31,21: »im Schatten deiner Flügel«, 36,8. Dieser auffällige Tatbestand zeigt, daß die beiden Psalmmotive sich in diesem Aspekt berühren: der Ausdruck des Vertrauens kann unversehens in Gotteslob übergehen. Es zeigt aber auch, daß das beschreibende Gotteslob selbst keine festen Gruppen des Vergleichs entwickelt hat. Ihre ursprüngliche Funktion haben diese Vergleiche im Bekenntnis der Zuversicht; dem Gotteslob können sie dienen, müssen es aber nicht.
In Ps 33 wird das Wirken Gottes, das das Gotteslob entfaltet, in V. 4 zusammengefaßt: sein Wort – sein Handeln, ähnlich 18,31. Dabei wird kein Vergleich gebraucht. In der Parallele zu 18,31 ist der Satz aus Ps 33: »das Wort Jahwes ist lauter«, weitergeführt: »im Feuer bewährt«, weiter in Ps 12,7: »... bewährtes Silber, schlackenlos siebenmal geläutert«, ein Satz, der dem Lob des Gotteswortes = der *tōrā* in Ps 19B und 119 nahesteht; 19,11: »... köstlicher als Gold, ja, viel feines Gold«; 119,105: »Dein Wort ist meines Fußes Leuchte und ein Licht auf meinem Wege«, dazu 119,14. 72. 103. 111. 127. 162. Hier kann man deutlich verfolgen, wie das Lob des Wortes Gottes, der *tōrā,* aus dem Gotteslob erwächst und sich verselbständigt; diesen Vorgang lassen die Vergleiche erkennen. Das Handeln Gottes (Ps 33,4) wird in Ps 33 und mehrfach nach den beiden Seiten entfaltet nach Gottes Schöpferwirken und seinem Wirken in der Geschichte. Beim Schöpferwir-

ken erhält der Vergleich eine notwendige Funktion, die einzelnen Schöpfungswerke können nur im Vergleich mit menschlichem Wirken ausgedrückt werden.

33,7: »Er faßt wie in einen Schlauch die Wasser der Meere,
er legt in Kammern den Ozean«,
oder 104,1–2:
»O Herr, mein Gott,
der du in Licht dich hüllst wie in ein Kleid.«

Ps 139,13: »du hast mich im Leib meiner Mutter gewoben«. Dazu besonders die Vergleiche in Hi 38 und Jes 40,12–31.

Dem Lob der Ewigkeit Gottes dienen Vergleiche der Vergänglichkeit im Kontrast, so in 102,26–28:

»Vor Zeiten hast du die Erde gegründet
und die Himmel sind deiner Hände Werk;
sie werden vergehen, du aber bleibst,
wie ein Gewand zerfallen sie alle,
du aber...«

Ähnlich wird in Ps 103,14–17 der Vergänglichkeit des Menschen das ewige Bleiben der Gnade gegenübergestellt.

In Ps 36 folgt auf den Vergleich »Schatten deiner Flügel« V. 8b ein Lob des segnenden Gottes, auch mit Vergleich V. 9–10:

»... sie laben sich am Überfluß dieses Hauses,
du tränkst sie mit dem Strom deiner Wonne,
denn bei dir ist die Quelle des Lebens,
in deinem Licht sehen wir das Licht«.

Licht und Schild stehen im Lob Gottes auch 84,12 zusammen: »Gott ist Sonne und Schild.« Die Nähe von Rettung (Hilfe), Segen und Zuversicht im Gotteslob zeigt 27,1:

»Jahwe, mein Licht und meine Hilfe,
vor wem sollte ich mich fürchten?
Jahwe, Hort meines Lebens;
vor wem sollte ich bangen?«

Für das beschreibende Gotteslob ist charakteristisch, daß Gott in der Fülle seines Gottseins gelobt wird; gelobt wird der rettende wie der segnende Gott. Deswegen ist hier der Vergleich mit dem Licht (Sonne) besonders geeignet, einmal weil die Sonne alles Leben, Wachsen und Gedeihen ermöglicht, weil sie die beherrschende Bedeutung hat, die der Ps 19 schildert, und weil ihr Aufgang Ende der Nacht = Not bedeutet.

Weil in den Lobpsalmen der rettende wie auch der segnende Gott gelobt wird, berührt sich mit ihm die Segensschilderung (besonders 65,10–14; 85,9–14). Diese hat ihren eigentlichen Ort in der Segensverheißung, insbesondere der Seherworte (Num 22–24), ist aber vielfach in der Prophetie übernommen. In der Spätzeit hat sie ihren besonderen Ort in der Segensverheißung für den Frommen. Sie ist als eine Erweiterung des Motivs der Gegenüberstellung von Frevlern und Frommen aus der frommen Weisheit in den Psalter als Zuwachs gekommen, so in dem Psalter-Introitus Ps 1. Die Gegenüberstellung wird in einem Vergleich akzentuiert:

V. 3: »Der ist wie ein Baum, gepflanzt an Wasserbächen,
der seine Frucht bringt zu seiner Zeit
und dessen Blätter nicht verwelken,
und alles, was er tut, gerät ihm wohl«,

V. 4 »Nicht so die Gottlosen,
sondern sie sind wie die Spreu,
die der Wind zerstreut...«

Die Segensschilderung in V. 3 nähert sich in der Entfaltung des Vergleichs in drei Sätzen und dem Kontrast in V. 4 einem Gleichnis, in dem das Gewicht ganz auf der Segensverheißung für den Frommen ruht, ähnlich 92,13–15. Funktion und Wirkung des Vergleichs zeigen sich im Unterschied zu Ps 112, der auch vom Frommen und Frevler handelt, aber ohne Vergleich. Die gleiche Gegenüberstellung ist häufig in den Freundesreden des Hiobbuches. Der Segensschilderung stehen Ps 127; 128; 133 nahe mit vielen Vergleichen, die ihrem Ursprung nach zur Spruchweisheit gehören, 127,4f.:

»Wie Pfeile in der Hand des Helden,
so sind Söhne der Jugendkraft.
Wohl dem Mann, der seinen Köcher mit ihm gefüllt hat«,

128,3: »... deine Kinder rings um deinen Tisch wie junge Ölbäumchen.«

Dazu kommen die auf das Volk bezogenen Segensschilderungen, besonders in 65,10–14; 85,9–14; 72,5f. 16; 65,12: »Du krönst das Jahr mit dem Kranz deiner Güte...«; V. 13: »es prangen die Auen der Steppe, der Hügel gürtet sich mit Jauchzen«; V. 14: »die Anger bekleiden sich mit Herden...«; 85,11: »Treue sproßt aus der Erde auf, Gerechtigkeit blickt vom Himmel hernieder«; 72,5: »Dann tragen die Berge Frieden dem Volk und die Höhen Gerechtigkeit«; V. 16: »Menschen blühen in der Stadt wie das Gras der Erde«. Daß es Vergleiche aus der Vegetation sind, die das Segenswirken Gottes artikulieren, ergibt sich aus diesem: Sie haben hier eine ausgesprochen ästhetische Wirkung, sie ist darin begründet, daß das Schönsein zum Geschaffensein gehört (Gen 1), daß das Schöne im Segenswirken Gottes seinen Ursprung hat. Ihre Funktion haben die Vergleiche in der Segensschilderung darin, daß sie die Ganzheit der Schöpfung lebendig machen, zu der das Schönsein gehört, im Vergleichenden und Verglichenen, die Ganzheit der Schöpfung auch darin, daß sich der Segen Gottes ebenso auf Pflanzen und Tiere wie auf das Geschöpf Mensch und seine Gemeinschaft auswirkt. »Treue sproßt auf der Erde auf, Gerechtigkeit blickt vom Himmel hernieder.« Die Verbundenheit des Menschen mit der übrigen Schöpfung könnte nicht schöner zum Ausdruck kommen.

Abschließend zu den Vergleichen in den Psalmen: Vergleiche begegnen in den Psalmen etwa ebenso häufig wie bei den Propheten, sie bilden einen wesentlichen Bestandteil des Psalters. Sie sind von dem bestimmt, was in den Psalmen zwischen Gott und Menschen geschieht im Flehen zu Gott (Klage) und im Gotteslob. Sie gliedern sich nach den Gliederungen der Klage- und Lobpsalmen. Zu den Gliedern der Klage- und Lobpsalmen gehören jeweils ganz verschiedene, jedem Glied des Psalms besonders zugeordnete Vergleiche, z. B. in der Wir-Klage auf die Gesamtheit bezogene Vergleiche, die der Ich-Klage sind dem Leben des einzelnen zugeordnet. In der Feindklage begegnen in den Vergleichen nur wilde, in der Ich-Klage nur zahme Tiere; der Leidende wird in den Kreis der leidenden Kreatur gestellt (wie überhaupt das Mitleben mit der Kreatur die Vergleiche in den Klagen und im Gotteslob bestimmt). Bei der Rettung des Volkes werden andere Vergleiche gebraucht als bei der Rettung des einzelnen. In der Feindklage wird unterschieden zwischen der Bedrohung, die man wahrnimmt (wilde Tiere), und einer, die man nicht wahrnehmen kann (Fallen). Bei der flehenden Bitte aus der Not und bei dem Bericht von der Rettung hat der Vergleich (jeweils verschieden begründet) keine spezifische Funktion. Beim beschreibenden Gotteslob begegnen Vergleiche meist beim Lob der Güte Gottes, kaum beim Lob der Majestät, das Lob des Schöpfers kann (fast) nur in Vergleichen sprechen.

Die Funktion der Vergleiche in den Psalmen ergibt sich jeweils aus dieser Zuordnung zu den Gliedern der Psalmen; die Vergleiche bei der Anklage Gottes z. B. verschärfen diese Anklage. Beim Gotteslob dienen sie dem Erhöhen Gottes; beim Rückblick auf die Not in den berichtenden Lobpsalmen nehmen sie die Vergleiche der Klage auf und damit der Zusammenbindung von Klage und Lob.

Die Vergleiche beim Ausdruck des Vertrauens bilden die größte und markanteste Gruppe. Ihre Funktion, das Vertrauen zu stärken, ist evident; sie weisen damit auf die Notwendigkeit Gottes, wobei das Entstehen der Vergleiche erkennbar wird: Typische Erfahrungen werden von anderen nachgesprochen, und deren sprachlicher Ausdruck wird zum Vehikel der Erfahrungen anderer, diese Vergleiche sind traditionsbildend.

Vergleiche im Buch Hiob

Das Buch Hiob ist eine Dichtung, erwachsen aus einer dichterischen Konzeption, die im Aufbau des Buches zum Ausdruck kommt. Zu dieser dichterischen Konzeption gehören auch die Vergleiche, das unterscheidet sie von den Vergleichen in den Psalmen. Die Vergleiche gehören nicht nur jeweils dem Motiv an, bei dem sie begegnen, sondern zugleich der Gesamtkonzeption, die zur Bestimmung der Funktion der Vergleiche berücksichtigt werden muß. Sie haben an vielen Stellen einen ausgeprägt dichterischen Charakter, der sich insbesondere in ihrer Entfaltung zeigt, aber auch in ihrer Verteilung. Vor allem aber ist im Buch Hiob oft (ähnlich bei Deuterojesaja) die Grenze zwischen direkter Rede und Vergleich fließend.

Dem Aufbau des Buches entsprechend sind die Vergleiche in dessen Teilen deutlich verschieden: in den Klagen Hiobs, in den Reden der Freunde, in den Reden Gottes und in dem Weisheitskapitel 28.

Vergleiche in den Klagen Hiobs. Sie enthalten die größte Zahl von Vergleichen; am stärksten gehäuft sind sie in dem Glied Anklage Gottes. Es ist auch die Gruppe von Vergleichen mit der stärksten Ausdruckskraft und die in sich lebendigste, in sich am deutlichsten gegliederte Gruppe, in der es keinerlei Zeichen von formelhafter Erstarrung gibt. Die Besonderheit dieser Gruppe ist in der Konzeption des ganzen Buches begründet, dessen Eigenart sich hier am stärksten ausprägt. Wenn in den Klagepsalmen des einzelnen die Anklage Gottes selten ist und entsprechend die Vergleiche dabei, ist sie hier das gewichtigste Glied der Klage, die Vergleiche dabei besonders ausgeprägt. Dem Dichter des Hiobbuches kam es grade darauf an. Die Vergleiche bei der Anklage Gottes sind deutlich gegliedert:

a) Gott ist Hiob zum Feind geworden: 6,4: »denn die Pfeile des Allmächtigen stecken in mir, ihr Gift trinkt mein Geist«. 10,17: »stets neue Zeugen würdest du gegen mich vorführen...« (Prozeßgegner); 16,9: »Sein Zorn zerreißt mich und befehdet mich; mit seinen Zähnen knirscht er gegen mich, mein Gegner schärft sein Auge gegen mich«

V. 12: »Er stellte mich zum Zielpunkt auf«; V. 13: »Es schwirren seine Pfeile rings um mich, und schonungslos durchbohrt er meine Nieren«; V. 14: »Er reißt in mir nun Bresche auf Bresche, und wie ein Krieger stürmt er gegen mich«; 19,11f.:

> »sein Zorn entbrannte gegen mich,
> er schätzt mich ein als seinen Feind.
> Vereint rücken seine Scharen heran,
> sie schütten ihren Sturmwall gegen mich
> und lagern sich rings um mein Zelt«

30,21: »Zum Wüterich hast du dich mir gewandelt, befehdest mich mit deiner starken Hand.« Dasselbe in mythischer Sprache 7,12: »Bin ich denn das Meer oder der Meeresdrache, daß du eine Wache gegen mich aufstellst?«

b) Noch schroffer sind die Vergleiche, wo Gott wie eine elementare Macht oder ein wildes Tier Hiob anfällt: 9,17: »Er, der im Sturm nach mir schnappt«; 10,16: »erhöbe ich mich, jagtest du mich wie ein Löwe...«; 16,12: »Ich lebte glücklich, da zerbrach er mich, er packte mich am Nacken und zerschlug mich«; 19,10: »Er brach mich nieder, um und um...«; 30,19: »Er hat mich in den Kot geworfen...«; V. 22: »Du hebst mich auf den Sturmwind, läßt mich dahinfahren und läßt mich vergehen im ›Sturmesbrausen‹.«

c) Gott fügt Hiob Schmerz und Leid zu:

9,17: »...und mir ohne Grund viele Wunden schlägt«; V. 18a: »der mich nicht Atem schöpfen läßt, sondern mich sättigt mit bitterem Leid«, V. 23: »Wenn seine Geißel plötzlich tötet, so lacht er der Verzweiflung der Unschuldigen«; V. 34: »er nehme weg von mir seine Rute!« 30,11: »Weil er meine Sehne (Bogen) gelöst und mich beugte«, (V. 19: »...wie Staub und Asche bin ich geworden«); V. 23: »Ich weiß, dem Tod willst du mich zuführen, dem Haus, wo alles Leben sich einstellt«, dazu 14,20.

d) Gott nimmt Hiob Zukunft und Hoffnung:
3,23: »dem Mann, dem sein Pfad verborgen, dem Gott jeden Ausweg sperrt«; 13,27: »daß du seine Füße in den Block legst, und alle meine Pfade belauerst, um meine Fußsohlen her einen Kreis ziehst?«; 14,18–19:

»Aber auch ein Berg muß fallen,
ein Felsbrock rückt von seinem Ort,
der Wassertropfen höhlt Steine aus;
der Wolkenbruch schwemmt das Erdreich fort:
So machst du die Hoffnung des Menschen zunichte!«

19,8: »Unübersteigbar hat er meinen Weg vermauert, auf meine Pfade Finsternis gelegt!«; V. 10: »Er... riß meine Hoffnung aus wie einen Baum.«

e) Gott legt Hiob auf seine Sünden fest, nimmt ihm seine Ehre, 9,30f.:

»Wenn ich mich schon wüsche mit Schnee,
mit Lauge reinigte meine Hände,
dann würdest du mich in Unrat tauchen,
daß meine Kleider Abscheu vor mir hätten.«

10,9–17:

»Gedenke doch, daß du aus Ton mich formtest;
nun willst du mich wieder in Staub verwandeln!
Hast du mich nicht...
Und doch verbargst du dies in deinem Herzen...
Wenn ich gesündigt, lauerst du mir auf...
Erhöbe ich mich, jagtest du mich wie ein Löwe...«

In diesem Text und in 10,4f.: »Hast du denn Fleisches Augen oder siehst du etwa wie Menschen sehen, sind wie der Menschen Tage deine Tage...«

erinnert der leidende Hiob an das Wirken des Schöpfers, der doch anders an seinem Geschöpf handeln müßte! Ebenso 13,25: »Willst ein verwehtes Blatt du scheuchen und einen dürren Halm verfolgen?« Gott hat seinem Geschöpf Würde und Ehre genommen, 19,6: »Erkennt doch, daß Gott mein Recht gebeugt!«; V. 9: »Meiner Ehre hat er mich entkleidet, und meine Krone mir vom Haupt genommen!« 16,11: »Gott liefert mich den Ungerechten aus und läßt mich in die Hände der Frevler fallen.«

In all diesen Vorwürfen hält das Geschöpf seinem Schöpfer vor, daß er nicht an ihm handle, wie es diesem Verhältnis entspräche. Zu der Anklage, Gott sei ihm zum Feind geworden (a), tritt hier (e) die Reflexion darüber, wie das nur möglich sein kann; ein Ausdruck der Verzweiflung des Geschöpfes, das seinen Schöpfer nicht mehr versteht. In allen diesen fünf Gruppen ist die Funktion der Vergleiche dieselbe: die Anklage gegen Gott zu verschärfen. Sie liegt ganz in der Tendenz der Konzeption des Hiobbuches, ist also nicht allein vom Klagemotiv, sondern auch von der Absicht des Dichters her zu verstehen. Es gibt wahrscheinlich in der gesamten Weltliteratur kein Werk innerhalb der religiösen Literatur, in dem eine so leidenschaftliche, vielfältige Anklage gegen Gott erhoben wird wie hier. Ohne die Vergleiche wäre sie nicht, was sie ist. Es ist einer der Zusammenhänge, an denen ihre Bedeutung evident ist. Dem Dichter geht es darum, entgegen dem Versuch, das Handeln Gottes an den Menschen in einer Lehre festzulegen, über die man denkend verfügen kann (die Freunde Hiobs), die Unbegreiflichkeit des Gotteshandelns herauszustellen. In Kap. 12,13–25 ist dasselbe ausgeweitet auf Gottes Handeln in der Geschichte, V.14: »Er reißt nieder, wer baut wieder auf? Er kerkert ein, wer tut wieder auf?«; V.21: »Verachtung gießt er über Edle, und den Gurt der Starken löst er auf«; V.16: »...sein ist, der irrt und irreführt«; V.23: »er hebt Völker hoch und vernichtet sie«. Das sind nicht Vergleiche im strengen Sinn; komplexe Vorgänge der Geschichte werden als einfache Vorgänge am einzelnen dargestellt. Auch hier wird die Unbegreiflichkeit des Geschichtshandelns Gottes dadurch verschärft.

Die der Ich-Klage angehörenden Vergleiche. Die nächstgrößere Gruppe ist die der Ich-Klage zugehörenden Vergleiche. Man erwartet, daß in ihr die Krankheitsklage beherrschend ist; das ist aber nicht der Fall, sie begegnet nur an wenigen Stellen und da ohne Vergleiche. Die Ich-Klage gliedert sich fast ganz in zwei Gruppen: der Schilderung der Klage und die Ausweitung in die kollektive Vergänglichkeitsklage.

a) 3,24: »Denn Seufzen ist mein täglich Brot, es strömen gleich dem Wasser meine Klagen«; 6,2: »O daß man doch meinen Unmut wöge und mein Unglück zugleich auf die Waage legte! Denn nun ist es schwerer als der Sand des Meeres«, V.5:

»Schreit wohl der Wildesel, wenn er Gras hat,
und brüllt das Rind bei seinem Futter?
Kann man auch Fades essen ohne Salz,
ist Wohlgeschmack im Schleim des Dotters?
Meine Seele sträubt sich... ekelt...«

30,29: »Ein Bruder der Schakale bin ich geworden, und ein Genosse der Strauße...« Man muß jedem dieser Vergleiche lange nachdenken, um seine Funktion zu erspüren. 3,24 ist bestimmt von dem Parallelismus Brot – Wasser, die Klage ist an die Stelle des das Leben erhaltenden Essens und Trinkens getreten, 6,2, der Schwere des Leides ist die Klage angemessen, sie kann dem Leidenden nicht verwehrt werden (gegen die Freunde gerichtet). Dasselbe sagt anders 6,5; 30,29: der Klagende weiß sich der leidenden Kreatur zugehörend.

b) Reich entwickelt ist der Vergleich in der Vergänglichkeitsklage. Das ist in der Konzeption der Dichtung begründet. Der Dichter legt den Ton darauf, daß Hiob sich in seinem persönlichen Leid mit dem Leid des dem Tod unterworfenen Menschen zusammenschließt. Hier kann sich die dichterische Kraft, die Vergänglichkeitsklage erweiternd entwickeln, besonders in 7,1–10 und 14,1–12. Das sind in sich geschlossene, schöne Gedichte, die ganz von den Vergleichen leben. Sie erforderten eine gründliche Auslegung, die hier aber nicht möglich ist. Der Vergleich mit dem Dienst des Soldaten und dem des Sklaven 7,1–3 (14,14), der Vergleich der Hoffnung des Menschen mit der des Baumes 14,7–11. Die Vergleiche mit dem Vergänglichen: ein Hauch 7,7, ein Webschiffchen 7,6, die entschwindende Wolke 7,9, wie eine Blume, wie ein Schatten 14,2. 9,25 f.:

> »Meine Tage eilen schneller als ein Läufer,
> sie schwinden hin und schauen doch kein Glück;
> sie gleiten dahin wie Schiffe im Rohr,
> wie ein Adler, der auf Beute stößt.«

Dies ist dichterische Sprache: Das Leben des Leidenden ist freudlos und ereignislos. Einmal ist es ein leises, unmerkliches Gleiten, dann wieder wie ein Sturz, dem Ende entgegen. Eine tiefsinnige Beobachtung aus schwerer Erfahrung; aber zum Sprechen kommt sie nur durch die Vergleiche.

Die Feindklage. Die Feindklage tritt in den Reden Hiobs ganz zurück, weil sie als Anklage gegen die Frevler, die Gottlosen von den Freunden erhoben wird. Für die Klagen Hiobs ist nur ein Teilglied der Feindklage wichtig, daß für den Leidenden die Freunde Feinde werden. Das sagt Hiob in direkter Anrede an die Freunde, meist ohne Vergleiche, wie 13,12: »Eure Sprüche sind doch Aschensprüche, Lehmschanzen nur sind eure Schanzen!«; 19,2: »... und mit Gerede mich zermalmen«. Konzentriert sagt er es in dem einen in Richtung auf ein Gleichnis ausgeweiteten Vergleich der Freunde mit den Trugbächen, 6,15–21:

> »Meine Brüder trügen wie ein Bach...
> Es biegen ab vom Weg die Karawanen,
> ziehen hin in die Öde und kommen um...
> Es schauen aus die Karawanen von Theman...,
> doch sie werden betrogen...
> So seid ihr jetzt für mich geworden...«

Es ist ein echtes Gleichnis darin, daß ein Geschehen in einem Bereich neben ein Geschehen in einem anderen gestellt ist; die Schlüsse daraus zu ziehen, wird dem Hörer überlassen.

Die Zuordnung der Vergleiche zu den drei Gliedern der Klage wie in den Psalmen bestätigt, daß für den Hiob-Dichter die gleiche Struktur der Klage wie dort vorgegeben ist. Es kommen weitere Vergleiche zu weiteren Gliedern der Klage vor, die hier beiseite gelassen sind.

Vergleiche in den Freundesreden. Die meisten Vergleiche in den Freundesreden gehören deren beherrschendem Motiv, der Lehre von der Vergeltung an; dabei gibt es manche Varianten.

a) Den Frevler trifft die Strafe, 4,8: »Die Unrecht pflügen und Unheil säen, die ernten es auch«; 5,2: »Der Ärger mordet einen Toren, und einen Narren bringt der Eifer um«; 15,35: »Sie sind mit Mühsal schwanger und gebären Unheil und ihr Schoß bereitet Trug«; 20,15 f.: »Das Gut, das er verschlang, er speit es von sich; das Gift von Vipern saugt er ein, es tötet ihn der Otter Zunge«; 24,19: »Dürre und Hitze raffen weg die Schneewasser, das Totenreich, die gefrevelt haben...«; V. 20: »die Ungerechtigkeit wird wie ein Baum zerbrechen«.

b) Dem Aufstieg der Gottlosen folgt der Sturz, 5,3: »Ich sah den Toren Wurzel schlagen; da plötzlich war morsch seine Wohnstatt«; 8,11: »Wächst hoch das Schilfrohr, wo kein Sumpf ist, wird das Nilgras groß ohne Wasser?«; V. 12: »Noch grünt es, ist nicht reif zum Schnitt, da verdorrt es schon, vor allem Gras«; V. 13: »so ist... das Ende aller, die Gott vergessen...«, dazu 8,16 f.; 20,6–8:

> »Ob auch zum Himmel reichte seine Hoheit
> und sein Haupt bis an die Wolken rührte,
> gleich seinem Miste schwindet er für immer...,
> wie ein Traum verfliegt er unauffindbar weggescheucht
> gleich wie ein Nachtgesicht«

Alle diese Vergleiche wollen die Vergeltungslehre eindrucksvoll machen. Die lehrhafte Tendenz zeigt sich in dem mehrfach begegnenden Abschluß: »Siehe, das sind...«, in der Einleitung 8,10, wo die lehrhafte Absicht ausgesprochen ist, und in den belehrenden Fragen in 8,11 f. Die Schwäche all dieser Vergleiche liegt darin, daß sie schon immer voraussetzen, daß Hiob zu den Frevlern gehört. Keiner von ihnen versucht auch nur im geringsten, dem Angeredeten zu zeigen oder nachzuweisen, daß er einer von den Gottlosen ist. Die Vergleiche haben aber auch in sich eine Schwäche. Wenn ein Vergleich darin besteht, daß ein Vorgang aus einem neben einen Vorgang aus einem anderen Bereich gestellt wird, dann müßte der vergleichende Vorgang eine dem verglichenen entsprechende Struktur haben, er müßte auch Ursache und Folge aufzeigen. Eine dem Frevel, der Sünde entsprechende Ursache aber kann an den Parallelvorgängen nicht aufgezeigt werden. In all den Vergleichen kann zwar der Untergang, der Sturz, das Vergehen gezeigt werden, der Grund dafür aber nicht. Darin ist es wahrscheinlich auch begründet, daß in den später angefügten Reden Elihus Kap. 32–37 die Vergleiche fast ganz fehlen.
Vergleiche in den Freundesreden begegnen in der (seltenen) Segensverheißung, die ganz der traditionellen Segensverheißung entspricht, 5,18: »Denn er tut weh und er verbindet, er schlägt Wunden, doch seine Hand heilt«; V. 21: »...vor der Geißel der Zunge bist zu geborgen«; V. 26: »Wie die Garbe einkommt zu ihrer Zeit«. 22,24: »Wenn der Mächtige dein Golderz wird und dir als Silber seine Weisung gibt...«.

Vergleiche in den Gottesreden Kap. 38–41. Während in den Reden Hiobs die Vergleiche den Elementen der Klage zugeordnet sind, liegt den Gottesreden ein Teilglied des Gotteslobes aus den Psalmen zugrunde, das Lob des Schöpfers. Der Teil 38,1–38 ist ein indirektes Lob des Schöpfers, ein Reden in der 1. pers., in dem Gott Hiob fragt: Warst du etwa der Schöpfer? V. 4–11: »Wo warst du als ich...?« Es folgt der indirekte Preis des Schöpfers in V. 12–28, dem Lob des Schöpfers in den Psalmen nahestehend. Hier nun begegnet etwas dem Vergleich Ähnliches in einer eigentümlichen, einmaligen Form. Während in der Traditionsgeschichte des Redens vom Schöpfer und der Schöpfung an die Stelle des früheren Redens in konkreten, ein menschliches Tun beschreibenden Verben wie *jāṣab* (bilden) in der Priesterschrift das abstrakte Verb *bārā'* trat, ein nur für Gottes Schaffen reservierter Begriff, entfaltet der Dichter des Hiobbuches das Schaffen Gottes wieder in einer Fülle konkreter Verben. Gottes Schaffen und seine Herrschaft über die Geschöpfe wird in der Weise menschlich, also unangemessen, dargestellt, daß es mit menschlichen Verrichtungen gleichgesetzt wird: dem Erzeugen (38,28–29), dem handwerklichen Tun (38,31 knüpfen), dem Regieren, Führen, Gebieten, Leiten 38,32–39, dem Verleihen von

Weisheit und Handeln in Weisheit und Maß (V. 36–38, hierbei der Begriff des Naturgesetzes). Menschliches Wirken und Verrichten werden zum Gleichnis des Schöpferhandelns in dieser Frage Gottes an einen Menschen; in der Anrede an den Menschen kann ja nur so geredet werden. Damit erklärt der Dichter des Hiobbuches, daß von der Schöpfung überhaupt nur menschlich geredet werden kann; denn in 38,4–11, wo Gott das Subjekt des Erschaffens ist, wird genauso menschlich von Gottes Erschaffen geredet: Er hat das Maß bestimmt, die Meßschnur ausgespannt (V. 5), Pfosten eingesenkt, Ecksteine gelegt (V. 6), Tore verschlossen (V. 8); das Meer kam aus dem Mutterschoß (V. 8); zum Kleid, zu Windeln machen (V. 9); Schranke ziehen, Tor und Riegel setzen (V. 10), befehlen (V. 11).

Im Gegenüber von Gott und Mensch gibt es Zusammenhänge, in denen nicht anders als im Vergleich von Gott geredet werden kann. Dafür wird gewöhnlich der Begriff »anthropomorph« gebraucht. Dieser Begriff ist unsachgemäß und irreführend. Denn es geht bei solchen Reden nicht um die *morphē* Gottes oder des Menschen; ein Handeln Gottes wird vielmehr mit menschlichem Wirken verglichen. Das ist auch der Fall, wenn das AT vom Arm Gottes redet, wie etwa hier in 40,1–9; auch mit dem Arm Gottes ist nicht ein Teil seiner Gestalt, sondern eine Weise seines Wirkens, des Starkseins dieses Wirkens gemeint. Wenn in Hiob 38 gesagt wird, daß Gott Pfosten einsenkt oder Ecksteine legt, wird in solchen Sätzen das Wirken Gottes mit einem Wirken von Menschen gleichgesetzt, wobei aber diese Gleichsetzung von vornherein begrenzt ist durch den Gegensatz der Subjekte (Gott – Mensch), der in diesem Kapitel stark betont wird. Der Vergleich dient dazu, gerade durch die Gleichsetzung den Gegensatz zwischen Gott und Mensch zu artikulieren: Gott ist Schöpfer, der Mensch das Geschöpf. Redet er vom Schaffen des Schöpfers im Vergleich wie vom Handeln des Menschen, weist er eben damit auf den Abstand. Indem aber der Kontrast von Schöpfer und Geschöpf hervorgehoben wird, wird Gott als Schöpfer erhöht, gelobt. In solchem vergleichenden Reden vom Schöpfer ist das Lob des Schöpfers impliziert; es ist die eigentliche Funktion der Vergleiche in Hiob 38.

Kap. 28 ist die Erweiterung eines Rätselspruchs, der aus Frage und Antwort besteht: die Frage V. 12–20, die Antwort V. 23. Zu der positiven Antwort V. 23 tritt die negative V. 13–21. Die positive Antwort ist in V. 24–27 begründend entfaltet: Gott weiß den Ort der Weisheit, weil er der Schöpfer ist. Die negative Antwort verneint zwei Möglichkeiten des Gelangens zur Weisheit, durch Erwerb ist sie nicht zu erlangen V. 15–19. Die andere Möglichkeit wäre das Suchen. Diese Möglichkeit wird durch ein Kontrastgleichnis verneint: den Menschen ist zwar der Zugang zu den unterirdischen Schätzen zu erzwingen gelungen (V. 1–11), aber keine menschliche Kunst der Technik kann den Zugang zur Weisheit erzwingen. Nur Gott der Schöpfer kennt den Weg zur Weisheit. Das Wort ist zum Abgang der Freunde gesprochen. Die Freunde meinten, über die Weisheit zu verfügen und deshalb Hiob des Frevels verurteilen zu können. Das wird durch Kap. 28, einer Weisheitsrede, bestritten (dazu C. Westermann, Der Aufbau des Buches Hiob, S. 104–107).

28,1–11 ist ein dichterisch besonders schönes Kontrastgleichnis. Deutlich ist hier der kontrastierende Vergleich zu einem Gleichnis, einer in sich selbständigen Einheit erweitert. Die Funktion dieses Kontrastgleichnisses ist mehrschichtig. An der Oberfläche ist es ein Rühmen der technischen Fähigkeiten und Möglichkeiten des Menschen, also ein positives, anerkennendes Wort zu der Entwicklung der Technik. In einer tieferen Schicht aber, die sich aus dem Zusammenhang des Kapitels ergibt, ist es die Bestreitung der Fähigkeit des Menschen, von sich aus zur Weisheit, an den Ort der Weisheit zu gelangen. Hier versagt sein Forschen und sein Können. Damit wird es ein indirekter Preis des Schöpfers, der allein den Ort der Weisheit kennt.

Zusammenfassung: Der Dichter des Hiobbuches hat die Vergleiche als ein starkes dichterisches Mittel der Struktur seines Werkes in verschiedenen Funktionen zugeordnet: In den Reden Hiobs als Intensivierung der Klage in ihren drei Gliedern, in den Freundesreden als Bekräftigung der Lehre von der Vergeltung in lehrhaft-argumentativem Charakter, in den Gottesreden wie auch in Kap. 28 als indirektes Gotteslob.

Zum Abschluß der Untersuchung der Vergleiche im AT

Ich bin mir bewußt, daß diese Untersuchung nur ein Anfang ist. Zu der den Büchern des AT folgenden Längsuntersuchung müßte eine Queruntersuchung treten. In ihr müßten einmal die Funktionen der Vergleiche im AT zusammenfassend, dazu die Vergleiche als solche in ihren Bereichen untersucht werden. Durch diese beiden Schritte der Untersuchung könnte vieles von dem, was ich gefunden habe, präzisiert, weitergeführt und z. T. wahrscheinlich auch korrigiert werden.

Einige Punkte von dem, was sich in meiner Untersuchung ergab, möchte ich abschließend hervorheben:

1. Die Vergleiche sind ein Wesenselement dessen, was das AT von Gott bzw. von dem zwischen Gott und Mensch Geschehenden sagt, sie haben theologische Relevanz.

2. Diese Relevanz zeigt sich schon darin, daß die Vergleiche im AT nicht an beliebigen Stellen begegnen, sondern ihre spezifische Bedeutung in dialogischen Texten, besonders Prophetie und Psalmen (dazu in mehreren Gruppen profaner Texte), nicht aber in berichtenden (und erzählenden) und gesetzlichen haben.

3. Vorkommen und Gebrauch der Vergleiche im AT widerspricht der Auffassung, daß alle Vergleiche eine illustrierende Funktion haben, also als »Bilder« bezeichnet werden können. Vielmehr erhalten die Vergleiche ihre Funktion jeweils aus dem Zusammenhang, in dem sie begegnen; ihre jeweilige Funktion ergibt sich aus dem Zusammenhang.

4. Da die Vergleiche dialogischen Texten angehören, ist dieser Zusammenhang in jedem Fall etwas zwischen den Partnern dieses Dialogs Geschehendes. Die Relation des Vergleichs ist nicht die von Bild und Sache, vielmehr wird im Vergleich ein Geschehen in einem Bereich neben ein Geschehen in einem anderen Bereich gestellt (wobei das Vergleichende dem Verglichenen dienen soll).

5. Dieser Zusammenhang ist jeweils Glied eines größeren Ganzen, z. B. eines Prophetenwortes oder eines Psalms. Die Vergleiche dienen dem, daß der Psalm oder daß das Prophetenwort gehört wird, je bei einem Glied, zu dem sie gehören. Der Vergleich bei der Anklage Gottes verschärft diese, der Vergleich bei der Ich-Klage intensiviert diese, der beim Ausdruck des Vertrauens stärkt das, worauf der Beter traut, der Vergleich beim Gotteslob dient dem Erhöhen Gottes. Entsprechend bei den Prophetenworten.

6. Diese intensivierende Funktion der Vergleiche macht sie sowohl für die Sprache des Prophetenwortes wie für die der Psalmen unentbehrlich; ohne sie könnten Prophetensprüche und Psalmen das nicht sagen, was sie zu sagen beabsichtigen.

7. Der Bereich der Vergleiche umfaßt die ganze Wirklichkeit des Menschen und die ganze Wirklichkeit der Welt. Die Wirklichkeit des Geschaffenen, die Wirklichkeit der Schöpfung spricht in den Vergleichen bei den Worten, zu denen sie gehören, mit. Damit erhält das, was die Bibel von der Schöpfung sagt, eine von den von Gott an die Menschen und von den von den Menschen an Gott gerichteten Worten nicht ablösbare Bedeutung.

Folgerungen für das Verständnis der Gleichnisse

Folgerungen aus der Untersuchung der Vergleiche im AT für das Verständnis der Gleichnisse Jesu im NT

a) Die Untersuchung der Vergleiche im AT hat ergeben, daß sie ihren Sinn und ihre Funktion aus dem Zusammenhang erhalten, in dem sie begegnen.

b) Die Vergleiche im AT begegnen nur (mit Ausnahmen, die jeweils begründet sind) in dialogischen Texten. Sie sind Anrede oder dienen der Anrede; sie gewinnen ihre Funktion aus dem Anrede-Zusammenhang. Sofern und soweit die Gleichnisse Erweiterungen von Vergleichen sind, gilt das dann auch für die Gleichnisse.

c) Im Gleichnis wird, wie im Vergleich, ein Vorgang neben einen anderen gestellt, zu dem er etwas sagen soll. Die Absicht des Danebenstellens ist identisch mit der Funktion des Vergleichs wie auch des Gleichnisses. So wie die Vergleiche (und in einigen Fällen auch Gleichnisse) dem Glied eines Psalms oder eines Prophetenwortes zugehören, so haben die Gleichnisse ihren Ort und ihre Funktion in einem Bestandteil des Verkündigens bzw. Wirkens Jesu bzw. in den Weiterbildungen des Lebens und Wirkens der Urgemeinde.

d) Ebenso wie die Vergleiche im AT sind die Vergleiche und die Gleichnisse in der Verkündigung Jesu nur von dem Gesamtbestand her zu erklären. Es gibt hier wie dort Texte, die eine Übergangsform zwischen Vergleich und Gleichnis bilden. Der erste Schritt muß dann eine Gliederung des Gesamtbestands sein. Wie die Vergleiche im AT haben die Gleichnisse in den Evangelien verschiedene Funktionen in verschiedenen Zusammenhängen.

e) Wie die Vergleiche im AT richten sich die Gleichnisse Jesu nicht an den Glauben, sondern fordern zu selbständigem Urteil heraus. Hinter den Weisungen Jesu z. B. steht wie hinter den Worten der Propheten keine Macht, kein Amt, keine Institution, der Anredende kann nur an die Einsicht, die innere Zustimmung der Hörenden appellieren.

f) Der Bereich der Vergleiche im AT und in der Verkündigung Jesu ist ähnlich; hier wie dort begegnet in den Vergleichen potentiell die gesamte menschliche und außermenschliche Wirklichkeit, d. h. die gesamte Schöpfung. Wie bei den Vergleichen im AT ist der Angeredete in den Gleichnissen Jesu zu einem Beurteilen der Vergleiche befähigt als Geschöpf, das sein Schöpfer dazu ausrüstet, sich in seiner Welt zurechtzufinden und seinen Weg in ihr zu finden. Damit erhält das Reden von der Schöpfung in den Gleichnissen Jesu ebenso wie in den Vergleichen des AT eine erhöhte Bedeutung: das in der Schöpfung Geschehende spricht mit bei dem, was zwischen Gott und Mensch geschieht.

Zur Erklärung der Gleichnisse in der neutestamentlichen Forschung

a) *R. Bultmann*, Geschichte der synoptischen Tradition, 1931, [8]1970, S. 179–222: »Gleichnisse und Verwandtes«. – Bultmanns Untersuchung der Gleichnisse ist für die neuere Gleichnisforschung grundlegend. Er geht von den »Bildworten« aus

(S. 181–183); von ihnen unterscheiden sich die Gleichnisse (S. 184–188) durch ihre Ausführlichkeit; das Gleichnis kann aus dem Bildwort oder Vergleich entwickelt sein. Von den Gleichnissen unterscheidet er mit Jülicher die Parabeln (S. 188–192), Gleichnis typischer Vorgang, Parabel interessierender Einzelfall, und die Beispielerzählungen (S. 192–193). Es folgt »Form und Geschichte des Stoffes«, S. 193–222.

Zuzustimmen ist der Unterscheidung zwischen kurzen »Bildworten« und den ausführlicheren Gleichnissen, die als Erweiterungen jener verstanden werden können. Problematisch ist die Bezeichnung Bildworte und deren Unterscheidung von Metaphern (S. 193), bei denen im Unterschied zum »korrekten Vergleich« die Vergleichspartikel fehle. Unter den Bildworten nennt Bultmann Lk 6,39: »Kann ein Blinder einen Blinden führen…!« Aber dieses Wort beschreibt nicht ein Bild; es stellt einen Vorgang neben einen anderen Vorgang, zu dem er etwas sagen soll. Zu den Metaphern rechnet Bultmann u. a. Mt 5,13. 14. 16: »Ihr seid das Salz der Erde…«, weil die Vergleichspartikel fehlen. Aber das Fehlen ändert nichts daran, daß hier ein Vergleich in einem Satz vorliegt; auch in Lk 6,39 fehlen sie, das Bultmann als Bildwort (= Vergleich) bezeichnet. Die Jünger werden in ihrem Wirken in der Welt mit dem Wirken des Salzes in einer Speise verglichen. Dagegen ist in V. 16 »Licht« als eine Mataphaer gebraucht, als ein einzelnes Wort in einem übertragenen Sinn. Dieser übertragene Sinn ist aus einem Vergleich, nämlich V. 14, entstanden. Genauso ist »Frucht« in Mt 7,16 als Metapher gebraucht: »An ihren Früchten sollt ihr sie erkennen.« Hinter diesem metaphorischen Gebrauch steht ein Vergleich. Dagegen das Wort Mt 7,3–5 (Bultmann: »Das Wort vom Splitter und vom Balken könnte man hierher rechnen«) ist eindeutig ein erweiterter Vergleich. Mt 7,1–5 ist eine Warnung vor verkehrtem Handeln. In V. 3–5 erhält die Warnung eine Begründung in einem Vergleich, aus dem der Angeredete selbst seine Schlüsse ziehen soll. Es hat als Begründung zugleich die Funktion einer Verstärkung der Warnung V. 1. Der Text Mt 7,1–5 bestätigt, daß die Bezeichnung »Bildwort« nicht sachgemäß ist. Denn wo immer in den Evangelien ein Vergleich so wie hier in V. 4–5 erweitert wird, geschieht das verbal, in Richtung auf eine kleine Erzählung, niemals aber in der Weise der Ausmalung eines Bildes.

Übersieht man die Texte, die Bultmann S. 181–184 unter den Bezeichnungen Bildworte, Metaphern, Vergleiche zusammenstellt, wobei er die Zuordnung oft in der Schwebe läßt, erhält man den Eindruck, daß hier äußerst verschiedene Texte zusammengestellt sind, bei denen die Zuweisung zu einer dieser Bezeichnungen nicht ausreicht, zusammengehörige Gruppen zu bestimmen. Es bestätigt, daß eine Gruppierung ohne die Bestimmung der Funktion nicht möglich ist. S. 184–193 gliedert Bultmann die Gleichnisse, die er so definiert: »…solche Bildungen, die sich von einem Vergleich oder Bildwort nur durch die Ausführlichkeit… unterscheiden«. Aber der eigentliche Unterschied ist, daß der Vergleich die Form eines Satzes hat, das Gleichnis die einer Erzählung. Es ist grundlegend, daß das Gleichnis eine zu einer Erzählung gestaltete *Folge* von Akten ist. Aber als Erzählung bezeichnet Bultmann das Gleichnis erst in dem Abschnitt »Technik der Gleichniserzählung« S. 203–210 im Anschluß an Olrik. Auch hier aber behandelt er nur Elemente der Erzählung, nicht die Erzählganzheit und ihre Struktur.

Die Folge ist, daß die nun folgende Behandlung der einzelnen Gleichnisse (S. 184–193) nach rein formalen Gesichtspunkten nicht überzeugt. In der Aufzählung folgen derart verschiedene Gleichnisse aufeinander, daß deutlich unterschiedene Gruppen von Gleichnissen nicht erkennbar werden. Dem entspricht es, daß Bultmann S. 193–222 »Form und Geschichte des Stoffes« die Einleitung (S. 193), den Schluß (S. 198) und Einzelelemente ausführlich behandelt, zum Ganzen der Erzählung und der Erzählstruktur nichts sagt. S. 203–210 weist er im Anschluß an Olrik überzeugend nach, daß in den Gleichnissen die gleiche vielgestaltige Kunst der Erzählung zu finden ist wie in den alten mündlich entstandenen Volkserzählungen. Aber die naheliegende Folgerung daraus, daß die Gleichnisse der Form nach zu der größeren Gattung dieser mündlich entstandenen Erzählungen gehören, hat er nicht gezogen. Die Frage, wie sich denn die Gleichnisse zu den Erzählungen verhalten, die Olrik meint (der an Gleichnisse dabei überhaupt nicht gedacht hat), hat er nicht gestellt. Darum konnte Bultmann auch nicht sehen, daß die Mehrzahl der Gleichnisse abgekürzte Erzählungen, nicht vollständige, sondern Ausschnitte von Erzählungen sind, vollständige Erzählungen aber nur die kleine Gruppe von Beispielerzählungen. Was in den übrigen Gleichnissen erzählt wird, ist das für den Zusammenhang und damit die Funktion des Gleichnisses Wesentliche, alles andere wird weggelassen. Bultmann registriert genau Einleitung und Schluß der Gleichnisse (S. 193–195. 197–202, 208–210). Beachtet man aber die Erzählstruktur als ganze, so ist zu unterscheiden zwischen Einleitung und Schluß der Erzählung als ganzer – Einleitung und Schluß des Gleichnisses als eines Erzählungsausschnittes. Erst diese Unterscheidung ermöglicht den Zusammenhang abzuheben, aus dem heraus das Gleichnis seine Funktion erhält. Auch dient diese Unterscheidung dazu, verschiedene Gruppen von Gleichnissen nach ihrer Funktion zu unterscheiden.

b) *J. Jeremias,* Die Gleichnisse Jesu, 1947, ⁹1977. – In Teil I. »Das Problem« geht Jeremias bei der »Ermittlung ihres ursprünglichen Sinnes« (S. 9) kurz und skizzenhaft auf die Geschichte der Forschung ein; er nennt A. Jülicher, A. T. Cadoux, B. T. D. Smith, V. H. Dodd, aber nicht R. Bultmann. Teil II. (S. 19–114) »Von der Urkirche zu Jesus zurück« will »einen Zugang zur ipsissima vox Jesu bahnen«, »denn niemand als der Menschensohn selbst und sein Wort kann unserer Verkündigung Vollmacht geben«. In Teil III. »Die Botschaft der Gleichnisse Jesu« (S. 115–226) nimmt Jeremias (S. 115) ein Ergebnis voraus: »Es zeigt sich, daß viele Gleichnisse ein- und denselben Gedanken, nur in verschiedenen Bildern, ausdrücken«, daher treten »wenige schlichte Hauptgedanken hervor«. Sie ordnen sich wie von selbst zusammen und bilden 10 Gruppen, die »als Ganzes eine geschlossene Zusammenfassung der Botschaft Jesu« darstellen. Auch Jeremias setzt als selbstverständlich voraus, die Gleichnisse seien Bilder, die Gedanken ausdrücken (so auch S. 91), und daß eine Botschaft in Gedanken besteht. In Wirklichkeit sagt eine Botschaft, daß etwas geschehen ist (Lk 7,22; Mt 11,5, von Jeremias zu Anfang des Kapitels zitiert). Abgesehen davon aber ist die Annahme, daß die 10 Hauptgedanken sich von selbst zu 10 Gruppen ordnen, die »als Ganzes eine geschlossene Zusammenfassung der Botschaft Jesu« darstellen (S. 115), eine bloße Hypothese, die durch die Ausführung in den 10 Punkten nicht bestätigt wird.

Der Teil 1 »Die Gegenwart des Heils« (S. 115) ebenso Teil 8 »Der Leidensweg und die Herrlichkeit des Menschensohnes« (S. 217) enthalten keine Gleichnisse, sondern nur Vergleiche, ähnlich Teil 9 »Die Vollendung«; Teil 10 behandelt die Gleichnishandlungen. Für die Gleichnisse bleiben nur Punkt 2–7. Nur Teil 2 »Gottes Erbarmen mit den Verschuldeten« (S. 214) ist eine Gruppe von Gleichnissen mit der gleichen Funktion und Adresse: »In ihm rechtfertigt Jesus sein Evangelium gegenüber seinen Kritikern« (S. 125). In Teil 3 sind die Wachstumsgleichnisse mit ganz anderen zusammengefaßt. Auch die in den weiteren Teilen 4–7 aufgezählten Gleichnisse sind sehr verschiedenartig, man hat den Eindruck, nach gedanklich-subjektiven Gesichtspunkten zusammengefaßt. Manche Gleichnisse begegnen zweimal, ein Gleichnis wird ausdrücklich als Gerichtsgleichnis bezeichnet, begegnet aber in einer anderen Gruppe.

Der Versuch einer Gliederung der Gleichnisse, den Jeremias unternimmt, ist richtig und notwendig, weil die einzelnen Gleichnisse damit einen festeren Kontext erhalten und dadurch die Deutung der Gleichnisse auf einen festeren Boden gestellt wird. Der Versuch bleibt aber in den Anfängen stecken, weil feste Kriterien fehlen.

Die Untersuchungen der Gleichnisse durch Bultmann und Jeremias stehen in einem offenkundigen Gegensatz zueinander. Bei Bultmann ist allein die Form bestimmend, bei Jeremias allein der Inhalt. Es hat sich gezeigt, daß die Einseitigkeit hier wie dort zu Schwierigkeiten führt. Jedoch ist die präzise Einzeluntersuchung bei Bultmann die notwendige Grundlage für die weitere Forschung. Die Hypothese Jeremias', daß die gesamte Verkündigung Jesu sich in seinen 10 (9) Gruppen darstelle, ist nicht haltbar. Positiv ist bei ihm, daß er einige Gruppen nach ihrer Funktion und ihrer Adresse zutreffend bestimmt hat.

c) *C. H. Dodd,* The Parables of the Kingdom, 1935. – Das I. Kapitel »The Nature of the Gospel Parables« bestimmt die Gleichnisse als den natürlichen Ausdruck eines Denkens, das die Wahrheit eher in konkreten Bildern als in abstrakten Begriffen sieht. Dodd unterscheidet der Form nach Metaphern, Erweiterung der Metapher zu einem Bild, Erweiterung zu einer Erzählung. Jede dieser Formen bietet *einen* Vergleichspunkt. Der Realismus der Gleichnisse gründet darauf, daß das Reich Gottes innerlich den Prozessen der Natur und des Menschenlebens gleicht: »since nature and supernature are one order«.

Die Gleichnisse beziehen sich auf die kritische Situation, in der Jesus und seine Hörer standen; dabei muß der ursprüngliche Sinn der Gleichnisse in der Situation Jesu und seiner Jünger von der nach dem Tod Jesu unterschieden werden, in der die Gleichnisse in einem paränetischen oder eschatologischen Sinn abgewandelt wurden.

Die Kapitel II und III wollen den theologischen Hintergrund klären, von dem her die Gleichnisse zu verstehen sind: »The Kingdom of God« und »The Day of the Son of Man«. Das IV. Kapitel »The Setting in Life« führt die Sonderung durch zwischen den Gleichnissen, deren Situation die des Wirkens Jesu ist, und denen, die nach dem Tod Jesu in der Gemeinde entstanden oder abgewandelt wurden. Das V. Kapitel »Parables of Crisis« unterscheidet von der späteren Erwartung der Wiederkunft Jesu die Krisis, die durch sein Kommen bedingt ist. Die »Parables of Growth«, VI. Kapitel, sieht in den Wachstumsgleichnissen die jetzt, mit dem Kommen Jesu erreichte Krisis als den Höhepunkt eines langen Prozesses, die Geschichte von Gottes Handeln mit seinem Volk vor Christus. Abschließend (VII.) bezeichnet Dodd die Gleichnisse als »comments upon a historical situation«. Es ist die Stunde der Entscheidung, »realisierte Eschatologie«. Das gilt für alle Gleichnisse – »The parables represent the interpretation which our Lord offered of his own ministry«.

Daß C. H. Dodd bei der Erklärung der Gleichnisse vom Wirken Jesu ausgeht und sie aus der Situation der Wirksamkeit Jesu erklären will, ist zu bejahen. Fraglich ist, ob die Wirksamkeit Jesu in der Weise auf einen Begriff gebracht werden kann, den der Königsherrschaft Gottes, wie Dodd das voraussetzt. Denn die Evangelien entfalten nicht einen Begriff, sondern erzählen eine Geschichte. Die Folge ist, daß Dodd von vornherein auf eine begriffliche Frage fixiert ist: ob und inwiefern die Gleichnisse Jesu seinem Verständnis der Königsherrschaft Gottes als »realisierte Eschatologie« entsprechen. Bei der Fixierung auf diese Frage ist es unausweichlich, daß dem Verfasser vor allem wichtig ist, was die Gleichnisse alle gemeinsam haben: *alle* beziehen sie sich, wenn auch die spätere Überarbeitung das nicht mehr erkennen läßt, auf die Krisis, die sich im Wirken Jesu vollzog. So z. B. bei den Wachstumsgleichnissen, die sich ja so deutlich von den anderen unterschei-

den, ist er nicht an dem interessiert, was ihnen allein eigen ist, sondern legt das ganze Gewicht auf den Endpunkt der in ihnen dargestellten Entwicklung, der auch sie zu Krisengleichnissen macht. In seiner Einleitung sagt Dodd, die Gleichnisse hätten den Charakter eines Arguments. Aber er fragt nicht, ob wirklich alle Gleichnisse argumentativ sind oder ob es nur eine Gruppe ist, die nachweislich diesen argumentativen Charakter hat. Dodd folgt den meisten Auslegern der Gleichnisse darin, daß er sie als Bilder versteht. Sie sind »the natural expression of a mind that sees truth in concrete pictures rather than conceives it in abstraction«. Aber Gleichnisse sind Erzählungen, keine Bilder.
Im IV. Kapitel bestimmt der Verfasser als den »Sitz im Leben« der Gleichnisse die Situation des Wirkens Jesu; manchmal nennt er es eine historische Situation. Aber was heißt hier Situation? Die Evangelien berichten eine Geschichte des Wirkens Jesu. In dieser Geschichte gibt es viele verschiedene Situationen, in denen er Gleichnisse gesprochen haben kann. Nach solchen möglichen Situationen müßte versucht werden, die Gleichnisse zu gruppieren. Dazu gehört mindestens die Frage, ob man solche Gleichnisse, in denen Jesus zu Gegnern und solche, in denen er zu seinen Jüngern oder im weiteren Sinn zu seinen willigen Zuhörern spricht, unterscheiden kann. Diese Frage fehlt bei Dodd ganz. Es kämen weitere Unterscheidungen hinzu, die der Text der Gleichnisse ermöglicht, ohne dabei schon die Deutung heranzuziehen. Auch solche Unterscheidungen fehlen. Bedingt ist das durch die Fixierung auf die eine Fragestellung, ob das Gleichnis in die Zeit vor oder nach dem Tod Christi gehört.
Wenn der Schluß des Buches (VI. Conclusion) noch einmal betont, daß die Gleichnisse alle den gleichen Sinn haben und dieser dann entfaltet wird in einer Entfaltung des Wirkens Christi im ganzen, drängt sich die Frage auf: Wozu dann diese reiche, bewegte Vielfalt der Gleichnisse Jesu, und was bleibt dann von der nur ihnen eigenen, besonderen Funktion und dem, was sie je besonderes zu sagen haben?
d) G. Eichholz, Gleichnisse der Evangelien, 1971, ³1979. Einleitung, Sprache und Struktur der Gleichnisse. Eine kleine Methodenlehre der Gleichnisauslegung. – »Gleichnis« ist eine Art Sammelbegriff; immer geht es dabei um eine bildhafte Form der Aussage. Aber »Sprache der Bilder« ist eine vorläufige Einsicht. Die Unterscheidung von Bild- und Sachhälfte behält einen begrenzten Sinn. Die Bildhälfte bringt eigentlich kein Bild, eher eine Folge von Bildern, besser noch: den Ablauf eines Geschehens. Damit wird »Sprache der Bilder« korrigiert. Zutreffender erklärt der Verfasser: Das synoptische Gleichnis hat das Gefälle einer Geschichte, die Sache, die zur Sprache kommt, ist primär ein Geschehen, weil Gott in der Verkündigung Jesu immer der handelnde Gott ist und weil der Mensch in ihr zum Handeln gerufen wird. Oft steht beides in Entsprechung zueinander. Alle Gleichnisse wollen letztlich als Geschichten erzählt werden. Selbst den Bildworten haftet noch der Charakter des Geschehens an.
Die in diesen Sätzen vorgetragene Kritik an der Bestimmung der Gleichnisse als »Sprache der Bilder« und an der Unterscheidung von Bildhälfte und Sachhälfte ist berechtigt, ihr ist zuzustimmen, auch ihrer Begründung aus der Verkündigung Jesu. Es ist dann aber nicht verständlich, warum der Verfasser auf halbem Wege stehenbleibt und sagt, die Unterscheidung von Bild- und Sachhälfte behalte einen begrenzten Sinn. Entweder ist das Gleichnis ein Bild oder es ist eine Geschichte; ein Bild ist keine Geschichte. Entweder bringt die Sachhälfte eine Sache vor oder ein Geschehen. Hier ist eine klare Alternative notwendig.
So zeigt sich dann auch in den Auslegungen der Gleichnisse im zweiten Teil des Buches, daß die richtige Erkenntnis vom Gleichnis als einem Geschehen nicht wirklich zum Tra-

gen kommt. Käme sie zum Tragen, so hätte der Verfasser merken müssen, daß das in den Wachstumsgleichnissen Erzählte (S. 65–84) ein wesentlich anderes Geschehen ist als das in von Ereignissen bestimmten Gleichnissen. Aber die »Pointe« ist ihm hier die gleiche wie in jenen: das Gleichnis sagt Gottes eschatologisches Handeln zu: »das Handeln Gottes des Schöpfers wird zum Gleichnis seines eschatologischen Handelns« (S. 76). Der Unterschied wird eingeebnet, die Eigenart der Wachstumsgleichnisse ist verkannt.

Man erwartet, daß die Erkenntnis, es gehe in den Gleichnissen nicht um Bild und Sache, sondern um ein Geschehen, in den Auslegungen der Gleichnisse erkennbar hervortrete. Statt dessen ist in ihnen nach wie vor die Scheidung von Bildhälfte und Sachhälfte unkritisch verwendet (z. B. S. 94 und 120). Der Verfasser zieht die notwendige Folgerung seiner Erkenntnisse nicht, daß im Gleichnis als einem Geschehen, einer Geschichte, auch das, was das Gleichnis sagen oder erklären will, ein Geschehen sein muß. Statt dessen wird die Sachhälfte auf einen Begriff gebracht. Der Verfasser definiert richtig S. 115: »Mit der Herrschaft der Himmel verhält es sich – wie mit einem Geschehen im Alltag.« Daraus folgt doch wohl notwendig, daß auch mit der »Herrschaft der Himmel« ein Geschehen gemeint sein muß, nicht ein abstrakter Begriff. In der schönen Auslegung des Gleichnisses vom barmherzigen Samariter sagt Eichholz abschließend (S. 173): »Das Ereignis der Liebe begegnet uns in diesem Gleichnis«; »es geht um die Mitte der Freudenbotschaft«. Aber das Gleichnis redet nicht von Liebe; dazu ist es viel zu nüchtern. Und wenn als die Summe des Gleichnisses »die Mitte der Freudenbotschaft« bezeichnet wird, ist wohl vergessen, daß es ein Samariter war, der sich als barmherzig erwies, ein Samariter, der von der Freudenbotschaft nichts gewußt hat. Hat man erkannt, daß in den Gleichnissen ein Geschehen im Alltag mit einem Geschehen zwischen Gott und Mensch verglichen wird, so wird die Auslegung bemüht sein, dieses Geschehen im Alltag sich ausreden zu lassen, und man wird mit theologischen allgemeinen Begriffen vorsichtiger sein.

e) *Eta Linnemann*, Gleichnisse Jesu, 1961, [4]1966. – Grundsätzliches zur Gleichnisauslegung (S. 13–54). I. Gleichnis, Parabel, Beispielgeschichte, Allegorie. Hier übernimmt die Verfasserin die übliche Einteilung, aber eine eindeutige Abgrenzung mehrerer Gattungen gelingt ihr ebensowenig wie Bultmann. In der weiteren Ausführung werden diese Unterscheidungen auch mehr oder weniger fallengelassen. In den beiden Teilen II. »Die Erzählungsgesetze von Gleichnis und Parabel« folgt sie Bultmann, ebenso in III. »Einleitungsformeln und Anwendung«.

In IV. »Das Gleichnis als Weise der Unterredung« hebt Linnemann hervor, daß die Ursprungssituation des Gleichnisses die Unterredung, das Gespräch ist (ebenso G. Eichholz). »Wer ein Gleichnis erzählt, möchte auf den anderen einwirken.« Hier hätte die Verfasserin auf Vergleich und Gleichnis bei den Propheten hinweisen können. Die Gesprächssituation kann sehr verschieden sein; das Gleichnis kann der Belehrung dienen (Beispiel von den Rabbinern) oder der Ermahnung (auch rabbinisch), der gelehrten Auseinandersetzung (dasselbe), dem Überführen (2 Sam 12), als eine Waffe im Streitgespräch, der Herbeiführung einer Entscheidung (Menenius Agrippa). Von den Gleichnissen Jesu wird hier nur gesagt, daß sie alledem nicht dienen, nur selten der Ermahnung. Überwiegend seien sie zu Gegnern gesprochen, wobei sie um deren Einverständnis werben. Bei diesen sehr vagen Hinweisen bleibt es; eine Gruppierung der Gleichnisse Jesu nach ihren Funktionen wird nicht gegeben.

V. »Die Struktur der Gleichnisrede«. Dieser Teil setzt ein mit der Abweisung der üblichen Bezeichnung der Gleichnisse als Bilder oder Illustrationen: »Gleichnisse sind etwas anderes als Bilder. Sie sind weder Illustrationen noch Mitteilungen in Bildersprache«

(S. 31). Dem ist zuzustimmen. Aber was sind sie dann? Was die Verfasserin positiv dem gegenüberstellt, enttäuscht: »Das Gleichnis gehört zu den Beweismitteln«; »Gleichnisse wollen Beweismittel sein«. Soll das für alle Gleichnisse gelten? Ist das Gleichnis vom Verlorenen Sohn ein Beweismittel? Außerdem ist der Ausdruck unzutreffend; was gemeint ist, wird im vorigen Abschnitt IV besser gesagt. Weil sie Beweismittel sind, gilt nur der eine Vergleichspunkt, das tertium comparationis. Er »ist der Angelpunkt, der das Gleichnis und die Sache, ›Bildhälfte und Sachhälfte‹ miteinander verbindet. Die Begriffe ›Bildhälfte und Sachhälfte‹ oder ›Bild und Sache‹ dienen der Unterscheidung...« (S. 32). Kurz vorher hieß es: »Gleichnisse sind etwas anderes als Bilder.« Zwar wird im folgenden der Gebrauch der Termini Bild und Sache auf »den späteren Leser und Ausleger« beschränkt, dem die Situation nicht mehr bekannt ist; aber später fällt diese vorsichtige Unterscheidung wieder fort. Ganz ähnlich wie bei G. Eichholz ist zwar das Unsachgemäße der Termini »Bild« und »Sache« erkannt, aber sie werden trotz dieser Erkenntnis weiter unkritisch gebraucht.

In der Zusammenfassung (S. 37) wird das Ergebnis überraschend eingeschränkt auf »jene Gleichnisse, die einen Gegensatz zwischen dem Erzähler und den Hörern überbrücken« sollen. Vorher war von einer solchen Einschränkung noch nicht die Rede. Hier zeigt sich eine große Unsicherheit. Sie beruht darauf, daß die meisten Ausleger der Gleichnisse methodisch oder sachlich etwas zu den Gleichnissen im ganzen sagen wollen und dann merken, daß das Gesagte nur für bestimmte, aber nicht alle Gleichnisse gilt. Die Folgerung ergibt sich hier von selbst, die Gleichnisse nach ihren Funktionen zu gliedern.

Kommt man von Vergleichen (und Gleichnissen) im AT her, zeigt die Vorgeschichte im AT eindeutig, daß sie hier in Zusammenhängen begegnen, aus denen ihre Funktion erschlossen werden kann. Geht man davon aus, daß die Gleichnisse Jesu erweiterte Vergleiche sind, die als solche ursprünglich einem Zusammenhang, der Situation, aus der sie gesprochen wurden, angehören, kann man eine Gliederung der Gleichnisse nach Gemeinsamkeiten wenigstens versuchen, auch wenn dabei vieles fraglich bleibt.

f) *Artikel »Gleichnis und Parabel« in RGG³* Band I, S. 1614–1621: Religionsgeschichtlich C.-M. Edsman (S. 1612–1615); In der Bibel, Im AT G. Fohrer (S. 1615–1616); Im Judentum E. L. Dietrich (S. 1616–1617); Im NT N. A. Dahl (S. 1617–1619). Die Verfasser stimmen darin überein, daß sie Vergleich und Gleichnis als Bildwort verstehen. C. M. Edsman: »Gleichnis und Parabeln gehören zur allgemeinen und zur religiösen Bildsprache, wo sie sich zur Veranschaulichung der übersinnlichen Wirklichkeit gut eignen«; »Bild- und Sachseite«; »Bildsprache«. G. Fohrer: »Eigentliches Gleichnis ist der von der bloßen Bildrede zu unterscheidende bildhafte Vergleich.« N. A. Dahl: »... da verwendet, wo eine Geschehensfolge bildhaft geschildert wird«; »Art des Bildgebrauches«; Bildhälfte – gemeinter Sachverhalt«. Dabei fällt besonders auf, daß Edsman die alte Formulierung des Supranaturalismus noch beibehält: »zur Veranschaulichung der übersinnlichen Wirklichkeit«. Edsman sagt eigentlich fast nichts von der Bedeutung des Vergleichs und der Gleichnisse für die Religionsgeschichte; das Gleichnis ist für ihn fast nur ein literarisches Phänomen. Dabei hebt er hervor: »Gleichnis... und Parabel sind durch eine epische Darstellungsart begünstigt worden.« Das trifft zwar für Homer zu, für die Bibel aber nicht; in den »epischen« Teilen des AT, also Erzählung und Geschichtsbericht, fehlt der Vergleich fast ganz, während er in Propheten und Psalmen reich entwickelt ist. G. Fohrer behandelt den »bildhaften Vergleich« aber nur in wenigen Bemerkungen zu wenigen Texten, so daß die beherrschende Bedeutung des Vergleiches im AT nicht erkannt werden kann, die Zeichenhandlungen der Propheten und sieben ausgeführte

Gleichnisse im AT. Edsman sagt zutreffend: »Das Gleichnis ist ein erweiterter Vergleich«, und das scheint auch G. Fohrer anzunehmen; aber das Verhältnis zueinander wird nicht erwogen, auch nicht die Funktion beider. E. L. Dietrich (Judentum) sieht im Gleichnis eine Stilform des Midrasch: »das rabbinische Gleichnis dient nicht nur dem Leben, sondern auch der Theorie«. Es gehört zum Lehrvortrag der Schriftgelehrten. Später überwuchert die Allegorie. N. A. Dahl sagt von den Gleichnissen des NT: »Den ihnen verwandten oft komplizierten jüdischen Gleichnissen gegenüber zeigen sie Einfachheit und Lebensfrische.« Das und der palästinische Ursprung ist ein Grund, nach ihrer Vorgeschichte zu fragen. Im allgemeinen ist darüber Einigkeit, daß der Grundbestand der Gleichnisse zu den am zuverlässigsten überlieferten Worten Jesu gehört. Aber es bleibt bei einer ungefähren Aufzählung: »Im einzelnen bleibt freilich manches unsicher.«

g) *M. D. Goulder*, Midrasch and Lection in Matthew, 1974. Chapter 3: The Midrashic Parable, S. 49–69. – Goulder will nachweisen, daß dem Verfasser des Matthäusevangeliums nur Markus als Quelle vorlag, der gesamte übrige Bestand des Evangeliums (mit wenigen Ausnahmen) vom Verfasser des Matthäusevangeliums selbst gestaltet wurde. Bei diesem Nachweis sind ihm die Gleichnisse besonders wichtig, die er in Kap. 3 seines Buches behandelt. Es ist eine für Matthäus typische Methode, den Markus-Text durch Gleichnisse auszuweiten, die Parallelen zu diesen muß man bei den Rabbinen suchen (100 von ihnen führt er in einer Liste an, S. 66–69). Die Gleichnisse in den drei Evangelien sind sehr verschieden (M. D. Goulder, Characteristics of the Parables in the Several Gospels: ITS 19 Part 1, 1968, S. 51–69). Aus dem Nachweis, daß sich die Gleichnisse von den anderen durch ihren rabbinischen Stil und ihre große Nähe zu den rabbinischen Gleichnissen unterscheiden, zieht er den Schluß, daß sie von Matthäus selbst, einem christlich-rabbinischen Schreiber, verfaßt sind.

Von den rabbinischen Parallelen her versteht Goulder das Gleichnis von vornherein als eine Erzählung, nicht als Bild oder Bildrede. Er definiert es: »The parable is a comparison... in form of a story, however slight«, S. 47; oder S. 49: »They are about God's action in inaugurating his kingdom and man's response.« Er geht kurz auf fünf Gleichnisse aus dem AT ein: Ri 9; 2 Sam 12; 2 Kön 14; Jes 5 (es fehlt Jes 28,23–29) und Ez 17 (Allegorie; es fehlt Ez 34). Wie diese sind die rabbinischen Gleichnisse alles Indikativ-, keine Imperativ-Gleichnisse: »They are concerned to demonstrate the word's situation in the perspective of the action of God.« Gewöhnlich gehen sie aus von einem Text, der einer Erklärung bedarf oder einer Frage der Lehre. Sie handeln meist von Israel, aber auch von den Vätern, der Tora, von Leib und Seele und anderem (Beispiele). Was die Evangelien betrifft, ist hier ein deutlicher Unterschied zwischen Matthäus und Markus einerseits, bei denen alle (oder fast alle) Gleichnisse indikativisch, und Lukas, bei dem fast alle Gleichnisse imperativisch sind, »a direct suggestion of what the Christian should do«. Lukas führt ein fast ungebrochenes Element von imperativen Parabeln in einer fast ungebrochenen Tradition von indikativen Parabeln ein. Markus und Matthäus stehen hier in der jüdischen Tradition, Lukas nicht.

Das zeigt sich auch bei den *Einleitungsformeln*. Die meisten rabbinischen Parabeln werden eingeführt: »Ich will dir ein Gleichnis erzählen. Womit kann das verglichen werden? Es verhält sich damit wie mit...«. Einige Markus-Gleichnisse beginnen mit solchen Formeln: 4,26. 30. Die anderen haben alle das Wort *parabolä* im Einleitungssatz. Ähnlich Matthäus: »Das Himmelreich ist gleich einem...«. Lukas dagegen gebraucht niemals Einleitungsformeln, nur wo er Gleichnisse übernimmt. Sonst beginnt er gleich mit der Geschichte: »Es ging ein Mann...«

Weitere Unterschiede: Die at-lichen Gleichnisse sind im wesentlichen Vergleiche zwischen Gott-Mensch-Situationen und analogen in der Natur. Dem folgen die Markus-Gleichnisse. Solche Natur-Gleichnisse sind den rabbinischen Gleichnissen fremd (nur 10 von 100). In dieser rabbinischen Tradition stehen die Matthäus-Gleichnisse; z. B. personalisiert er zwei der Natur-Gleichnisse des Markus. Dem Matthäus eigen ist nur das Sauerteig-Gleichnis. Auch Lukas folgt hier im wesentlichen der rabbinischen Tradition. 51 von 100 der rabbinischen sind Kontrast-Gleichnisse. Sie begegnen wenig bei Markus und Lukas, aber sehr ausgeprägt bei Matthäus, dessen 13 lange Gleichnisse alle Schwarzweiß-Kontrast-Gleichnisse sind.

Typische Figuren sind besonders ausgeprägt in den rabbinischen Gleichnissen, z. B. der König. Ebenso bei Matthäus, während die Gestalten bei Lukas individuell geprägt sind. Allegorien hat überwiegend Matthäus, Markus weniger, Lukas fast gar nicht. Auch hier steht Matthäus in der rabbinischen Tradition.

Die angehängte Erklärung entspricht ebenfalls der rabbinischen Tradition; 97 von 100 rabbinischen Gleichnissen enden mit Sätzen wie: »Ebenso wird der Heilige, gepriesen sei er...« Auch hier ist Lukas am weitesten von der rabbinischen Tradition entfernt.

Die rabbinischen Gleichnisse bevorzugen den hohen Rang, oft handeln sie vom König, dem Königshof, den Reichen mit großem Landbesitz. Von 90 Gleichnissen handeln 50 vom König und 10 von hohem sozialen Rang. Dem entspricht in den Evangelien wieder deutlich Matthäus, während die Gleichnisse des Markus sich im Leben des Dorfes bewegen. Lukas, etwa in der Mitte, bevorzugt den Landedelmann, die Mittelklasse.

Die zentralen Lehren des Matthäus sind die gleichen wie bei Markus. Aber einige Lehren sind bei Matthäus besonders betont: Matthäus sagt statt »Königtum Gottes« wie die rabbinischen Gleichnisse: *malkūt haššamajim.* Er betont der rabbinischen Lehre entsprechend stark die Hölle und ihre Qualen, ewige Strafe, Finsternis, unlöschbares Feuer, Heulen und Zähneknirschen. Das begegnet viel weniger bei Lukas, nur einmal bei Markus. Die Engel haben bei Matthäus eine betonte Bedeutung, mehr als bei Markus und Lukas. Auch das entspricht rabbinischer Lehre.

Goulder faßt seine Schlußfolgerung in einem Gleichnis zusammen: Drei Säle sind voll von Gemälden. Die Bilder in allen drei Sälen werden Leonardo zugeschrieben, aber Kritiker fanden heraus, daß sie alle von Schülern überarbeitet sind. Wir können die Schicht der Schüler über den Originalen nicht abtragen, ohne diese zu zerstören; alle drei haben in der Überarbeitung ihren eigenen Charakter. Die Matthäus-Gleichnisse unterscheiden sich in ihrem rabbinischen Charakter von Markus und Lukas; sie sind des Matthäus eigene Komposition, ihr Autor ist Matthäus »the christian scribe«. Er lehrte in Gleichnissen im Namen Christi so wie ein Rabbi im Namen seines rabbinischen Lehrers.

Zu diesem Gleichnis-Kapitel bei M. D. Goulder: Gegenüber den vorher angeführten neutestamentlichen Untersuchungen der Gleichnisse fällt ein Unterschied ins Auge: Hier werden die Gleichnisse selbst in ihrem einfachen Wortsinn untersucht, nicht von ihrer Deutung her. Begründet ist das in der Absicht, das Verhältnis der Gleichnisse des NT zu den rabbinischen Gleichnissen bis in die Einzelheiten genau zu bestimmen. Der Verfasser kommt nicht von einer schon vorher feststehenden christlichen (d. h. in der christlichen Tradition herausgebildeten) Deutung der Gleichnisse her, sondern sieht sie als Texte, die mit einer anderen, ähnlichen Gruppe von Texten, die ihnen auch zeitlich relativ nahestehen, verglichen werden. Das hat zur Folge, daß er die Textelemente der Gleichnisse sehr viel genauer, präziser zu sehen und zu beurteilen in der Lage ist als in einer Auslegungstradition, in der etwa die allgemeinen Begriffe basileia tōn ouranōn in ihrer Deutung der Auslegung schon vorausliegen oder aber »die Gleichnisse« in ihrer Gesamtheit schon einem Begriff wie »eschatologisch, Eschatologie« untergeordnet sind. Solche allgemeinen, begrifflichen Einordnungen der Gleichnisse begegnen in dieser Untersuchung nicht; in diesem Neuansatz sehe ich die besondere Bedeutung der Untersuchung von Gleichnissen. Diese Feststellung eines Neuansatzes ist von den Ergebnissen, zu denen der Verfasser kommt, unabhängig; er zeigt sich schon beim Ausgangspunkt: der erheblichen Verschiedenheit der Gleichnisse in den drei Evangelien. Der Nachweis der Verschiedenheit der Gleichnisse in den drei Evangelien und damit verbunden der Nachweis, daß die Gleichnisse des Matthäus den rabbinischen Gleichnissen am nächsten stehen, wird anhand von Einzelzügen geführt, die eine objektive Unterscheidung einzelner Gruppen von Gleichnissen ermöglichen. Bei Matthäus (aber auch Markus) sind alle Gleichnisse indikativisch, bei Lukas (fast) alle imperativisch (zu dieser Unterscheidung s. u.). Der rabbinischen Tradition folgen bei Matthäus die Einleitungsformeln, bei Lukas niemals, das Überwiegen der Personal- gegenüber den Naturgleichnissen, die Häufigkeit der Kontrastgleichnisse, das Vorwiegen der typischen Figuren gegenüber Lukas, bei dem sie individuell ausgeprägt sind, das Überwiegen einer sozial hohen Rangordnung der Personen in den Gleichnissen; der rabbinischen Lehre entspricht »Königreich der Himmel« statt Königtum Gottes, die betonte Bedeutung der Engel und der Hölle mit ihren Höllenqualen. Dazu kommen noch weitere Beobachtungen; der Nachweis der besonderen Nähe der Matthäusgleichnisse zu den rabbinischen Gleichnissen ist überzeugend.

Es liegt nahe, daß manche der Beobachtungen des Verfassers, die aus dem Vergleich der NT-Gleichnisse mit den rabbinischen gewonnen sind, mit Beobachtungen übereinstimmen (oder ihnen nahekommen), die ich durch den Vergleich der NT-Gleichnisse mit den Vergleichen im AT gewann. Dazu gehört Goulders Unterscheidung zwischen Indikativ- und Imperativ-Gleichnissen, die meiner zwischen Verkündigungsgleichnissen und solchen, die zu einem Handeln auffordern, ähnlich ist. Ich bin allerdings der Meinung, daß die Unterscheidung Goulders genauer bestimmt und differenziert werden muß; aber grundsätzlich stimme ich ihr zu. Da sie von Goulder und von mir auf verschiedenen Wegen und unabhängig voneinander gefunden worden ist, sollte man ihr weiter nachgehen; ihre Bedeutung liegt vor allem darin, daß man dann umfassende Aussagen über die Gleichnisse Jesu nicht mehr machen kann, ohne diese Unterscheidung zu berücksichtigen.

Meine Fragen an die Untersuchung von Goulder zu Punkten, an denen ich nicht mit ihm übereinstimme, hängen mit dem verschiedenen Ausgangspunkt zusammen.

Goulder erwähnt auch die Gleichnisse im AT, aber nur die fünf, die hier gewöhnlich genannt werden. Ich bin zu der Überzeugung gekommen, daß man diese fünf Gleichnisse im AT nicht in der bisher üblichen Weise isolieren kann, weil die Gleichnisse erweiterte Vergleiche sind und es im AT eine ganze Reihe von Übergangstexten gibt. Diese und die Vergleiche müssen in die Untersuchung einbezogen werden. Daraus ergibt sich, daß man zu einer viel genaueren Gruppierung der Gleichnisse entsprechend der der Vergleiche im AT kommen kann.

Daraus ergibt sich auch, daß man nicht nur die auffällige Entsprechung der Gleichnisse des Matthäus zu den rabbinischen sieht, sondern auch markante Unterschiede zu ihnen. Goulder sagt von den rabbinischen Gleichnissen ganz mit Recht: »They usually arise out of a text, that needs exposition, or a question of doctrine.« Gerade darin aber liegt ein grundlegender Unterschied zu den Gleichnissen bei Matthäus – aber ebenso auch bei

Markus und Lukas – vor. Die Gleichnisse Jesu beziehen sich weder auf einen Text, der der Erklärung bedarf, noch auf eine Frage der Lehre; sie erhalten ihre Funktion vielmehr aus dem Wirken Jesu im ganzen. Die rabbinischen Gleichnisse haben eine im wesentlichen erklärende Funktion, wobei die Erklärung sich auf ein vorgegebenes traditum bezieht. Die Gleichnisse Jesu haben die Funktion der Verkündigung oder der Weisung, die sich gerade nicht auf ein vorgegebenes traditum bezieht, sondern in Vollmacht geschieht: ». . . er redet in Vollmacht, und nicht wie die Schriftgelehrten«. Die weitgehende Nähe der Gleichnisse des Matthäus zu den rabbinischen wird damit nicht bestritten; man muß aber sehen, daß hier auch Unterschiede bestehen. Die erklärende Funktion der rabbinischen Gleichnisse zeigt sich schön an den von Goulder angeführten Beispielen S. 48. Bei der Unterscheidung zwischen indikativen und imperativen Gleichnissen (S. 48–50) ist eine erheblich genauere Bestimmung, was damit gemeint sei, notwendig. Wenn Goulder hier (S. 149 f.) eine scharfe Scheidung zwischen Markus/Matthäus, die fast nur indikative Gleichnisse haben, und Lukas, der fast nur imperative Gleichnisse hat, sieht, so trifft das nicht zu. Eine der wichtigsten Gruppen von Gleichnissen bei Lukas, die drei Gleichnisse in Lk 15, sind eindeutig indikativ: sie künden das überreiche Erbarmen Gottes, der das Verlorene sucht und annimmt. Bei den imperativen Gleichnissen muß man unterscheiden die Weisung zum Handeln in der Gegenwart und in der Zukunft. Die drei Gleichnisse in Mt 24–25, die Goulder sicherlich zutreffend als Weiterbildungen des Markus-Gleichnisses vom Torhüter erklärt, sind ihrer Funktion nach Weisungen für das Handeln, auf ein Ereignis in der Zukunft bezogen; sie gehören also eindeutig zu den imperativen Gleichnissen. Hier ist noch einmal auf den Unterschied zu den rabbinischen Gleichnissen hinzuweisen: Solche Gleichnisse, die zum wachen Bereitsein in der Zukunft auffordern (wenn der Herr wiederkommt) haben in den rabbinischen Gleichnissen auch nicht die entfernteste Parallele.

Die Zusammenfassung gibt Goulder in einem geistreichen Vergleich (s. o. S. 113). Hier begegnet zum erstenmal in dem Kapitel über die Gleichnisse die Frage, wie sich die Gleichnisse in den drei Evangelien zu den Gleichnissen Jesu verhalten. Die Frage wird, dem entsprechend, abgeschnitten. Wir können die Schicht der Schüler über den Bildern des Meisters nicht abtragen. Das heißt, wir können die Frage, welche der Gleichnisse auf Jesus zurückgehen, nicht einmal stellen (in völligem Gegensatz etwa zu J. Jeremias). Aber selbst wenn das so wäre, wie es Goulder in seinem Vergleich zeigt, ist es nicht ebenso gefährlich und unsicher, alle Gleichnisse in den Synoptikern ohne Ausnahme auf die drei Verfasser der Evangelien festzulegen, die dann zugleich die Verfasser der Gleichnisse wären? Wäre damit die Entstehung der Gleichnisse auch nur einigermaßen glaubhaft erklärt? Ich meine, nicht. Der Fehler bei dieser Annahme Goulders scheint mir darin zu liegen, daß er im Grunde nur eine schriftliche Erklärung der Entstehung der Gleichnisse kennt. Matthäus ist für ihn ein Schreiber. Nun tragen aber die Gleichnisse, die ja alle, wie Goulder selbst sagt, kleine Erzählungen sind, den Charakter mündlicher Entstehung deutlich an sich. Das hat schon Bultmann eindeutig unter Verweis auf Olrik nachgewiesen. Diese Gleichnisse sind erzählt worden, und die Verschiedenheit der Gleichnisse in den drei Evangelien weist unverkennbar auf einen Weg, zu dem ein mündliches Stadium vor der schriftlichen Fixierung gehört. Darin, daß Goulder nach dem mündlichen Entstehen der Gleichnisse Jesu und dem ersten Stadium der mündlichen Weitergabe dieser Erzählungen nicht gefragt hat, liegt die Einseitigkeit seiner Schlußfolgerungen begründet.

Das Gleichnis als Metapher

a) *Paul Ricoeur*, Stellung und Funktion der Metapher in der biblischen Sprache, in: P. Ricoeur, E. Jüngel, Metapher: EvTheol Sonderheft 1974, S. 45–70. – Ricoeur untersucht die Metapher als ein Phänomen der Sprache allgemein, dann im besonderen der religiösen Sprache. »Es geht um das Vermögen der Metapher, sinnstiftend zu wirken« (S. 46). I. Semantik der Metapher. Ricoeur lehnt die traditionelle Auffassung der Metapher als »bildlicher Ausdrucksweise« ab. Bei der Metapher handelt es sich nicht um Wörter, die bildlich verwendet werden, sondern um metaphorische Aussagen (S. 47). Sie besteht nicht in der Bekleidung einer Idee durch ein Bild, sondern darin, eine Verwandtschaft aufscheinen zu lassen, wo das gewöhnliche Hinsehen diese nicht erkennt. »Gute Metaphern sind jene, die mehr eine Ähnlichkeit stiften, als daß sie nachzeichnen« (S. 48). »Sie sind nicht Ausschmückung der Rede, sie bringen eine neue Information mit sich« (S. 49). II. Metapher und Wirklichkeit. Dieser Teil handelt von der Funktion der Metapher in der dichterischen Sprache. III. Metapher und Gleichnis. »Ein Gleichnis ist eine Redeweise, die einen metaphorischen Prozeß auf eine Erzählform anwendet« (S. 55), »die metaphorische Funktionsweise einer Erzählung« (S. 55). Ricoeur folgt in einer Reihe von Punkten dem Gleichnisverständnis von D. A. Via (Die Gleichnisse Jesu. Ihre literarische und existentiale Dimension, 1970), der das Gleichnis von seiner dramatischen Struktur her versteht, als entweder »tragisch« oder »komisch«, aufgebaut nach Beginn-Mitte-Ende, mit bestimmter Zuordnung von Haupt- und Nebenfiguren. Es kommt beim Verständnis des Gleichnisses nicht auf den »Punkt« (das tertium comparationis) an (im Gegensatz zu A. Jülicher), sondern auf die Erzählstruktur als ganze; »die Handlung als solche ist der Träger des metaphorischen Prozesses« (S. 60). Dazu Ricoeur: »Wir müssen den Dualismus ›Sache‹ und ›Sprachfigur‹ vergessen, seine Umsetzung als ›Gedanke‹ und ›Bild‹ vergessen« (S. 62). IV. Gleichnisse und andere Grenzausdrücke. Zu der bisher gegebenen Definition des Gleichnisses: »die Verbindung einer Erzählform mit einem metaphorischen Prozeß« (S. 65) kommt hinzu die Intentionalität, die darin zum Ausdruck kommt, daß es vom ›Himmelreich‹ handelt« (S. 66). Die Intentionalität wird in anderen Wortarten deutlicher, in eschatologischen Sprüchen und sprichwortartigen Aussprüchen: Mk 1,15; Lk 11,20; 17,20; Mt 11,12. Sie alle sind Grenzausdruck, Überschreitung. Diese »Überschreitung« macht das Wesen der religiösen Sprache aus (S. 66). Sie zeigt sich auch im Zug der Intensivierung, der auf Paradox und Hyperbel beruht (S. 67): Lk 17,33: »Wer sein Leben gewinnen will, wird es verlieren«; Lk 6,27 (Feindesliebe). »Die Funktion des Grenzausdruckes ist hier die Absicht, das Leben neu zu orientieren, indem sie es desorientieren« (S. 67). Dasselbe tut die Extravaganz in den Gleichnissen, die in der Handlung selbst liegt: im Gleichnis Mk 12,1–12 von den bösen Weingärtnern, vom großen Abendmahl, den Arbeitern im Weinberg, vom Verlorenen Sohn und anderen.
In der Abweisung des traditionellen Verständnisses der »Metapher« ist Ricoeur zuzustimmen. Einige Punkte seien hervorgehoben: die Metapher ist nicht bildliche Ausdrucksweise, sie besteht nicht in der Bekleidung der Idee durch ein Bild, sie ist nicht Ausschmückung der Rede. Im Anschluß an D. A. Via: Es kommt beim Gleichnis nicht auf das tertium comparationis an, sondern auf die Erzählstruktur als ganze. Die Bestimmung eines Gleichnisses nach Bildhälfte und Sachhälfte sei ganz aufzugeben. Nachdem Ricoeur

in den ersten drei Kapiteln die Metapher und damit auch das Gleichnis definiert hat als »die Verbindung einer Erzählform mit einem metaphorischen Prozeß« (S. 65), fügt er im IV. Kapitel ein vorher noch nicht genanntes Element hinzu: »die Intentionalität des Gleichnisses« (ist es dasselbe, was er vorher Funktion genannt hatte?): es handelt vom »Himmelreich«. Überraschend ist, daß er diese Intentionalität deutlicher in anderen Sprachformen der Evangelien findet. Sie ist also nicht etwas den Gleichnissen spezifisch Eignendes. Nun zeigt sich diese Intentionalität nicht in den Gleichnissen als solchen, sondern nur in einem bestimmten Zug, der »Extravaganz«, der wiederum nur einer Gruppe von Gleichnissen eignet. Zwar ist die Beobachtung dieses besonderen Zuges wichtig und wertvoll; aber es ist doch nur ein besonderer Zug in einem Teil der Gleichnisse.

Diese Schwierigkeit ist einmal darin begründet, daß Ricoeur von einem Begriff der Metapher ausgeht, der trotz entgegengesetzter Versicherungen noch der gleiche ist wie bei Aristoteles, d. h. es ist ein Phänomen der Sprache, das zeitlos und geschichtslos ist, abstrakt und objektiviert. Eine solche objektivierte Metapher ist etwas Gedachtes; in der Sprache kommt sie nicht vor. In der Sprache kommt die Übertragung (nicht nominal, sondern verbal) immer nur in geschichtlich bedingten Sprachformen und Zusammenhängen vor. Eine aus dem Kontext gelöste »Metapher« ist eine bloße Abstraktion (dazu s. u. zu O. Stoffer-Heibel, 1981).

In Kapitel IV hat Ricoeur die Bedeutung des Kontextes für die Gleichnisse Jesu erkannt; aber das wirkt hier mehr als ein Anhang, der mit dem Voraufgegangenen wenig Berührung hat. Die Schwierigkeit ist außerdem darin begründet, daß Ricoeur die Frage nach der sprachlichen Form der Metapher offen läßt. Am Anfang sagt er mit Recht gegen die frühere Auffassung, daß die Metapher sich nicht auf einzelne Wörter, sondern auf Aussagen (gemeint: Sätze) beziehe. Von Vergleichen in der Form eines Satzes spricht er im Blick auf die religiöse Sprache nicht, sondern nur von Vergleichen in der Form einer Erzählung, also den Gleichnissen: »Verbindung einer Erzählform mit einem metaphorischen Prozeß.« Dieser »metaphorische Prozeß«, d. h. der Vergleich (im verbalen Sinn), vollzieht sich in der Bibel in drei Formen: in einzelnen Wörtern, die eine übertragene Bedeutung angenommen haben (»Kelch«, »Arm des Herrn«), in Sätzen (»der Herr ist mein Fels«) und in Erzählungen = Gleichnissen. Dabei ist die Erzählung eine Sonderform, sie ist die Erweiterung eines Vergleiches in der Satzform, nur als solche kann sie verstanden werden.

Eine dritte Schwierigkeit liegt darin, daß Ricoeur die »Metaphern«, der alten Tradition folgend, als Aussagen versteht. Der Vergleich in der Bibel aber ist mit wenigen Ausnahmen Anrede und erhält seine Funktion jeweils aus der Anrede.

b) *E. Jüngel*, Metapher: in P. Ricoeur – E. Jüngel, Metapher, EvTheol Sonderheft, 1974. – Im Unterschied zu der Tradition abendländischen Denkens, in dem die Metapher oder metaphorische Redeweise als uneigentliche Rede gilt, vor allem als Redeschmuck (ornatus), sieht die neuere Sprachwissenschaft und Theologie (in der Gleichniserklärung) im Gleichnis ein besonderes Genus eigentlicher Rede, einen Grundvorgang der Sprache: »Die Sprache des Glaubens ist durch metaphora konstituiert.« »Die Metapher ist eine ausgezeichnete Weise des sprachlichen Umgangs mit dem Seienden, sie bringt Erkenntnisgewinn, das Ähnliche blitzt im Unähnlichen auf.«

Die bestimmten Metaphern in unserer Sprache sind eine Erinnerung an das metaphorische Wesen der Sprache. Es gilt, die Metapher als Geschehen von Wahrheit zu erkennen.

Die Sprache des Glaubens ist durch und durch metaphorisch; Gott ist ein sinnvolles Wort nur im Zusammenhang metaphorischer Rede. Gott kann nur metaphorisch zur Sprache kommen. Die menschliche Sprache überhaupt hat Anredecharakter; auch die Rede von Gott ist ansprechende Rede. Gott ist ein ansprechendes Wort und der Mensch ein anzusprechendes Wesen. Grundmetapher ist die Identifikation des Auferstandenen mit dem gekreuzigten Menschen Jesu.

Fragen des Exegeten dazu:

1. Das Wort *metaphora* bedeutet laut Lexikon »das Übertragen«, mit dem Wort ist also ein Vorgang bezeichnet. Faßt man es, wie es bei Jüngel geschieht, als einen Seinsbegriff, so müßte man darauf hinweisen, daß das nicht die eigentliche Bedeutung des Wortes ist. Jüngel spricht zwar gelegentlich von der Metapher als einem Vorgang (S. 73: »ein für die menschliche Sprache grundlegender Vorgang«, dazu S. 77. 89. 101), aber beherrschend ist bei ihm die Metapher als Seinsaussage, so S. 113: »Metaphern verdeutlichen die Als-Struktur des Seienden«, oder wenn er von dem »metaphorischen Wesen der Sprache« spricht (S. 105 u. ö.).

2. Schwierig ist, daß nach Jüngel der metaphorische Charakter der Sprache als solcher eignet, der metaphorische Charakter der religiösen Sprache aber besonders hervorgehoben wird: »Die Sprache des Glaubens ist durch und durch metaphorisch; Gott ist ein sinnvolles Wort nur im Zusammenhang metaphorischer Rede« (S. 110). Wenn die Sprache als solche metaphorisch ist, dann nicht nur das Wort Gott, dann ist jedes andere Wort auch nur sinnvoll »im Zusammenhang metaphorischer Rede«. Wenn Jüngel hier den grundlegenden Unterschied zwischen allgemein herrschender Sprache und Metapher (gegen Aristoteles) aufgibt, geht der spezifische Sinn des Wortes Metapher verloren. Man erhält auch keine klare Auskunft darüber, was mit dem »metaphorischen Wesen der Sprache« gemeint ist. Sind alle sprachlichen Formen als solche metaphorisch? Einmal sagt er (S. 112): »Metaphern sind streng genommen keine Worte, sondern Aussagen.« Dann wäre also, strenggenommen, das Wort Gott keine Metapher. Aber im Unterschied zu Aristoteles ist der Verfasser an der sprachlichen Form nicht interessiert. Einmal bringt er das metaphorische Wesen der Sprache in Zusammenhang mit deren »Anredecharakter« (S. 108), wobei er Anrede und Aussage identifiziert: »Die Sprache des Glaubens ist als aussagende Rede ansprechende Sprache.« Wenn die Sprache für die Anrede und für die Aussage je eigene Formen geprägt hat, so wollte sie doch wohl damit die Aussage von der Anrede unterscheiden.

3. Es geht Jüngel, wie er zu Anfang S. 73 sagt, um eine »fundamentale Besinnung auf die Funktion der Metapher«. Hierbei ist anscheinend vorausgesetzt, daß die Metapher nur eine, überall gleiche Funktion habe (z. B. S. 113. 119 Punkt 3). Diese Annahme trifft nicht zu; Metaphern bzw. Vergleiche haben verschiedene Funktionen, je nach dem Zusammenhang, in dem sie begegnen. Aber nach dem Zusammenhang, in dem eine Metapher steht, fragt Jüngel nicht. Zu Anfang führt er als Beispiel für eine Metapher an: »Achill ist ein Löwe«, auf das er mehrfach zurückkommt. Er erklärt den Satz S. 113: »Es wird dem Achill etwas vom Sein des Löwen zugesprochen, der Satz zeigt etwas vom Sein des Achill.« Dabei hat er die Epen Homers vor Augen, in denen der Vergleich eine ästhetische Funktion hat. Das ist eine von mehreren möglichen Funktionen. Der Vergleich mit dem Löwen begegnet vielfach in der Bibel. In den Stammessprüchen Gen 49,9 wird ein Stamm Israels mit einem Löwen verglichen (s. o. S. 13); die Funktion ist hier ein Lob des Stammes Juda. Es wird Juda nicht etwas vom Sein, sondern vom Handeln des Löwen zugesprochen. Eine andere Funktion erhält der Vergleich in der Prophetie, wo in Hos 5,14 der gegen sein eigenes Volk vernichtend eingreifende Gott mit einem Löwen verglichen

wird. Die Funktion eines Vergleichs (einer Metapher) kann allein aus ihrem Zusammenhang bestimmt werden.

4. Schließlich fragt der Exeget den Systematiker, ob man von der Metapher sinnvoll reden kann, ohne den literatur- und kulturgeschichtlichen Aspekt dabei zu berücksichtigen. Jüngel sagt S. 91: »Die Sprache könnte eigentlich ohne Metaphern auskommen, aber eine solche Sprache wäre ausgesprochen reizlos.« Hier also gibt Jüngel der Metapher eine ästhetische Funktion. Er bezieht sich dabei auf die Metapher in der Erzählung: »... so daß etwas Erzähltes... durch den Vergleich erst sprechend wird« (S. 101 f.). Mit diesem Satz zitiert er B. Snell (Die Entdeckung des Geistes, ²1955) über die homerischen Epen. Dabei beachtet Jüngel nicht, daß die Funktion des Vergleichs in verschiedenen Kulturen und zu verschiedenen Zeiten verschieden sein kann. Im Unterschied zu den homerischen Epen fehlen in den epischen Erzählungen des AT die Vergleiche fast ganz (s. o. S. 11f.), während sie in den Psalmen und bei den Propheten in großer Fülle begegnen. Die wenigen in Erzählung und Bericht begegnenden Vergleiche haben mit wenigen Ausnahmen erklärende Funktion.

Diese wenigen Hinweise mögen genügend deutlich machen, daß bei der Frage nach der Funktion der Vergleiche (Metaphern) nicht nur der Zusammenhang im Text, sondern auch der kultur- und literaturgeschichtliche Zusammenhang berücksichtigt werden müssen. Dazu vergleiche G. Stoffer-Heibel, Metapherstudien, 1981.

c) *H. Weder*, Die Gleichnisse Jesu als Metaphern, 1978. – In einem ersten Teil »Zur Theorie der Gleichnisauslegung« zeigt Weder die »Ansätze in der neueren Forschungsgeschichte«: Jülicher, Bultmann, Dodd, Jeremias, Linnemann, Fuchs, Jüngel, Funk, Via. Es folgt seine Stellungnahme dazu: »Bemerkungen zur Theorie der Gleichnisauslegung«. Im zweiten Teil folgt eine Untersuchung einzelner Gleichnisse, im dritten: »Zusammenfassung und Folgerungen«. In seinem Verständnis der Gleichnisse ist Weder stark abhängig von Fuchs und Jüngel, der die ganze Arbeit hindurch immer wieder zitiert wird und von dessen Verständnis Weder kaum abweicht. Die Absicht Weders ist, die Gleichnisse Jesu »vom Wesen der Metapher her« zu verstehen. Eine Schwierigkeit ist dabei von Anfang an, daß Weder zwar zugibt, Metapher sei im allgemeinen Sprachgebrauch ein einzelnes Wort, daß für ihn aber (darin folgt er anderen) Metapher einen Satz bezeichnet: »Demgegenüber ist festzuhalten: die Metapher gehört zur Semantik des Satzes« (S. 59). Die Struktur dieses Satzes bestimmt er: Subjekt – Kopula – Prädikat (»Achill ist ein Löwe«, nach Jüngel). Diese sprachliche Grundfom sieht Weder analog zu der der Gleichnisse Jesu, wobei das »Pradikat« die Gleichniserzählung ist. In dieser Analogie liegt eine weitere Schwierigkeit: der einfache Tatbestand ist doch, daß die »Metapher« (nach Weder) die Struktur eines Satzes, das Gleichnis dagegen die einer Erzählung hat. Das von Jüngel übernommene Beispiel einer Metapher »Achill ist ein Löwe« zieht sich durch die ganze Untersuchung. Dieser Satz kann nicht mit den Gleichnissen Jesu verglichen werden, weil in ihm das Sein des Löwen mit dem Sein des Achill verglichen wird (so auch Jüngel), in den Gleichnissen Jesu aber ein Vorgang erzählt wird (vgl. o. S. 109). Wenn Weder die Gleichniserzählung mit dem Prädikat eines Satzes gleichsetzt, ist er, ohne das zu bemerken, doch bei Jülichers Unterscheidung von Bild und Sache stehengeblieben. These 1 der Zusammenfassung (S. 97) sagt zwar: »Die Unterscheidung zwischen Bild- und Sachhälfte... (ist) aufzugeben«; aber in These 3a heißt es: »Die Erzählung ist dann als Abbildung der Gottesherrschaft auszulegen.« Eine Erzählung ist kein Bild, sie kann nichts abbilden.

Der entscheidende Einwand gegen Weder richtet sich gegen seine Tendenz, von einem abstrakten Gleichnis-Begriff her die Unterschiede zwischen verschiedenen Arten von Gleichnissen möglichst zu relativieren und durchweg von *den* Gleichnissen Jesu zu sprechen, so als sagten sie mehr oder minder alle dasselbe. In der neuen literaturgeschichtlichen Metapher-Forschung ist erkannt, daß eine Metapher nur aus ihrem Kontext verstanden werden kann, und da der Kontext verschieden ist, ist auch die Funktion der Metapher eine verschiedene. Die Frage nach den verschiedenen Zusammenhängen, in denen in der Verkündigung Jesu Gleichnisse begegnen, fehlt bei Weder so gut wie ganz; sie würde eine Gruppierung der Gleichnisse nach diesen Zusammenhängen notwendig machen. Zu oft begegnen bei ihm Aussagen über »die Gleichnisse Jesu«, die offenkundig nur für bestimmte, aber keinesfalls für alle Gleichnisse zutreffen. Für eine präzise Auslegung wäre es unerläßlich, die Gleichnisse nach den Zusammenhängen zu gliedern, zu denen sie gehören, so daß klar ist, welche Gleichnisse jeweils gemeint sind. Der hohe Abstraktionsgrad dessen, was über »die Gleichnisse Jesu« gesagt wird, drängt ständig die Vielfalt und Vielgestaltigkeit der Gleichnisse Jesu in den Hintergrund.

Eine Bemerkung sei mir noch als einem Ausleger des AT gestattet. Die Gleichnisse Jesu haben mit den Vergleichen im AT gemeinsam, daß sie einfach und in ihrer Einfachheit überzeugend sind. Nun bin ich der Meinung, daß eine Auslegung den Texten, die sie auslegt, jedenfalls annähernd entsprechen muß. Bei der Gleichnisauslegung Weders ist der Abstand der Sprache der Auslegung zu der der Gleichnisse, die er auslegt, so beträchtlich, daß von der Schlichtheit der Gleichnisse in der luftigen Höhe der in Abstraktionen sich bewegenden Sprache der Auslegung nichts zu erkennen ist.

Wertvoll und weiterführend ist der zweite Teil, die Einzelauslegung der Gleichnisse. Die sorgfältige, die Schichten des Werdens herausstellende traditionsgeschichtliche Erklärung spricht eine ganz andere Sprache als die Teile 1 und 3. Im Unterschied zu jenen tritt hier das besondere Wort, das das jeweils einzelne Gleichnis zu sagen hat, deutlich heraus.

d) *N. Frye,* The Great Code: The Bible and Literature, 1982, Chapter III–VI Metaphor. – Die Bibel ist voll von expliziten Metaphern, dazu kommen implizite in der Nebeneinanderstellung von Worten und Bildern, metaphorisch ist identisch mit geistlich. Der primäre und buchstäbliche Sinn der Bibel ist der poetische; dieser poetische Sinn stellt sich dar in einer Bildwelt. Da Metapher in einem äußerst weiten Sinn verstanden wird, spricht der Verfasser nicht bzw. nur in kurzen, gelegentlichen Erwähnungen von Vergleichen und Gleichnissen.

e) *C. Stoffer-Heibel,* Metaphernstudien: Stuttgarter Arbeiten zur Germanistik 96, 1981. – Im ersten Teil handelt die Verfasserin von der Metapher und der Metaphertheorie, im zweiten von der Metapher in der modernen Lyrik.

Im Vorwort (S. I–VI) weist sie auf die grundlegende Wandlung des Metapher-Verständnisses in der Semantik und Literaturwissenschaft hin: Die traditionellen Kriterien der Metapher, Uneigentlichkeit, Anschaulichkeit, Analogiestruktur usw., genügen nicht, um den Begriff und das Phänomen zu erfassen. Vor allem »die tiefverwurzelte Vorstellung von der Metapher als ›sprachlichem Bild‹ geistert noch durch die literaturwissenschaftliche Theorie und verhindert eine adäquate Neubestimmung«.

Im ersten Teil der Arbeit wird ein wertvoller Überblick über die Metapherntheorien in verschiedenen Disziplinen gegeben. In ihnen wurde die Einsicht gewonnen, »daß die Metapher ein semantisches Phänomen ist, das nur als Teil eines Textes verstanden werden kann« (S. 4 f.). Die Abhängigkeit der Metapher vom jeweiligen Textzusammenhang macht eine Betrachtung isolierter Metaphern von vornherein sinnlos; das Phänomen kann nur über seine Funktion im Text erschlossen werden.

Im ersten Kapitel gibt die Verfasserin eine geschichtliche Darstellung der Problematik, ausgehend von der klassischen Metapherntheorie des Aristoteles in seiner Poetik und Rhetorik, die für Jahrhunderte das abendländische Verständnis der Metapher bestimmt hat. »Daß Aristoteles die Metapher als *ein Wort* bestimmte, bewirkte, daß sie bis in die jüngste Gegenwart isoliert und nicht im Zusammenhang mit dem jeweiligen Kontext betrachtet wurde« (S. 4). Aristoteles folgend bestimmt Cicero im dritten Buch »De oratore« die Metapher als Stilmittel »ad illustrandum atque exornandum orationem«. Auch er bestimmt die Metapher als Einzelwort. Ebenso Quintilian im 8. Buch der Instiutiones oratoriae.

Erst in der neuen Semantik wurde die Metapher grundlegend neu verstanden. Sie ist ein Phänomen der semantischen Ebene der Sprache, das kommunikativ relevant ist. Damit ist die Konzeption der Uneigentlichkeit und der Einwortmetaphorik außer Kraft gesetzt (S. 94 f.); die Metapher muß als Teil eines Textes verstanden werden. So z. B. H. Weinrich (Semantik der Metapher, 1970) S. 271: »Eine Metapher ist nie ein einfaches Wort, immer ein – wenn auch kleines – Stück Text.« Als Teil eines Textes ist die Metapher eingebettet in einen Kontext, der einerseits die Bedingungen ihrer Existenz darstellt, den sie andererseits beeinflußt. Die Funktion einer Metapher kann nur in Bezug auf ihren Kontext bestimmt werden« (S. 95 f.). Die Vorstellung von der Bildhaftigkeit der Metapher ist mit der Bestimmung als semantisches Phänomen nicht vereinbar. Während die herkömmliche Analogiemetapher zwischen zwei modellhaften »Bildern« von Wirklichkeit: ›Bildspender‹ und ›Bildempfänger‹ das tertium comparationis als heuristisches Analogon konstruiert, verläßt die moderne Semantik diese Abbildfunktion. Sie ist ein Modell, das nicht von Bildern und Wirklichkeit ausgeht (S. 100 f.).

Dieses Verständnis der Metapher (das ich erst nach Abschluß meiner Arbeit kennenlernte) hat sich mir in der Untersuchung der Vergleiche im AT bestätigt. Aber auch die Auslegung der Gleichnisse Jesu wird sich damit auseinandersetzen müssen.

Folgerungen aus der Literatur zu den Gleichnissen und zur »Metapher«

a) Die Gleichsetzung der Gleichnisse mit Bildern oder einer Bildsprache, die Behauptung also, die Gleichnisse insgesamt hätten eine illustrierende, veranschaulichende Funktion (bei Bultmann, Jeremias, Dodd, Eichholz 1. Teil, Linnemann 2. Teil, Edsman, Fohrer, Dahl u. a.) muß aufgegeben werden. Das ergibt sich sowohl aus den Vergleichen des AT, wie auch aus der neueren Sprachwissenschaft, insbesondere der Semantik, in der die Bild-Funktion oder die veranschaulichende Funktion der Metapher als alleinbestimmend auf der ganzen Linie aufgegeben wurde (D. O. Via, P. Ricoeur, C. Stoffer-Heibel u. a.).

b) Die positive These der neueren Semantik, daß eine Metapher nur aus ihrem Textzusammenhang erklärt werden kann (C. Stoffer-Heibel), ist konsequent auf die Gleichnisse Jesu anzuwenden; auch wenn der ursprüngliche Kontext bei vielen Gleichnissen nicht erhalten ist, muß doch nach den Zusammenhängen gefragt werden.

c) Dazu ist es notwendig, bei der Auslegung der Gleichnisse damit zu beginnen, Gruppen zusammengehöriger Gleichnisse zu bestimmen. Diese Aufgabe ist in der bisherigen Gleichnisauslegung durchaus noch ungenügend gelöst. Bei manchen Auslegern wird diese Aufgabe nicht gesehen; bei manchen herrscht die Tendenz vor, Aussagen über *die*

Gleichnisse insgesamt, ohne jede Beachtung der Unterschiede zwischen ihnen zu machen (E. Jüngel und H. Weder), bei manchen bleibt der Versuch einer Gruppierung in den Ansätzen stecken (E. Linnemann). Der Vergleich der Arbeiten von Bultmann und Jeremias ergibt, daß bei der Bestimmung solcher Gruppen formale und inhaltliche Gesichtspunkte gleichwertig beteiligt sein müssen. Daß eine nur gedanklich konstruierte Bestimmung von Gruppen nicht genügt, zeigen die Arbeiten von Jeremias und Dodd; daß nur formale Kriterien nicht ausreichen, zeigt die Arbeit von Bultmann.

d) Das sich in den meisten Arbeiten zeigende Bestreben, den Sinn des Gleichnisses in einen gedanklich-theologischen Begriff zu fassen, der sich aus dem Gleichnis gewinnen läßt, das sogenannte tertium comparationis, entspricht der Erzählgestalt des Gleichnisses nicht. Die Erzählung selbst soll sprechen, nicht ein aus ihr gewonnener Gedanke, und zwar die Erzählung als ganze, nach deren Struktur jeweils zu fragen ist (so D. O. Via und P. Ricoeur).

Daß die Gleichnisse Erzählungen sind und auch in ihrer Gleichnisfunktion Erzählungen bleiben, wird in den neueren Arbeiten besonders betont (D. O. Via, P. Ricoeur, M. D. Goulder; schon Bultmann hatte ihre Erzähltechnik betont). Man kann sie nur als Bilder *oder* als Erzählungen verstehen. Bei dem Schwanken zwischen beiden (G. Eichholz, E. Linnemann) kann es nicht bleiben. Ist es eine Erzählung, dann kann ein Gleichnis nicht in einer gedanklich-abstrakten Deutung festgelegt werden. Das in einem Gleichnis dargestellte Geschehen bleibt grundsätzlich als solches offen (P. Ricoeur). Es läßt zwar eine Geschichte von Deutungen zu, wie das schon die Evangelien zeigen, nicht aber eine endgültige. Ein Gleichnis kann niemals in einer Deutung in der Weise aufgehen, daß mit der Fixierung der Deutung die Gleichniserzählung entbehrlich würde. Die Erzählung spricht nach den Deutungen, die man dem Gleichnis gegeben hat, weiter.

e) Die Einleitung mancher Gleichnisse: »Das Himmelreich ist gleich…« wird bei der Voraussetzung, es gehe bei den Gleichnissen um »Bild« und »Sache«, vielfach so gedeutet, daß die Königsherrschaft Gottes die »Sache« sei, die in vielen Bildern anschaulich gemacht werde. Folglich handeln dann die Himmelreich-Gleichnisse alle von demselben »Gegenstand«. H. Dodd z. B. bestimmt erst in zwei Kapiteln, was das Reich Gottes ist, die Gleichnisse dienen dann nur dazu, das schon Feststehende zu illustrieren. Aber die Königsherrschaft Gottes ist im AT wie im NT keine Sache, sondern ein Geschehen. Sie meint ein vielfältiges Wirken Gottes. Ein König kann nicht immer dasselbe tun. Der Vielfalt seines Wirkens entspricht die Vielfalt dessen, was die Gleichnisse erzählen. Wo man diese Königsherrschaft Gottes einseitig auf einen abstrakten Begriff bringt (»eschatologisch« oder »realisierte Eschatologie« o. ä.), nimmt man den Gleichnissen das Wesentliche: daß jedes sein eigenes Wort sagt, und man verkennt damit das für das Königsamt Charakteristische.

f) Die philosophischen und systematischen Untersuchungen (P. Ricoeur, E. Jüngel und ihm folgend H. Weder) gehen von einem zeitlosen und ungeschichtlichen sprachlichen Phänomen »Metapher« aus, das sie auf die biblischen Texte anwenden wollen. Das kann aber nicht gelingen, sie kommen alle damit in Schwierigkeiten. Wenn »die Metapher ein semantisches Phänomen ist, das nur als Teil eines Textes verstanden werden kann« und daher »eine Betrachtung isolierter Metaphern von vornherein sinnlos ist« (so C. Stoffer-Heibel), gehört sie als Glied eines Textes immer dem geschichtlichen Ort und der geschichtlichen Form dieses Textes an. »Metapher« ist dann nicht nominal, sondern verbal zu fassen in den drei möglichen Sprachformen, in deren Mitte der Vergleich in der Form eines Satzes steht. Der Vergleich kann zu einer Erzählung erweitert werden (= Gleichnis), er kann zu einem Wort verkürzt werden (Metapher im engeren Sinn). Nur in dieser verkürzten Form eines »abgestorbenen Vergleichs« wird er zeitlos und allgemeingültig. Gebraucht man aber den Begriff so verallgemeinernd, daß man von einem »metaphorischen Wesen der Sprache« redet (E. Jüngel), dann verliert damit der Vergleich seine spezifische Bedeutung.

Noch weiter in der Verallgemeinerung der Metapher geht N. Frye, der in Kapitel III und IV die Metapher behandelt: Die ganze Bibel hat einen poetischen Sinn, der sich in einer Bilderwelt darstellt. Von den Vergleichen und den Gleichnissen sagt er im Zusammenhang nichts.

Zur Gliederung der Gleichnisse

Vorbemerkung: Für die Bestimmung der Funktion eines Gleichnisses ist es notwendig, die Gleichnisse in ihrem Gesamtbestand in Gruppen zu gliedern, um den Zusammenhang in der Verkündigung bzw. im Wirken Jesu zu finden, zu dem das einzelne Gleichnis gehört. Das einzelne Gleichnis erhält damit einen Kontext. Um das zu verdeutlichen, gebe ich eine Skizze der Gliederung der Gleichnisse, die aber nicht mehr als ein Versuch sein will. Von den bisher versuchten Gliederungen weicht der hier vorgelegte Versuch darin ab, daß er nicht die schon gedeuteten, sondern die Gleichnisse in ihrem einfachen Wortlaut gliedert. Es ist nicht notwendig, alle in den Evangelien vorkommenden Gleichnisse auf diese Gruppen aufzuteilen. Einige können keiner Gruppe zugeordnet werden, bei einigen Texten ist es fraglich, ob sie zu den Gleichnissen gehören. Die Unterscheidung, ob es sich um Jesus-Gleichnisse oder Gemeindebildungen handelt, wird hier meist noch fortgelassen, sie ist ein zweiter Schritt.

I. Erzählungen von einer Wandlung (Verkündigungsgleichnisse)
    a) Verloren und wiedergefunden
    b) Erbarmende Zuwendung
    c) Das Erbarmen ist unberechenbar
    d) Von der Seite der Flehenden her
    e) Schatz und Perle
    f) Nebenmotiv in anderen Gleichnissen
II. Wachstumsgleichnisse
III. Gerichtsankündigung im Gleichnis
    a) gegen Israel
    b) Ausschluß vom Festmahl
    c) Verdikt der Verwerfung
IV. Weisung für ein gegenwärtiges Handeln (A)
    a) in Beispielerzählungen
    b) als Nebenmotiv
    c) in erweiterten Vergleichen
    Weisung für ein zukünftiges Handeln (B)

I. Erzählungen von einer Wandlung (Verkündigungsgleichnisse).

a) Verloren und wiedergefunden: Lk 15,4–7. 8–10. 11–32; vgl. Mt 18,12–14; Thomas-Evangelium (= ThEv) 107.
Diese Gleichnisse entsprechen unverkennbar einem bestimmten Zusammenhang im Bericht vom Wirken Jesu in den Evangelien: Die Wandlung des Geschickes der Verlorenen vollzieht sich in der Zuwendung Jesu zu den Leidenden, Sündern, Ausgestoßenen. In dieser Zuwendung vollzieht sich die Zuwendung des Erbarmens Gottes, der aus seiner Höhe in die Tiefe sieht, von der das Lob des Erbarmens Gottes in den Psalmen spricht, z. B. Ps 113, die Erzählung vom verlorenen Sohn ist eine Entfaltung von Ps 103,9: »Wie sich ein Vater...« Dieser Vergleich ist in Lk 15 zu einem Gleichnis erweitert. Der freudige Ausruf der Frau in Lk 15,9: »Ich habe die Drachme gefunden, die ich verloren hatte!« entspricht dem berichtenden Lob in den Psalmen.

b) Erbarmende Zuwendung. Andere Gleichnisse sprechen in verschiedener Weise von der erbarmenden Zuwendung zu Sündern, Leidenden, Verachteten, die eine Wandlung bewirkt: das Gleichnis von den beiden Schuldnern Lk 7,41–45, von den ungleichen Söhnen Mt 21,28–32, vom unfruchtbaren Feigenbaum Lk 13,6–9, vom Pharisäer und Zöllner 18,9–14, vom Schalksknecht, erster Teil Mt 18,23–35.

c) Das Erbarmen ist unberechenbar. Einen besonderen Aspekt zeigt das Gleichnis von den Arbeitern im Weinberg Mt 20,1–16: Das Erbarmen, von dem hier erzählt wird, ist unberechenbar, so wie beim Lob der Güte Gottes in Ps 103: »...so hoch der Himmel über der Erde...« Die Gegner Jesu halten dem, was er vom Erbarmen Gottes sagt, eine konstatierbare Gerechtigkeit Gottes entgegen. Derselbe Einwand steht auch hinter der Erweiterung Lk 15,25–32.

d) Die beiden Gleichnisse vom bittenden Freund Lk 11,5–8 und von der bittenden Witwe Lk 18,1–8 handeln von der Zuwendung des Erbarmens Gottes von der Seite der sie Erflehenden, der Notleidenden her. Beide wollen sagen: Das scheinbar aussichtslose Flehen findet doch noch Erhörung. Im Hintergrund stehen die Klagepsalmen mit dem Teil »Gewißheit der Erhörung«.

e) Schatz und Perle. Vielleicht gehören in diese Gruppe auch die beiden Gleichnisse vom Schatz und von der Perle Mt 13,44–46; ThEv 109 und 76. Denn auch hier bewirkt das Übermaß dessen, was dem Finder »in den Schoß fiel«, eine Wandlung. Die beiden, von denen die Gleichnisse erzählen, können für dieses ihr Leben wandelnde Übermaß alles hingeben, was sie besitzen. Das wäre dann noch ein weiterer Aspekt.

f) Nebenmotive in anderen Gleichnissen. Es ist möglich, daß das indirekte Lob des Erbarmens Gottes in der Verkündigung Jesu noch in einigen weiteren Gleichnissen gefunden werden kann, die in andere Gruppen gehören. Einmal in der Erzählung vom barmherzigen Samariter Lk 10,31–37, in der der Überfallene das rettende Erbarmen Gottes durch die Hilfe eines Fremden erfährt. Dann im Gleichnis vom betrügerischen Haushalter Lk 16,1–8, der dennoch eine Chance erhält, und in der Erzählung vom reichen Mann und armen Lazarus Lk 16,19–31 in dem Motiv, daß der Leidende und Kranke nach dem Tod die Zuwendung des Erbarmens Gottes erfährt. Das ist möglich, weil alle drei Lukastexte sind, bei Lukas stehen die meisten Texte dieser Gruppe.
Abschließend zu dieser Gruppe von Gleichnissen: Alle diese Gleichnisse handeln in der Weise von der Zuwendung des Erbarmens Gottes zu den Leidenden, den Sündern, den

Verachteten, daß jede dieser Erzählungen etwas Eigenes dazu sagt. Ein Begriff kann dieses jeweils Besondere nicht zum Ausdruck bringen, nur die Erzählung in ihrer Verschiedenheit. Zu »Verloren und Wiedergefunden« z. B. gehören die drei Aspekte: Sache – Tier – Mensch.

II. Wachstumsgleichnisse. Sie reden alle von einem stetigen, nicht ereignishaften Geschehen, einem kreatürlichen Wachstumsvorgang. Was hier geschieht, geschieht nicht primär zwischen Personen, Menschen haben auf den Wachstumsvorgang keinen Einfluß, die Kraft des Wachstums kommt von Gott, dem Schöpfer.

a) Vom Wachstumsvorgang als solchem handeln die Gleichnisse von Saat und Acker Mk 4,3–8; Mt. 13,3–8; Lk 8,5–8; ThEv 9; von der selbstwachsenden Saat Mk 4,26–29; vom Senfkorn und Sauerteig Mt 13,31–33; Lk 13,18–20; ThEv 20; 96.
In Mk 4,3–8 kann sich die Aufforderung zum Hören am Anfang und am Ende nur auf den Vorgang als ganzen, vom Säen bis zum Reifen beziehen. Er soll für sich sprechen, das Gleichnis enthält keinen Hinweis auf eine Deutung, dessen bedarf es nicht. Das gilt für die anderen Wachstumsgleichnisse auch. Wenn nur eins von ihnen, das Gleichnis vom Senfkorn, als Reich-Gottes-Gleichnis eingeleitet wird, so ändert das an seinem Verständnis nichts. Wieder werden besondere Aspekte in je besonderen Erzählungen dargestellt: Die Kraft des Wachstums bewirkt einmal das Wachsen in die Höhe, einmal das Durchdringen des Ganzen. Man *kann* diese Gleichnisse auf bestimmte Vorgänge im Wirken Jesu oder der frühen Gemeinde deuten, z. B. auf die Wirkung der Verkündigung, man darf sie aber nicht auf diese Deutung einengen.

b) Im Gleichnis vom Unkraut unter dem Weizen Mt 13,24–30 tritt ein neuer Aspekt hinzu: Es geht auch hier um das sich im Wachstumsprozeß zeigende Segenswirken Gottes; der Ton aber liegt hier darauf, daß Menschen in diesen Prozeß nicht eingreifen sollen, wenn der schlechte Samen mit dem guten zusammen aufwächst, Mt 5,45 entsprechend, einem Wort, das auch vom segnenden Wirken Gottes handelt. Auch dieses Gleichnis darf nicht auf *eine* Deutung festgelegt werden.
Das Gleichnis vom Fischernetz Mt 13,47f. steht diesem nahe, in dem von »Meeresfrüchten« erzählt wird.

e) Als Nebenmotiv begegnet das Gleichnis in Mk 13,28–29 vom Feigenbaum. Der Text ist einem Vergleich näher als einem Gleichnis. Er steht dem Wachstumsgleichnis darin nahe, daß ein Wachstumsprozeß dem, der ihn beobachtet, etwas sagen kann. Was er sagen soll, ist eine Mahnung zu Wachsamkeit; Lk 13,6–9, vom unfruchtbaren Feigenbaum, berührt nur das Motiv eines Baumes, der keine Frucht bringt.
Abschließend zu diesen beiden Gruppen. Beide Gruppen gehören in den Zusammenhang des Heilshandelns Gottes; sie sind aber darin deutlich unterschieden, daß die erste Gruppe in den Gleichnissen vom rettenden Wirken Gottes bzw. Jesu spricht: »Ich bin gekommen, zu suchen und zu retten, was verloren ist«, die zweite vom Segenswirken Gottes, das sich gerade in diesen Gleichnissen deutlich vom rettenden Wirken Gottes unterscheidet. Zu diesem Unterschied vergleiche meine »Theologie des AT in Grundzügen«, 1978, Teil II und III.

III. Gerichtsankündigung im Gleichnis. Man kann hier nur mit Vorbehalt von einer Gruppe von Gleichnissen reden. Den beiden Gruppen I und II, die beide ein Heilshandeln Gottes meinen, steht hier eine annähernd gleichgewichtige Gruppe, die Gottes Gerichtshandeln meint, nicht gegenüber. Man kann nur sagen, daß das Motiv des Gerichtes Gottes auch in einigen Gleichnissen begegnet.

a) Um eine Gerichtsankündigung gegen Israel, der prophetischen Gerichtsankündigung entsprechend, geht es in dem Gleichnis von den bösen Weingärtnern Mk 12,1–11. Sie ist den Worten des Gerichts über Israel zuzuordnen, die Jesus sonst ohne Gleichnis spricht, Mt 23,37–39; 24,1–2; Lk 19,41–44; 21,5–6.

Das Gleichnis will verständlich machen, warum dieses Gericht kommen muß, deshalb lehnt es sich deutlich an Jes 5, 1–7 an: der Grund ist das Abweisen der liebenden Fürsorge Gottes für sein Volk. Das ist genauso beim Gleichnis vom Schalksknecht (Ib). Das Gericht Gottes wird da notwendig, wo seine barmherzige Fürsorge abgewiesen wird. Darin steht dieses Gleichnis der Gruppe I nahe.

b) Ausschluß (einzelner) vom Festmahl (der Endzeit). Lk 13,24–30: Die verschlossene Tür. Der Text ist schwierig, wahrscheinlich zusammengesetzt; V. 24b und 29 gehören zusammen. V. 25–29 entfaltet die Abweisung durch den Hausherrn; die Einlaß Begehrenden werden als Übeltäter abgewiesen. Viele aus dem Volk Israel werden nicht am Festmahl der Endzeit teilnehmen, aber Teilnehmer aus der Ferne werden zugelassen. Den Ausschluß vom Festmahl erzählt auch Mt 22,11–13, das hochzeitliche Kleid, ein Zusatz zu dem Gleichnis vom Hochzeitsmahl Mt 22,1–10.

Ein Nebenmotiv ist der Ausschluß vom Festmahl in dem Gleichnis von den zehn Jungfrauen Mt 25,1–13, in den Versen 11–12, die Lk 13,25–29 ähnlich sind. Nach dem Hauptmotiv gehört Mt 25,1–13 zu IVB.

c) Verdikt der Verwerfung in Zusätzen. Es ist sehr auffällig, daß das schroffe, harte Verdikt der Verwerfung (»Heulen und Zähneknirschen«, Hinrichtung) nie als organischer Bestandteil begegnet, sondern nur in Texten, die mit Sicherheit oder wahrscheinlich Zusätze sind. Das gilt für den schon in III b behandelten Zusatz Mt 22,11–13, für Mt 25,29–30 (Zusatz in 25, 14–30, anvertraute Gelder) hier beidemal mit Sicherheit; für den bösen Knecht in Mt 24,48–51 und Lk 12,45–47 wahrscheinlich; vgl. M. D. Goulder.

d) Zu erwähnen ist noch Lk 16,19–31 (kein Gleichnis) das Verdammungsurteil über den reichen Mann.

Abschließend zu Gruppe III: Die Gerichtsankündigung an Israel, die nur in einem Gleichnis begegnet, steht in einer deutlichen Entsprechung zu Gruppe I. Das läßt darauf schließen, daß dieses Gleichnis von Jesus gesprochen ist.

Der Ausschluß einzelner vom Festmahl der Endzeit (III b) und das Verdikt der Verwerfung einzelner (III c) ist von der Gerichtsankündigung gegen Israel (III a) grundlegend unterschieden und eigentlich erst in der Zeit nach Jesus sinnvoll. Es begegnet in keinem in sich geschlossenen Gleichnis als Hauptmotiv, sondern mindestens überwiegend in Zusätzen. Auch das spricht dafür, daß es aus der Situation der christlichen Gemeinden nach Jesus entstanden ist.

Dann ergibt sich, daß neben einer Fülle von Gleichnissen, die auf Gottes bzw. Jesu Heilshandeln bezogen sind, nur ein Gleichnis vom Gericht Gottes über Israel handelt, die Gerichtsworte über einzelne aber keine eigenen Gleichnisse bildeten.

IV. Weisung für ein gegenwärtiges Handeln. Bei dieser Gruppe sind die Gleichnisse einer Weisung Jesu zugeordnet bzw. sie implizieren eine Weisung. Sie wollen zu einem Tun oder Verhalten bewegen oder zu dessen Beurteilung helfen. Sie haben also eine grundlegend andere Funktion als die der ersten beiden Gruppen. M. D. Goulder unterscheidet Imperativ- von Indikativ-Gleichnissen. Macht man Aussagen über »die Gleichnisse Jesu«, ohne diesen Unterschied zu beachten, kann das zu Unklarheiten führen. Bei dieser Gruppe wiederum ist ein Unterschied zu beachten, für den das gleiche gilt. Das Verhalten, auf das das Gleichnis sich bezieht, kann ohne jeden Zeitbezug sein, so z. B. beim Gleichnis vom Knechtslohn. In anderen Texten ist das Verhalten auf einen bestimmten Zeitpunkt in der Zukunft bezogen, z. B. den der Rückkehr des Herrn. Diese Unterscheidung ist vor aller Deutung an den Texten selbst klar abzulesen.

A: Weisung für ein gegenwärtiges Handeln.

a) Lk 10,30–37, der barmherzige Samariter, ist eine vollständige Erzählung (Beispielerzählung). Sie fordert stillschweigend zu einem barmherzigen Handeln auf, das nicht an Grenzen gebunden ist. Ebenso ist Mt 25,31–46 (kein Gleichnis) eine Aufforderung zu barmherzigem Handeln, in eine Erzählung vom jüngsten Gericht gekleidet. Lk 12,16–21, das Gleichnis vom törichten Reichen, ist eine Beispielerzählung, die vor einem Zukunftsentwurf warnen soll. Den Hörern wird zugetraut, daß sie aus ihrer eigenen Wirklichkeitserfahrung den Zukunftsentwurf des törichten Reichen beurteilen und danach handeln. Lk 16,1–8, der betrügerische Haushalter, ist auch eine Beispielerzählung. Der ertappte betrügerische Haushalter nützt die einzige ihm noch bleibende Möglichkeit, sich durch Geschenke Freunde zu machen. Dieses Verhalten wird gelobt. Der abgesetzte Betrüger soll nicht als Vorbild hingestellt werden, vielmehr soll das Lob sagen: selbst dem ist noch eine Chance gegeben worden, die hat er ergriffen. In Lk 17,7–10, der Knechtslohn, werden die Hörer zur Stellungnahme in einem Fall aufgefordert. Impliziert ist die Mahnung, aus dem Ausführen des vom Herrn Gebotenen keine Ansprüche abzuleiten. Dabei sind solche angeredet, die aus ihrem Gesetzesgehorsam Ansprüche auf einen besonderen Rang ableiten.

b) Außerdem sind Gleichnisse zu nennen, die eine Weisung als Nebenmotiv enthalten. Die Gleichnisse vom bittenden Freund Lk 11,5–8 und von der bittenden Witwe Lk 18,1–8 fordern implizit dazu auf, in einer Not beharrlich an ihrem Flehen festzuhalten. Das Gleichnis vom Schalksknecht Mt 18,23–35 mahnt stillschweigend zum Erlassen der Schuld des »Mitknechts«, motiviert durch den empfangenen Erlaß der Schuld. In dem Gleichnis von den beiden Schuldnern Lk 7,41–43 ist indirekt zu einem Vergeben ohne Begrenzung aufgefordert. Auch die Erzählung von Maria und Marta kann hier genannt werden.

c) Dazu kommen einige Texte, die nur mit Einschränkung als Gleichnisse bezeichnet werden können. Beide sind erweiterte Vergleiche, in denen es um eine Weisung zum Verhalten geht. Mt 7,24–27, Hausbau, die Kapitel 5–7 abschließende Mahnung, dem Gehörten entsprechend auch zu handeln, ein redaktioneller Abschluß der Sammlung Kap. 5–7. Dazu Lk 14,28–32, Turmbau und Kriegführung. Der doppelte erweiterte Vergleich zielt auf ein Handeln der Angeredeten. In V. 33 ist er auf den Entschluß zur Nachfolge bezogen; aber beide Vergleiche haben viel weitere Deutungsmöglichkeiten. Sie wollen vor unüberlegten Entschlüssen warnen.

Der Text Lk 14,7–11, Platz beim Gastmahl, ist kein Gleichnis, es ist ein Ratschlag zu klugem Verhalten. Wenn es als Wort Jesu überliefert ist, so ist das im Zusammenhang des Eintretens Jesu für die Geringen zu sehen, besonders adressiert an solche, die stets bemüht sind, auf den obersten Platz zu kommen. Ein einfacher Ratschlag, der in diesem Zusammenhang ein Element der Kritik am Ehrbegriff der Führenden bekommen kann. Ein Ratschlag an Hand eines Beispiels ist auch Mt. 5,23–26; Lk 12,57–59, der Gang zum Richter: Es ist vernünftiger, wenn du dich schon auf dem Weg zum Richter mit deinem Gegner einigst.

Zum Abschluß von IVA: Für diese Gruppe ist ein Satz bezeichnend, mit dem Lk 12,58–59 in V. 57 eingeleitet ist: »Warum urteilt ihr nicht auch von euch selbst aus darüber, was recht ist?« Die in diesen Mahnungen Angeredeten könnten auch von selbst diese Situation beurteilen und entsprechend handeln. Vorgänge aus der Erfahrung, die jedem einleuchten, können dazu helfen, die richtige Entscheidung zu treffen. Das ist ebenso in einer Gruppe von Vergleichen, auch Weisungen zum zukünftigen Handeln oder Verhalten (s. u.). Beide Gruppen stehen den Vergleichssprüchen in den Sprüchen nahe, in denen ein Verhalten durch einen Vergleich charakterisiert wird. Die meisten (oder alle) »Beispielerzählungen« genannten Texte gehören dieser Gruppe an. Sie werden hier näher von ihrer Funktion her bestimmt.

IV B: Weisung für ein zukünftiges Handeln. Diese Gruppe von Gleichnissen wird schon von der Traditionsgeschichte des Matthäusevangeliums her als zusammengehörig bestätigt. Alle diese Texte stehen in Mt 24 und 25 zusammen, sie können eine selbständige Sammlung gebildet haben. Diese Texte sind inhaltlich durchweg bestimmt von der Mahnung zum Wachen (24,42. 44; 25,13), darin bedingt, daß die Zeit des Wiederkommens des Herrn ungewiß ist (Mt 24,27. 36). Dem Ruf zum wachsamen Bereitsein dienen, jedes auf seine eigene Weise, die Gleichnisse in Mt 24–25:

24,27: Vergleich mit dem Aufleuchten des Blitzes
    32–33: Das Zeichen des ausschlagenden Feigenbaumes
    37–42: Wie in den Tagen Noahs ... Wachet!
    43–44: Der Dieb in der Nacht ... ihr sollt bereit sein!
    45–51: Der gute und der böse Knecht
25,1–13: Zehn Jungfrauen
    14–30: Die anvertrauten Gelder
(25,31–46: Das Weltgericht)

dazu die Parallelen.

Wenn dann noch mehreren Gleichnissen das Motiv gemeinsam ist, daß dem Wiederkommen des Herrn entsprechend auch seine Abreise erzählt wird, zeigt sich das Zusammengehören dieser Gruppe unverkennbar. Sie alle handeln (24,3 die Frage der Jünger) vom Wiederkommen des von den Jüngern fortgegangenen »Herrn«. Nur diese eine Gruppe von Gleichnissen ist inhaltlich so übereinstimmend, nur diese eine handelt von Jesus selbst, nämlich von seinem Tod und seinem Wiederkommen.

Zu den anderen Gleichnissen: Der Vergleich mit dem Ausschlagen des Feigenbaumes Mt 24,32–33 mahnt in diesem Zusammenhang zum wachsamen Achten auf Vorzeichen der Wiederkunft; 24,37–42 vergleicht sie mit dem überraschenden Einbruch der Sintflut; 24,27 mit dem Aufleuchten des Blitzes; 24,43–44 mit dem Einbruch eines Diebes in der Nacht. Der treue Haushalter wird gelobt, weil er während der Abwesenheit seines Herrn dessen Besitztum gewissenhaft verwaltet; 45–51 wahrscheinlich ein Nachtrag. Es folgen die drei größeren Gleichnisse in Kap. 25. In 25,1–13 geht es um die Teilnahme an einem Hochzeitsfest, auch hier das Motiv des Ferneseins und Wiederkommens (des Bräutigams). Das Gleichnis mahnt zu wacher Bereitschaft: »denn ihr wißt weder Zeit noch Stunde«. 25,14–30 hat die gleiche Grundstruktur, aber es tritt ein neuer Aspekt hinzu, die Abrechnung bei der Rückkehr mit Lohn und Strafe (V. 28; die Strafe in V. 30 ist ein Nachtrag). 25,31–46 ist hier wegen seiner Einkleidung in eine Erzählung vom Weltgericht angefügt (siehe o. zu IVA). Aber das Motiv der Scheidung entspricht 25,1–13 und 14–30.

Varianten in anderen Evangelien: Mk 13,33–37/Lk 12,35–38, der Türhüter, ist ein erweiterter Vergleich, der eine Mahnung zur Wachsamkeit verstärken soll. Auch hier ist die Begründung, daß der Herr des Hauses zu unbekannter Zeit wiederkommt. In der Variante Lk 12,35–38 kommt der Herr von einem Gastmahl zurück.

Abschließend: Dies ist die geschlossenste Gruppe von Gleichnissen und die einzige, die von Jesus (Rückkehr des Herrn) handelt. Aber nicht die Rückkehr als solche ist das in den Vergleichen Verglichene, sondern die wache Bereitschaft der »Knechte« im Warten auf die Rückkehr des Herrn, zu der sie mahnen. Es sind also streng genommen *keine* Wiederkunftsgleichnisse (so werden sie von vielen bezeichnet), sondern als Mahnung zur Wachsamkeit (im Blick auf die erwartete Rückkehr des Herrn) ein Pendant zu den Weisungen zu einem Handeln oder Verhalten in IVA. An die Stelle der vielen verschiedenartigen Weisungen für die Gegenwart (in IVA) ist jetzt diese *eine* Mahnung zur Bereitschaft für die Wiederkunft des Herrn getreten. Das ist kaum anders zu erklären, als daß diese beiden Gruppen verschiedener Herkunft sein müssen; IVB ist für die Zeit nach dem Fortgehen des Herrn bestimmt.

Abschließend zur Gliederung der Gleichnisse:

1. Es haben sich Gruppen von Gleichnissen ergeben, die klar erkennbar und deren Funktionen eindeutig verschieden sind. Es sind einmal die Gruppen von Gleichnissen, die etwas vom Wirken Gottes sagen und darin der Verkündigung und dem Wirken Jesu zugeordnet sind, und von diesen deutlich unterschieden solche, die Weisungen für das Handeln oder Verhalten von Menschen zugeordnet sind oder implizit enthalten.

2. Die Gleichnisse, die etwas vom Wirken Gottes sagen, sind in der einen Gruppe dem rettenden Handeln des sich zu den Leidenden und den Sündern herabneigenden Gottes zugeordnet und dienen damit dem Wirken Jesu in seinem Helfen, Heilen und Vergeben. In der anderen Gruppe sind sie dem segnenden Wirken Gottes, das im Reden und Handeln Jesu ebenso verkörpert ist, zugeordnet. Neben diesen beiden tritt das richtende Handeln Gottes stark zurück.

3. Bei den Weisungen für das Handeln ist das auf die Gegenwart bezogene vielgestaltige von dem auf das eine Ereignis in der Zukunft, die Wiederkunft des Herrn bezogene Handeln oder Verhalten zu unterscheiden.

4. Bei der Gruppe III und IVB ist es wahrscheinlich, daß viele dieser Texte erst nach dem Tod Jesu entstanden sind und aus dieser Zeit ihre Funktion erhalten. Den Hauptbestandteil der Gleichnisse, die mindestens in der Mehrzahl auf Jesus zurückzuführen sind, bilden einmal die auf das rettende und segnende Handeln Gottes, dazu die auf das Handeln der Menschen, unter denen Jesu wirkt, in ihrer Gegenwart bezogen sind.

5. Die hier gegebene Skizze einer Gliederung der Gleichnisse Jesu beansprucht nicht, das letzte Wort dazu zu sein. Ich habe nur zeigen wollen, daß für das Verstehen der Gleichnisse eine Gliederung des Bestandes der Gleichnisse notwendig ist, weil diese Gruppierung auf den verschiedenen Kontext und damit die verschiedenen Funktionen der

Gleichnisse Jesu weist. Sie wäre weiter zu führen durch eine traditionsgeschichtliche Untersuchung, die das Verhältnis der Gleichnisse in den drei Evangelien zueinander einschließen müßte. In den bisherigen Auslegungen der Gleichnisse Jesu ist zu leicht und zu viel über *die* Gleichnisse Jesu gesagt und in allgemeine, abstrakte Begriffe gefaßt worden, die für den Gesamtbestand der Gleichnisse nicht zutreffen können. Eine Botschaft *der* Gleichnisse Jesu gibt es nicht. Ebenso kann man nicht sagen, alle Gleichnisse Jesu seien »eschatologisch« oder »christologisch« o. ä. zu verstehen. Die Gleichnisse Jesu sind nur dann ernst genommen, wenn man jedes einzelne in seiner Besonderheit fragt, was es sagen will, und dann in den Gruppen der eindeutig zusammengehörigen Gleichnisse den Kontext sieht, der dem Verständnis des einzelnen dient.

Beobachtungen zu den Vergleichen in den synoptischen Evangelien

I. Weisungen zum Handeln
  a) Weisung zum Handeln in der Gegenwart
  b) Weisung für das Hineinkommen in das Reich Gottes
  c) Weisung im Zusammenhang der Aussendung der Jünger
  d) Warnung vor unbesonnenem Entschluß zur Nachfolge
II. a) Jesu Auftrag: Erbarmen mit den Leidenden und Sündern
  b) Bestreitung der Gegner, Anklage und Gerichtsankündigung
III. Leidensankündigung und Wiederkehr
IV. Vergleiche in Schriftzitaten

Wenn die Gleichnisse Erweiterungen von Vergleichen sein können, wenn manche Texte eine Zwischenstellung zwischen Gleichnissen und Vergleichen einnehmen, es also einen Übergang zwischen beiden gibt, dann müßten die Vergleiche in die Untersuchung einbezogen werden.
Einleitung: In Mk begegnen etwa 23 Vergleiche, in Mt 60, in Lk ohne die Mt-Parallelen etwa 22. Sie begegnen wie im AT nicht an beliebigen Stellen. Sie fehlen ganz oder fast ganz in Berichten (Mt 1–4; 26–28; Lk 1–2; 22–24) und in Erzählungen, also der Sprachform, die den größten Raum in den Evangelien einnimmt. Sie begegnen nur in dialogischen Texten, wie auch im AT, d. h. sie erhalten ihre Funktion aus der Anrede.
Ein fließender Übergang vom Vergleich (ein Satz oder zwei Sätze) zu Gleichnissen (Erzählungen) zeigt sich daran, daß die Ausleger bei manchen Texten schwanken, ob sie als Vergleiche, meist »Bildworte« genannt, oder als Gleichnisse zu bezeichnen seien, so Mt 5,14–16 Salz, Stadt, Licht; Mt 7,5–11; 7,16–23; 11,16–19 u. a. Dieses Schwanken ist unnötig, wenn man sie als erweiterte Vergleiche bezeichnet. Da die nur in einem Satz bestehenden Vergleiche einem Zusammenhang angehören, ist die jeweilige Funktion des Vergleichs in der Regel aus diesem Zusammenhang zu erkennen (wie im AT). Da sie in verschiedenen Zusammenhängen begegnen, ist auch ihre Funktion verschieden. Zum Verständnis der Vergleiche ist es notwendig, die Gruppen von Texten zu bestimmen, die einem gemeinsamen Zusammenhang angehören. Als solche Zusammenhänge haben sich mir ergeben (nur eine grobe skizzenhafte Übersicht, die einer genaueren Ausarbeitung bedürfte):

I. Weisungen zum Handeln. Die weitaus größte Gruppe von Vergleichen in den synoptischen Evangelien ist der Weisung zu einem Handeln zugeordnet bzw. begegnet in einer Weisung oder als Weisung zu einem Handeln. Sie haben hier durchweg die Funktion der Intensivierung dieser Weisung, wenn auch in verschiedener Art. Die Funktion der Veranschaulichung oder Illustration haben sie niemals; deshalb ist die Bezeichnung als »Bildworte« (Bultmann, Jeremias u. a.) nicht sachgemäß. Dabei heben sich drei Untergruppen heraus:

a) Vergleiche bei einer Weisung zum Handeln in der Gegenwart. Dies ist die größte der Untergruppen. In ihr ist die Weisung an *alle* Zuhörer gerichtet, nicht an die Jünger im besonderen, auch nicht an die Gegner. Sie hat ihre größte Dichte in der Bergpredigt Mt 5–7 und Par. Die Weisungen der Bergpredigt sind nicht spezifisch an die Jünger gerichtet; so zeigt es Mt 5,1.
Beispiele: Mt 7,3–5: Splitter-Balken; 7,2: »mit welchem Maß ihr messet«; 7,6: Perlen vor die Schweine; 6,22f.: das Auge des Leibes Licht. Für die Funktion dieser Vergleiche ist bezeichnend, daß sie an den gesunden Menschenverstand appellieren, also der Weisung zu einem vernünftigen, allen einsichtigen Handeln dienen wie Mk 2,21f.: alter Wein und neue Schläuche, oder Mt 6,24: »niemand kann zwei Herren dienen«. Darin entsprechen diese Weisungen Jesu in hohem Maß den Weisungen zum Handeln in den Sprüchen, in denen in gleicher Weise mit dem gesunden Menschenverstand argumentiert wird.
Mehrfach wird in diesen Weisungen auf das Schöpferwirken Gottes verwiesen: Das Befreien von der Sorge, 6,25–34, das auf die Lilien auf dem Felde und die Vögel unter dem Himmel weist; dasselbe kann Jesus auch seinen Jüngern besonders sagen Mt 10,29–31: die Sperlinge und »die Haare eures Hauptes sind gezählt«. Das Gebot der Feindesliebe wird Mt 5,45 mit dem Handeln des Schöpfers begründet: »der es regnen läßt über...« Ebenso verweisen die Wachstumsgleichnisse auf das Wirken des Schöpfers.

b) Weisungen für das Hineinkommen in das Reich Gottes. Auch in dieser Gruppe sind *alle* Hörer Jesu angeredet, nicht nur die Jünger. In allen diesen Vergleichen ist das Gelangen in das Reich Gottes, an einigen Stellen = das Leben, als etwas Schweres geschildert, etwas, was schwere Opfer verlangt oder gründliche Wandlung. Für den Reichen ist es so schwer, daß eher ein Kamel durch ein Nadelöhr kommt Mk 10,25; es muß einer seine Manneswürde ablegen und wie ein Kind werden Mk 10,14f.; man muß imstande sein, dafür ein Glied oder ein Auge zu opfern Mk 9,43–48 (das ist nicht wörtlich, sondern als Vergleich gemeint); man muß durch eine enge Pforte gehen Lk 13,24; nicht die dem Gottesreich Nahen, sondern die Fernen werden hineinkommen Mt 8,11; 19,30.
Das sind nur wenige Texte, die aber alle darin übereinstimmen, daß sie das Reich Gottes (Herrschaft der Himmel) auf das Ziel des einzelnen Menschenlebens beziehen. Keine dieser Stellen deutet auch nur an, daß das Hineinkommen in das Reich Gottes etwas mit der Person oder dem Werk Jesu zu tun hat oder mit dem Glauben an ihn; auch hat es nichts zu tun mit der Geschichte oder dem Schicksal des Gottesvolkes.

c) Weisung im Zusammenhang der Aussendung der Jünger. Nur diese Gruppe enthält Weisungen, die *nur* an die Jünger gerichtet sind. Die wenigen hier begegnenden Vergleiche haben nur die eine Funktion, die Jünger für die ihnen zugedachte Aufgabe vorzubereiten und zu stärken. Sie sollen wissen, daß ihre Aufgabe Gefahren bringt: »...wie Schafe unter die Wölfe«, Mt 10,16a; darum mahnt er sie: »seid klug wie die Schlangen und ohne Falsch wie die Tauben«, V. 16b. Es wird den Jüngern nicht besser gehen wie ihrem Meister, 10,24f.; sie werden an seinem Leiden teilhaben müssen. Zugleich aber nimmt er ihnen die Furcht vor ihrer schweren Aufgabe, Lk 12,32: »Fürchte dich nicht, du kleine Herde!«, denn ihr Herr wird sie bewahren, Lk 10,19: »...Macht gegeben, auf Schlangen und Skorpione zu treten«; ihre »Namen sind im Himmel aufgeschrieben«, V. 20. Hier haben die Vergleiche die gleiche Funktion wie in der Berufung Jeremias, Jer 1. Der Stärkung der Jünger dient auch der Vergleich in Mt 10,26f., der die Notwendigkeit der Verkündigung unterstreicht: »...das predigt auf den Dächern«. Dazu gehören auch Mt 9,37 die Bitte um weitere Boten: »die Ernte ist groß, aber wenige...« Auch den Jüngern gilt der Ruf zur Bereitschaft und Wachsamkeit, Lk 12,35: »Eure Lenden seien umgürtet und eure Lichter brennend.« Das Wort an Petrus 16,18: »du bist Petrus...«, ist ein Wortspiel, das einen Vergleich impliziert.

d) Warnung vor unbesonnenem Entschluß zur Nachfolge. Es ist bezeichnend, daß ein Vergleich zur Unterstreichung des Rufes in die Nachfolge in den Evangelien nicht begegnet, wohl aber mehrmals bei der Warnung vor einem unbesonnenen Entschluß zur Nachfolge, Mt 8,20: »Die Füchse haben Gruben...«, und Lk 9,62: »Niemand, der seine Hand an den Pflug legt...« Auch das Doppelgleichnis vom Hausbau und der Kriegführung ist hier zu nennen, das o. S. 130 zu den erweiterten Vergleichen gerechnet wurde.

II a. Jesu Auftrag: Erbarmen mit den Leidenden und Sündern. Wie Jesus seinen Auftrag an denen, zu denen er gesandt war, ausführte, ist in der Sprachform der Erzählung dargestellt; sie gebraucht keine Vergleiche, das zeigt das Wort Jesu, mit dem er die Frage des Johannes beantwortet Mt 11,5. Wo Jesus von seinem Auftrag spricht, begegnen nur aus dem AT übernommene Vergleiche, Mk 6,34: »sah er viel Volk und erbarmte sich... wie Schafe, die keinen Hirten haben« (Ez 34 und oft), dazu Lk 19,10: »Denn des Menschen Sohn ist gekommen, das Verlorene zu suchen und zu retten«; vgl. Lk 15.
Hierzu kann man auch Vergleiche bei den zum Heil einladenden Worten rechnen Mt 5,6: »...die da hungert und dürstet nach dem Heil«; der Heilandsruf Mt 11,28–30 und die Verheißung der Erhörung in 7,7–8. 9–11 mit dem Kontrastvergleich Brot – Stein, ihr – euer Vater im Himmel; auch die Annahme der Kinder, Mk 10,14f.

II b. Bestreitung der Gegner, Disputations- und Gerichtsworte. Jesus spricht von seinem Auftrag aber dort in Vergleichen, wo er in seinem Wirken angegriffen wird und auf diese Angriffe antwortet, entsprechend den Disputationsworten (Bestreitungen) bei den Propheten. Wenn hier die Vergleiche ihre Funktion aus der Bestreitung der Angriffe erhalten, während das Erzählen vom Wirken Jesu solcher Vergleiche nicht bedarf, zeigt das deutlich die dialogische Funktion der Vergleiche. Jesus wird in seinem Werk des Heilens und Helfens angegriffen und antwortet darauf Mk 2,17: »Nicht die Starken bedürfen des Arztes, sondern die Kranken, ich bin nicht gekommen, die Gerechten..., sondern Sünder.« Mt 12,1–8; Ährenraufen am Sabbat: Jesus verweist auf das Verhalten Davids 1 Sam 21 und das Arbeiten der Priester am Sabbat: »Hier ist mehr als der Tempel«; »Barmherzigkeit will ich und nicht Opfer« (Hos 6,6). Ähnlich Mt 12,9–13 Heilung am Sabbat; wie die Rettung eines Schafes am Sabbat, man darf am Sabbat Gutes tun.
Mk 2,19f. Fastenfrage. Jesus beantwortet den Angriff der Pharisäer damit, daß er seine Gegenwart als Festzeit bezeichnet und weist auf deren Ende voraus: Dann werden seine Jünger fasten. – Auf den Vorwurf, er treibe Satan mit Beelzebub aus, Mk 3,23–27, entgegnet Jesus mit dem Vergleich: »Niemand kann in das Haus des Starken...«, und erhebt damit den Anspruch, daß in seinem Heilswirken die Macht des Satan gebrochen werde. Auf einen anderen Vorwurf hin sagt Jesus Mk 15,11 seinen Gegnern in einem Kontrastgleichnis, was wirklich den Menschen unrein macht.

Während Jesus in den bisher genannten Texten sein Wirken verteidigt, greift er in anderen das Wirken seiner Gegner an. Diese Anklagen verschärft er durch Vergleiche wie bei den prophetischen Anklagen. Mt 15,14: es sind blinde Blindenführer; es folgt ein Gerichtswort: sie »werden beide in eine Grube fallen«. 23,4: »sie binden schwere Bürden und legen sie auf die Schultern der Menschen«, weiter V. 13: »die das Reich der Himmel vor den Menschen zuschließen«, V. 24: Mücke–Kamel, V. 27: »getünchte Gräber«, V. 33: »Natterngezücht«. Die Wehe-Worte in Kap. 23 stehen den prophetischen Wehe-Worten nahe. Die Anklage Jeremias aus der Tempelrede ist aufgenommen in Mk 11,17: Bethaus–Räuberhöhle. Eine Gerichtsankündigung gegen die Gegner in einem Vergleich, Mt 15,13: »Jede Pflanze . . .«

Die Gruppe II b, Bestreitung der Gegner, die sein Werk angreifen, ist nach I a die größte Gruppe von Vergleichen in den Evangelien. Sie entspricht den Bestreitungen bei den Gleichnissen. Daraus läßt sich schließen, daß diese beiden Gruppen von Worten im Wirken Jesu eine hervorragende Bedeutung hatten, dem entsprechend, daß auch im AT die intensivierende Funktion der Vergleiche auf eine hervorgehobene Bedeutung weisen.

III. Leidensankündigung und Wiederkehr. In Mk 2,18–20, Fastenfrage, folgt dem Vergleich der Gegenwart Jesu mit einem Fest die Ankündigung: ». . . doch es werden Tage kommen, wo der Bräutigam von ihnen genommen wird.« Wir beobachten hier den Vorgang wie im AT besonders bei den Propheten, daß zwei aufeinanderfolgende Vorgänge in *einem* Vergleich verbunden sind (z. B. Jes 5,1–7). So nahe können Vergleiche Jesu denen im AT kommen. Lk 12,50 kündigt sein Leiden im Vergleich an: »Mit einer Taufe muß ich getauft werden . . .«; den gleichen Sinn hat wahrscheinlich Mk 9,49f.: »mit Feuer gesalzen«. Oder es weisen Worte des AT auf sein Leiden hin. Mt 12,38–42 (16,1–4): das Zeichen des Jona; Mk 14,58: »Ich werde den Tempel zerstören . . .« In dem Wort Mk 14,27: »Ich werde den Hirten schlagen und die Schafe zerstreuen« (Ez 34), sieht er sein und seiner Jünger Leiden zusammengefaßt. Beiden miteinander kündigt er in Mt 10,24f. an: »Ein Jünger ist nicht über dem Meister . . .« Beides sieht er zusammen in der Frage an seine Jünger, Mk 10,38: »Könnt ihr den Kelch trinken, den ich trinke?«, und in dem Wort an Petrus, Lk 22,31: »der Satan . . . um euch zu schütteln wie den Weizen«. Auf die Wiederkunft geht vielleicht das Wort vom Blitz, Mt 24,27f. und Lk 10,18. Bei den Leidensankündigungen haben die Vergleiche auch eine verbergende Funktion.

IV. Vergleiche in Schriftzitaten. Der Vergleich mit Hirt und Herde (Ez 34 u. ö.) begegnet mehrfach: Mt 15,24; Mk 6,34; 14,27. Die Aufnahme dieses Vergleichs und die mehrmalige Anführung der Gottesknechtlieder bei Heilungserzählungen Mt 8,14–17 und 12,9–21 zeigen, wie das Wirken Jesu nach den Evangelien im AT verwurzelt ist. Auf die anderen Stellen, in denen ein Vergleich aus dem AT aufgenommen wurde, wurde jeweils hingewiesen.

Zum Abschluß: Es sei abschließend noch einmal darauf hingewiesen, daß das zu den Vergleichen in den Evangelien Gesagte nur eine Skizze ist, die nur Beispiele anführt; eine genaue Ausarbeitung müßte alle Vergleiche heranziehen. Dabei sind auch einige, die bisher noch nicht mit Sicherheit erklärt sind wie Mt 13,52; Lk 12,4f. Zur genaueren Ausarbeitung würde auch ein ins einzelne gehender Vergleich der Gruppen von Gleichnissen mit den Gruppen von Vergleichen gehören.

Beim Zusammensehen der Gruppen von Gleichnissen und der Gruppen von Vergleichen ergibt sich:

1. Die beiden Hauptgruppen begegnen bei Gleichnissen und Vergleichen. Vom Auftrag Jesu, der in seinem Heilswirken die sich zu den Leidenden und Sündern neigende Barmherzigkeit Gottes verkörpert, reden die Evangelien in Gleichnissen und in Vergleichen. Ein Unterschied liegt darin, daß in den Gleichnissen vom Sich-Erbarmen Gottes selber in Gleichnissen erzählt wird, während die Vergleiche mehr in der Bestreitung der Gegner begegnen, die sich diesem Heilswirken entgegenstellen. Diese Bestreitung der Gegner begegnet aber auch in den Gleichnissen. Sowohl in den Gleichnissen wie in den Vergleichen tritt dabei das segnende Wirken Gottes neben das rettende.

Die Gerichtsankündigung nimmt einen größeren Raum ein in Vergleichen bei der Bestreitung der Gegner Jesu, in den Gleichnissen tritt sie zurück, tritt aber stärker hervor bei dem wahrscheinlich späten Motiv »Ausschluß vom Festmahl und Verwerfung«.

2. Die andere Hauptgruppe »Weisung für ein Handeln oder Verhalten« begegnet ebenso in den Gleichnissen wie in den Vergleichen. Sie stimmen überein in der Untergruppe – in der Gegenwart; bei den Gleichnissen ist dies die Gruppe der Beispielerzählungen; bei den Vergleichen ist dies die größte Gruppe; wie bei den Gleichnissen ist die Weisung an *alle* Zuhörer gerichtet, sie hat ihre größte Dichte in der Bergpredigt, das zeigt ihre Bedeutung. Die beiden Untergruppen »Weisung für das Hineinkommen in das Reich Gottes« und »Weisung im Zusammenhang der Aussendung der Jünger« haben nur die Vergleiche, bei den Gleichnissen gibt es dazu keine Entsprechung. Dasselbe gilt für die Gruppe »Leidensankündigung und Wiederkehr«. Es zeigt sich also, daß nur die Vergleiche im Zusammenhang des Wirkens Jesu (Aussendung der Jünger, Leidensankündigung, Wiederkehr) ihren Ort haben, nicht aber die Gleichnisse. Was daraus zu schließen ist, müßte in größerem Zusammenhang gefragt werden.

Folgerungen

Ich wiederhole hier nicht die Folgerungen, die bei den einzelnen Teilen der Untersuchung schon genannt wurden.

1. Es hat sich ergeben, daß die Vergleiche und Gleichnisse (auch die hier nicht untersuchten Metaphern wären einzubeziehen, s. o. S. 10) einen Wesensbestandteil der Bibel des AT und NT bilden. Dabei stehen alle drei sprachlichen Formen: das einzelne Wort – der Satz – die Erzählung, in einem Zusammenhang miteinander. Es ist der gleiche Sprachvorgang des Vergleichens, der diese drei Sprachformen gebildet hat.

2. Es hat sich weiter ergeben, daß im AT wie im NT Vergleiche nicht beliebig vorkommen, sondern nur (mit begründeten Ausnahmen) in dialogischen Texten. Aus der Anrede erhalten die Vergleiche und Gleichnisse im AT und im NT ihre Funktion.

3. Die Funktion von Vergleichen und Gleichnissen ist verschieden je nach ihrem Zusammenhang, in dem sie stehen und aus dem sie ihre Funktion erhalten. Die Vergleiche sind keine Bildworte und die Gleichnisse keine Bildsprache.

4. Durch den Vergleich und das Gleichnis erhält das Vergleichende Mitsprache bei dem Verglichenen. Ist das Verglichene etwas zwischen Gott und Mensch Geschehendes, erhält das Vergleichende, das in der Welt als Schöpfung und das zwischen den Geschöpfen

Geschehende, Mitsprache bei dem, was zwischen Gott und Mensch geschieht. Da alle Vergleiche und Gleichnisse von dem sprechen, was in der Schöpfung und zwischen den Geschöpfen geschieht, geben die Vergleiche und die Gleichnisse der Schöpfung Gottes eine hohe Bedeutung in dem, was die Bibel von Gott sagt.

5. Eine über diese Untersuchung hinausgehende Folgerung ist, daß das Verständnis des Wortes »Lehre« in den Evangelien dahin zu korrigieren ist, daß in allen Worten, die Vergleiche enthalten, und in allen Gleichnissen das Wort »Lehre« nicht Aussage, sondern Anrede meint.

6. Über diese Untersuchung hinaus ergibt sich die Aufgabe, die Vergleiche in den Evangelien mit denen in den Briefen des NT zu vergleichen. Man wird konstatieren, wie stark sie voneinander abweichen. Der Grund dafür ist, daß sie hier und dort verschiedene Funktionen haben. Die Vergleiche in den Briefen stehen mehr in der Tradition der frühjüdischen Lehrgleichnisse und Lehrvergleiche, während die Vergleiche und Gleichnisse in den Evangelien mehr in der Tradition der Vergleiche und Gleichnisse im AT stehen.

Literatur

Barth Ch., Die Errettung vom Tode, 1947

Beyerlin W., Religionsgeschichtliches Textbuch zum Alten Testament: ATD Ergänzungsreihe 1, 1975

Bultmann R., Geschichte der synoptischen Tradition: FRLANT 12, 1931; [8]1970

Dodd C. H., The Parables oft the Kingdom, 1935

Eichholz G., Gleichnisse der Evangelien, 1971; [3]1979

Fuchs E., Bemerkungen zur Gleichnisauslegung: GA II, S. 136–142

Funk R. W., Beyond Criticism in Quest of Literature: The Parable of the Leaven: Interp 25, 1971, S. 149–170

Frye N., The Great Code: The Bible and Literature. Chapt. III–VI »Metapher«, 1982

Gerleman G., Cantica: BK XVIII, [2]1981

Goulder M. D., Midrash and Lection in Matthew, 1974.
   Characteristics of the Parables in the Several Gospels: ITS 19/1, 1968, S. 51–69

Jeremias Jö., Kulturprophetie und Gerichtsankündigung der späten Königszeit: WMANT 35, 1970

Jeremias J., Die Gleichnisse Jesu, 1947; [9]1977

Jülicher A., Die Gleichnisreden Jesu, I.II, [2]1910

Jüngel E., Metapher, zur Hermeneutik religiöser Sprache: In E. Jüngel – P. Ricoeur, Metapher: EvTheol Sonderheft, 1974, S. 1–44
   Paulus und Jesus, [3]1967

Liedke G., Artikel špt: THAT II, 1976, S. 999–1009

Linnemann E., Gleichnisse Jesu, 1961; [4]1966

Michel D., Tempora und Satzstellung in den Psalmen

Olrik A., Gesetze der Volksdichtung: Ztschr für deutsches Altertum 51, 1909, S. 1–12

Pedersen J., Israel, Its Life and Culture I–II 1926, III–IV 1940

RGG[3] Artikel »Gleichnis und Parabel«: Edsman-Fohrer-Dietrich-Dahl, S. 1614–1621

Ricoeur P., Stellung und Funktion der Metapher in der biblischen Sprache: In E. Jüngel – P. Ricoeur, Metapher: EvTheol Sonderheft, 1974, S. 45–70

Snell B., Die Entdeckung des Geistes, [2]1955

Stoffer-Heibel C., Metaphernstudien: Stuttgarter Arbeiten zur Germanistik 96, 1981

Via O., Die Gleichnisse Jesu: BEvTh 57, 1970

Weder H., Die Gleichnisse Jesu als Metaphern, 1970

Weinrich H., Semantik der Metapher, 1970

Westermann C., Genesis: BK I–III, 1974–1982
   Grundformen der prophetischen Rede, [5]1978
   Lob und Klage in den Psalmen, [5]1977
   Der Aufbau des Buches Hiob: CTM 6, [4]1977
   Jesaja Kapitel 40–55: ATD 19, [4]1981
   Theologie des Alten Testaments in Grundzügen: Grundrisse zum AT: ATD Ergänzungsreihe 6, 1978
   Das Schöne im Alten Testament: Festschr. W. Zimmerli, 1977, S. 479–497

Wildberger H., Jesaja: BK X/1, 1972, [2]1980

Wolff H. W., Joel: BK XIV/2, 1969
   Micha: BK XIV/1–4, 1982

Zimmerli W., Ezechiel: BK XIII/1–2, 1969
   Zur Sprache Tritojesajas: Schweizerische theologische Umschau 3/4, 1950, S. 1–13

H. P. Müller, Vergleich und Metapher im Hohenlied, Orbis Biblicus et Orientalis 56, 1984 (konnte nicht mehr berücksichtigt werden).

Bibelstellen

ALTES TESTAMENT

Genesis

1–11	16
1	95
1,4	23
14	16
19	21
25.27	21
2,18	21
5,20	21
7,11	16.23
12–50	16
13,10.16	16.23
15,1.5	16.23
16,12	16
19,28	23
22,1	91
17	16.23
23,1–6	21
24,26	26
26,4	16.23
27,24	16.23
32,13	16.23
33,10.14.20	16.20f.23f.
37	16
40,41	16
49	10–12.16.19.23.26
49,9	11.29.54.118
11–12	12
14.15	11
16–17	11
18	11.23
21.22	11
26	11

Exodus

3,8	17
4,6.7	17.23
12,10	17
15,1.21.26	23
16,14.31	17.23
17,15	23
19,18.24	23
21–23	17
21,19	36
22–24	18
24,10.17	23
25–31	17
32,13	16.23
34–40	17

Leviticus

1–27	17

Numeri

1–9,14	17
6,24–26	86
9,15	17.23
10,1–10	17
11,7f.	17
12,10.12	23
12	17
13,34	17.23
15	12.17
15,26	17
17,5	17
18	17
18,25–30	17
19	17
21,18	37
22–24	23.25.77.94
22,4	17
23,2.7–10	25
18b–24	26
24,3b–9	26
10	17.23
15–29	26
21	26
24,17	17
27,17	17.23
33,55	17.19.23
35–36	17

Deuteronomium

1–11	18
1,10.44	23.18
6	23
6,6–9	18.23
8,5	18.23
9,3	18.23
10,16.22	18
21	18.23
11,18–20	18
10	18.23
12–26	18
27–30	18
28,62	18.23
30	23
30,11–14	18.23
31–34	19

32	19.23
32,4.37	87
2.10.11.22.23.30.31.32f.37.38.41f.	19
33	19.23
33,17.20.22	10.11

Josua

3,13–16	19.23
7,1.26	19.23
9,2	112
11,4	19.23
12,1–13	25
20,39–43	25
23,13	19.23

Richter

2,3	19.23
5	11.19
6,21	36
24	19.23
7,5	19.23
9	25.77
9,8–14	23
15	23.89
14,14	19
16,9	19.23

Rut

2,12	19.23.89

1 Samuel

1–3	25
1,15	23
2,1–10	19.23
20	20
7	25
8,18	25
10,17–21	25
12	25
12,1–7	25
13,7–15	25
16,15	25
18,1–3	19
21	132
24,15	20.21.24
25,29.37	19.23
26,20	20f.24
28,9	20
29,9	19

2 Samuel

1,15.26	19
19–27	21.23.24
2,18	24
3,8	24
5,2	20.23
23	23
7	20.23.25
7,8–16	25
9,8	21
12	25
12,1–13	77
1–7	20.23
2	112
11–13	25
14,1–24	20.23
7.14	23
17.20	20f.23f.
17,1–3	20.23
7–13	20.23
8–10	20
12	20
22,31	88
22	21.23
22,3	87
18	37
23,3	87.88
24,11–15	25

1 Könige

4,20	23
21.31	36
12,7	21.22
10.11	22.23
14	23
21–24	25
13	25
13,1–14	25
28	25
14,10	25
16,1–4	25
17–20	25
18,21	24
20,35–43	25
29–43	77
21,17–19	25
22	25.76

2 Könige

1–9	25
1,2–4	25
4,29.31	37

8,13	21
13,14–21	25
14	112
14,8–10	19.22.24
18,21	22.37
19–21	25
19,3	22.23

Hiob

3,23.24	98.99
4,8	100
5,2	100
3.18	101
21.26	101
6,2	99
4	97
5	99
15–21	100
7,1–10	99
1–3.9	100
12	97
8,10–12	101
11–13	101
16	101
9,17f.34	97.98
25	100
10,4.6	98
9–17	98
16f.	97
12,13–25	99
13,12	100
27.25	98
14,1–12	99
2	100
7–11.14	100
18–19	98
20	98
15,35	100
16,9	97
11	98
12.13	97
19,2	100
8–10	98
11–12	97
20,6–8	101
15f.	100
22,24	101
24,8	87
19f.	100
28	97.102f.
30,11.19	93
21	97

22–23	98
29	99
32,3	101
38	94.102
38,1–38	101
4–11	102
36–38	102
41	101

Psalmen

1	23.52.95f.
2,4	92
3,4	88
4,2	90
7	86
8	91
12	94
5,2	92
10	84
7,3	84
11	88
13	84
16	85
9,7–12	92
14	90
16	85
10,2	84.85
7.9f.	84
16	92
11,2	84
4	92
6	85
12,3–5	84.85
7	93
14,6	87
16,5.6	89
17,8	86
11f.	83
18	20–21.23.64.88
18,3.4	87.88
5	90
7	87
17	90
20.31	90.91.93
32	87.93
36	88
37	90
19	37.93.94
22	80.84
22,7	82
9	92
15–16	82

16	80.81	47,1–10	92	78,35	88
23	89	48,4	88	52	89.90
23,1–6	23	49,12–13	82	79	80
4	89	15–21	82	79,5.6	80.81.85
6	88	50,8–9	85	80	86
24,7–10	92	52,4.6	84	80,2	65.89
25,4f.10.12	86	7	85	6.13	80.81
26,8	92	55,5.9.17	81.88	9–12	86
27,1	88.94	19	90	81,2	87
5	88.89	20	92	7.14	91
11	86	22	84	83	72
28,1	81	56,9	86	93,14–16	85
7.8	87.88	57,1	89	84,4	88.100
9	89	5–7	84.85	6	87
30,2.4	90.91	11	93	85,9–14	94.95
12	91	58,7.10	84.85	86,12	87
31,3.5	73.88	59,7.8	84	13	90
4	87	10.15f.	84	88; 89	80
9	90	17	87.88	88,6–8	80.81
12	81	60,4	86	16–18	81
21	88.89.93	5	80	89,19	88
32.7	88	61,3.4	87.88	27	87
31	87	3.5	88.89	40.44	81
33,4	93	62,2.7	88	90,5f.10	82
7	93.94	3.7–9.12	87.88	16	86
20	88	10	82	91,1.2	87–89
35,1–3	86	63,8	89	3	84.90
17	86	64,4–9.6.7	84	9	87
36,2.7f.	85.92	8f.	85	92,2	93
6f.8	93	65,5.6	87–89	11	81
11	93	10–14	99.95	13–15	95
37,15	85	66,10–12	90.91	16	87
20.35	85	68,2	82	93	91
39	88	3	85	93,3	91
38	80	6	93	94,22	87.88
38,3	80.81	69,2	82	95–99	92
5	82	15–16	86	95,1	88
14f.	81	24	85	97,2	93
39,6.7	82	71,2	96.90	102	80
12.13	82	3	88	102,1.3	81
40,5	87.90	5–7	87	4f.8	82
42	80	20	86	11.12	80–82
42,7.8	80–82	72,5f.16	95	26.28	94
10	87	73,2	90	103	120
11	84	9	84	103,4	90
43,2.3	86.88.90	18.20	85	9	124
44	80.81	74,2	86	11–12	92.93
44,12.13	80.81	12	92	13	93
20	80	26.28	87.89	14–17	94
26	81	75,9	85	19	92
46,2	87	76,6	87	104,1–2	94
8.12	88	77,21	91	6	84